20世紀論争史

現代思想の源泉

高橋昌一郎

光文社新書

20世紀論争史

現代思想の源泉

——

目次

目次・章扉デザイン／梠田祥仁

第1章

「20世紀」とは何か?

1972年

メドウズ

『成長の限界』

リオのオリンピック帰りのおみやげ

助手　先生、コーヒーどうぞ。姪（めい）が夏休みにリオ・デ・ジャネイロに行ってきたので、おみやげのブラジル・コーヒーです。

教授　これは芳醇（ほうじゅん）な香りだね。しかも苦みが強くて、美味（うま）い！　今年の夏のリオといえば、オリンピックでも観に行ってきたのかな？

助手　そうなんです。まだ中学生なのに、リオまでバドミントンの応援に行って、高松ペアが金メダルを勝ち取った瞬間をライブで見ることができたと、大喜びで帰ってきました。

教授　「高松ペア」だって？

助手　高橋礼華（たかはしあやか）選手と松友美佐紀（まつともみさき）選手のペア。

バドミントンのダブルス決勝戦で、デンマークチームにリードされて、あと二ポイントで負けるところだったのに、最後の土壇場で五連続ポイントをあげて、劇的な大逆転勝利を飾ったじゃないですか！　先生、ご存知ないんですか？

教授　今年の夏といえば、私は国際学会で、ずっとローマに滞在していたからね。テレビもイタリア人選手の試合ばかりだから、日本人選手の試合はほとんど観ていないんだ。

助手　そうでしたか。考えてみれば、「世界の祭典」オリンピックといっても、それぞれの国では、きっとその国の選手の試合しか放映していないんでしょうね。

教授　オリンピックとなると、どの国の政府もマスコミも一緒になって、自国の選手を熱狂的に応援するからね。まあ、この種の自国偏愛傾向が、スポーツの世界だけに留まってくれればいいんだが……。

それでも、日本の史上最多メダル獲得は、イタリアでも大きな話題になっていたよ。とくにイタリア人が驚いていたのが、陸上の男子四×一〇〇メートル・リレーで日本が銀メダルを取ったこと。テレビでは、日本チームの最終走者が世界最速スプリンターのウサイン・ボルトと競っている光景を何度も映し出して、日本チームのリレーを「神業」だと絶賛していた。

助手　たしかに日本のリレーは、各選手の個人競技の成績をはるかに超える実力を集団で発揮しますから、外国人も驚くでしょうね。水泳の男子四×二〇〇メートル・リレーも、日本は銅メダルを獲得したし……。

教授　それにしても、君の姪御さんはリオにまで応援に行くなんて、そんなにバドミントンが好きなの？

助手　実は姪もバドミントンの選手で、四年後の東京オリンピック出場を目指しているんです。選ばれるかどうかは、まだ先の話なのでわかりませんが……。

教授　それはすごい！

助手　先日久しぶりに会ったら、真っ黒に日焼けして身体（からだ）も逞（たくま）しくなっていて、ビックリしました。

彼女は二〇〇一年生まれですから、東京オリンピックの開催が予定されている二〇二〇年の翌年が成人式。生まれたとき、二一世紀最初の年に生まれた赤ちゃんだねと姉夫婦を祝ったのが、つい昨日のことのようで……。

教授　まさに「光陰（こういん）矢の如し」だね。

二〇世紀の定義

助手　あと数年もしたら、大学の新入生が二一世紀世代になるなんて、先生も信じられないでしょう。私の青春時代といえば、やはり二〇世紀でしたから……。

教授　「青春時代」とはロマンティックじゃないか。秋も深まってきたからかな。

助手　そんな気分の話じゃありません！　二〇世紀とは何だったのか、どんな時代で何が起こったのか、少し自分の頭で整理しておきたくなったんです。

　図書館で『20世紀の定義』全九巻とか、『20世紀――どんな時代だったのか』全八巻のようなアンソロジーにも目を通してみたんですが、いろいろな情報が多すぎて、逆に見えなくなってしまって……。

教授　『20世紀の定義』といえば、二〇〇〇年、歴史学の樺山紘一氏、哲学の坂部恵氏、文学の古井由吉氏、科学史の山田慶児氏、解剖学の養老孟司氏、物理学の米沢富美子氏を編者として、各界の研究者が二〇世紀に生じた多彩な問題を検討して執筆する形式で刊行されたシリーズだ。原典のテキストを重視しながら、多角的に「二〇世紀の定義」を見出そうとする興味深い試みでね。

　刊行された当時、私も論文を寄稿したんだが……。

助手　先生の「普遍記号学と人間機械論」でしょう。読んでみましたが、難しくて……。

　でも、二〇世紀にコンピュータや人工知能が飛躍的に発展した結果、逆に根源的な問題が見直されるようになって、そもそも人間は機械なのか、知性とは何か、生命とは何かといった本質的な論争が深まったという点は、すごくおもしろかったです。

教授　かつて「生命」「言語」「真理」「認識」「知性」「存在」「正義」などに関する根源的な問題は、哲学の世界で思弁的に議論されるばかりだった。これらの問題に対して、自然科学からアプローチできるようになったのが二〇世紀といえる。

したがって、「科学を視野に入れない哲学も、哲学を視野に入れない科学も、もはや成立しなくなった」というのが、私が二〇〇二年に上梓（じょうし）した『科学哲学のすすめ』で述べた見解だ。

助手　第一線の哲学者や科学者が根源的な問題を議論したら、当然「論争」が生じることになりますね。

教授　その種の「論争」は、二一世紀の現代になっても形を変えながら深層で継続し、ますます重要性が高まっている。

助手　おもしろそう！　先生、いろいろな「論争」について、教えてください！

教授　今日みたいに美味しいコーヒーを淹（い）れてくれるんだったら、いくらでも話すよ。

宇宙のタイム・スケール

助手　『20世紀の定義』で先生の論文が掲載されていた第九巻には、一二本の論文が含まれているんですが、巻末の「執筆者紹介」を見たら、先生が一番若かったですよ。

教授　そういえば、「普遍記号学と人間機械論」の問題を追究したのは、私がアメリカにいた二〇代の頃だった。

　今でも思い出すのは、ミシガン湖畔の樹々の鮮やかな紅葉だよ。周囲一面の葉が黄色の原色で覆われて、そこに夕日が射し込むと、別世界のように幻想的な景色になったものだ。

助手　先生だってロマンティックな思い出に浸っているみたいじゃないですか。

教授　人生は「邯鄲（かんたん）の夢」のようなものだからね。

助手　その言葉、どういう意味でしたっけ……。

教授　古代中国の趙（ちょう）の故事だよ。

　ある男が一旗揚げようと、趙の首都の邯鄲に行った。そこで出会った道士が、彼に「夢をかなえる枕」を与えた。男がその枕を使うと、やがて出世して結婚し、無実の罪を着せられて投獄されるが、冤罪が晴らされ、その後は成功を重ねて、子孫に恵まれ、幸福に亡くなる人生を送るという夢を見た。

ところが、その死の瞬間に夢から目覚めると、すべては一瞬の出来事で、枕を与えられたとき火に掛けていた粟粥さえ煮あがっていなかった。この「夢」によって人生の儚さを悟った男は、道士に礼を言って、故郷へ帰って行ったという話だ。

助手　でも、人生が儚いからといって、故郷に帰らなくてもよさそうなんだけど……。

教授　それもそうだがね。宇宙の時間間隔で考えると、人間の一生は実際に一瞬に過ぎないから、なかなか示唆に富んだ話のようにも思える。

現代の宇宙物理学によれば、ビッグバンで放出されたマイクロ波の観測によって、宇宙の年齢は一三五億六〇〇〇万年から一三八億年と見積もられている。これを一年間に当てはめてみると、「宇宙のタイム・スケール」がよくわかる。

一月一日午前零時ちょうどにビッグバンが生じたとしよう。その時点から宇宙は急速に膨張し、無数の原子が衝突や結合を繰り返して、分子化合物が形成される。三月頃に銀河系の基礎、八月頃に太陽系の基礎が形成され、地球が誕生するのは、八月下旬になる。

九月、地球上に最初の単細胞生物が出現し、一一月下旬、多細胞生物に進化する。一二月一八日、陸上に原始植物、海中に魚類が発生、二〇日、両生類が陸上にも生息できるようになる。二四日、恐竜が誕生、二五日に哺乳類、二七日に鳥類が出現する。

助手　地球の歴史を振り返ってみると、最も長期的に陸上を支配した生物は、恐竜でしたね。

教授　そのとおり。恐竜時代は一億六〇〇〇万年も続いた。ヒト属の最初の種ホモ・ハビリスが二四〇万年前、現生人類のホモ・サピエンスがたった二五万年前の出現だという時間レベルと比較すると、桁（けた）違いに恐竜時代が長かったことがよくわかる。

ところが一二月二九日、巨大な彗星（すいせい）あるいは小惑星が地球に衝突して、地球大気に広範な影響を及ぼし、恐竜が絶滅する。そのおかげで、哺乳類が安心して進化できたというわけだ。

一二月三一日、午前一〇時頃に類人猿が誕生、午後九時二四分に直立歩行する原人が出現、午後一一時五四分に、やっと解剖学的に現代人と同じ人類が誕生する。

一一時五九分四五秒、人類は言語を使えるようになり、文字を印刷できるようになるのが一一時五九分五九秒。つまり、産業革命から現代にいたる人類の進歩は、最後の一秒以内に凝縮されることになる。

助手　人類の進歩が、大晦日（おおみそか）の最後のたった一秒！　宇宙の時間間隔の中では、人類なんて簡単に押しつぶされそうなイメージですね。その「宇宙のタイム・スケール」で、私たちの一生はどうなるのでしょうか？

教授　およそ一〇分の一秒程度の計算になるね。

助手　たった一〇分の一秒！　たしかに儚いわ……。

成長の限界

教授　二〇世紀が人類にとって特別な意味を持つ理由は、何よりもこの世紀に「科学技術」が飛躍的な進歩を遂げたことにある。もっとも、その進歩をもたらしたダークサイドの大きな理由は、二度の世界戦争における世界各国の軍事開発競争にあったわけだがね。

助手　二〇世紀最初の一九〇一年といえば、日本は明治三四年で、昭和天皇の誕生年でした。日本の庶民は着物を着て、井戸の水を汲み、薪(まき)で御飯を炊いて風呂を沸かしていたのどかな時代。それが第二次世界大戦後には、大量生産・大量消費時代に突入したわけですから、考えてみれば、「大衆化・社会化」の進行も急激でしたね。

教授　そもそも、農耕生活が始まる以前の人間の平均寿命は、およそ二〇～三〇歳にすぎず、この状況は、中世ヨーロッパ末期に至るまで変わらなかった。とくに中世の「暗黒」時代では、病気治療に「聖歌、霊薬、星占い、魔除け」などが広く用いられ、無数の幼児や若者の生命が失われたからね。

この状況は、細菌が発見されて、外科手術が広く一般に行われるようになる一九世紀まで続いた。ヨーロッパ諸国の平均寿命が四〇歳になったのは一八七〇年頃だよ。一九一五年に五〇歳、一九三〇年に六〇歳、一九五五年に七〇歳となり、現在では八〇歳代にまで延びている。

助手 二〇世紀だけで平均寿命が三〇年以上延びたということは、世界人口も大幅に増えたわけですね。

教授 西暦一年の世界人口は、およそ三億から四億人だったが、二〇世紀初頭には四倍の一六億人になった。それが二〇世紀末には六〇億人にまで膨れ上がった。

助手 つまり、一九〇〇年かけて約四倍になった世界人口が、続く一〇〇年でまた約四倍に増えた。爆発的増加ですね!

教授 それに危機感を抱いたのが、イタリアのオリベッティ社の会長アウレリオ・ペッチェイが世界の知識人を招いて創設したシンクタンク「ローマ・クラブ」だ。

ローマ・クラブは、マサチューセッツ工科大学の環境学者ドネラ・メドウズに、「人類の未来」をシミュレーションして描き出すようにと研究を委託した。

助手　壮大なシミュレーションですね。

教授　もちろん、全地球規模のシミュレーションになった。彼女は、多彩な分野の一七人の専門家から成るプロジェクト・チームを作って、「人口」「農業」「工業」「汚染」「天然資源」の五つの要素を状態変数とする世界モデル「ワールド3」を構築し、さまざまな仮説を立てて、二年近くコンピュータ・シミュレーションを繰り返した。

助手　それで、どうなったんですか？

教授　その結果は、一九七二年の『成長の限界――ローマ・クラブ「人類の危機」レポート』に発表された。メドウズらの結論は、次のようなものだった。

「世界人口、食料生産、工業化、汚染、資源が現在の成長率のまま継続するならば、現在から一〇〇年以内に、地球上の成長は限界点に到達するだろう。最も生じる可能性の高い帰結は、世界人口と工業力が、突発的に制御不可能な減少に転じることである」

助手　つまり、二〇七二年までに「限界点」が来るということですか？

教授　それがね、メドウズらが一九九二年に発表した第二の『限界を超えて――生きるための選択』では、次のように修正されているんだ。

「人類が、世界の資源を消費し、汚染物質を産出する速度は、すでに物理的に持続可能な速度を超えてしまったと考えられる。汚染物質とエネルギーの産出を大幅に削減しない限り、世界人口一人当たりの食料生産量、エネルギー消費量、工業生産量は、数十年後に、もはや制御不可能な減少に転じるだろう」

助手　「数十年後」って、もうすぐじゃないですか！

教授　メドウズらが二〇〇五年に発表した第三の『成長の限界――人類の選択』には、一一種類の未来のシナリオが示されているが、その中には、二〇三〇年までに成長の限界点を迎え、資源供給が行き詰まり、経済破綻と人口減少が始まるというシナリオもある。

もちろん、これらはコンピュータ・シミュレーションにすぎず、現実世界は非常に複雑なカオスで動いているから、彼女らの警告は偏っているという批判もあるがね。

助手　でも、地球上の資源が限られている以上、必ずどこかで「成長の限界」に達しますよね。私たちは、どうしたらいいんでしょうか？

教授　だからこそ、二一世紀に生きる我々は、二〇世紀の英知による根源的な論争の数々を振り返って、よく考えてみる必要があるんだよ。

助手　わかりました。二〇世紀の「根源的な論争」を振り返ることによって、新たな視界が開けてくるような気がしてきました。いろいろな論争のお話を楽しみにしています！

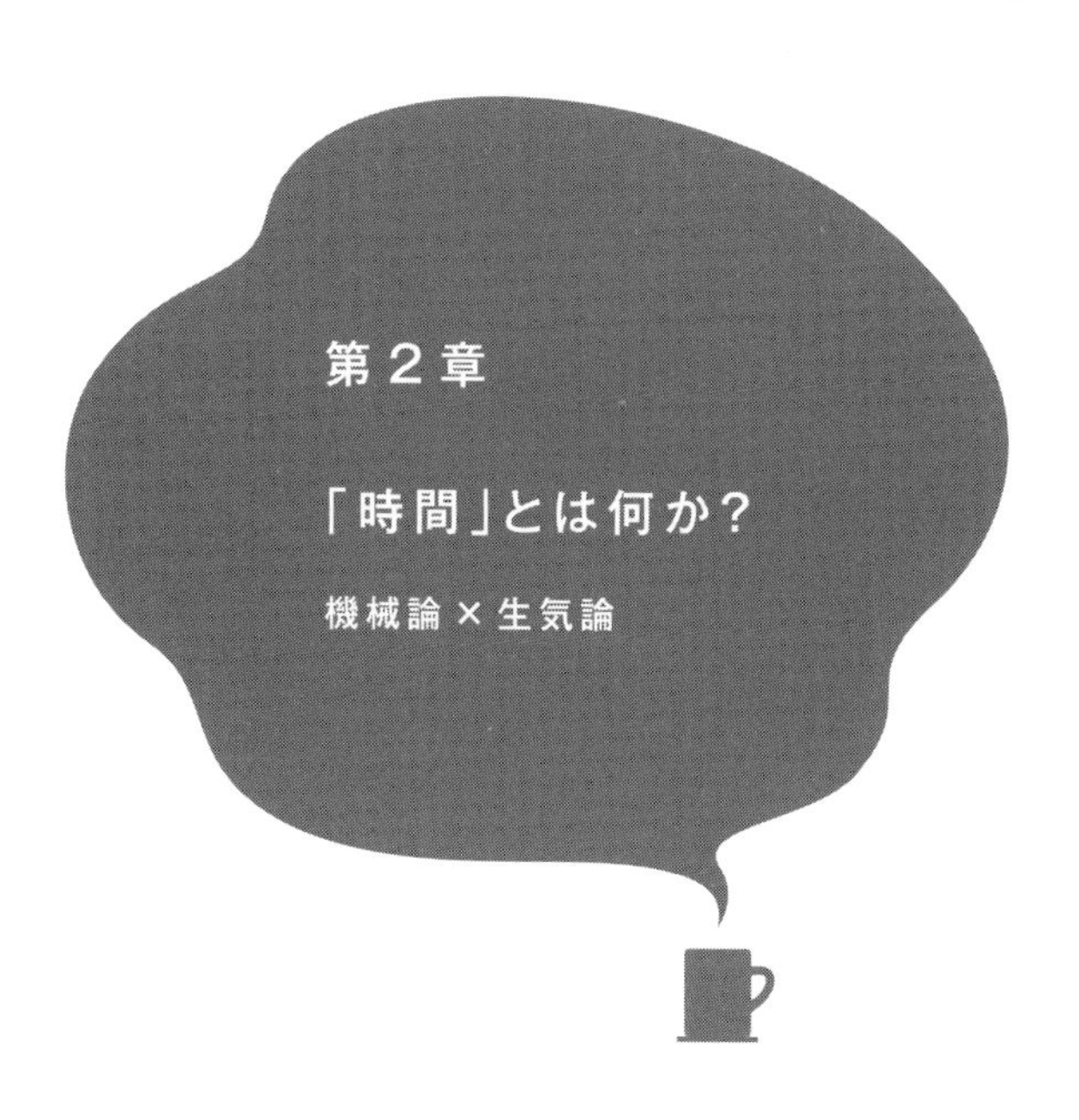

第2章

「時間」とは何か?

機械論×生気論

1859年
ダーウィン
『種の起源』

1909年
ドリーシュ
『有機体の哲学』

モカとモカ・マタリの違い

助手　先生、コーヒーどうぞ。今日は、モカを淹れてみました。

教授　これはフルーティな香りだね。酸味が強くてコクがあって、目が覚めるように爽やかな味だ。モカといえば、エチオピア産とイエメン産があるが……。

助手　エチオピア産です。この豆は、標高二五〇〇メートルの「イルガチェフェ」地区だけで採れる「グレード1」のモカですって。コーヒー専門店のおじさんに、めったに日本に入ってこない希少品だから買っておきなさいと力説されて、つい買ってしまいました。

教授　それは目利きのおじさんかもしれないよ。このモカは、シトラスとチョコレートが混ざったような珍しい後味で、実に美味い！

そもそも、あらゆるコーヒーの原産地は、エチオピアだからね。九世紀頃、エチオピア南西部の「カファ」と呼ばれる地域で、ヤギの群れが赤い果実を食べて夜中まで走り回っていた。これを見た羊飼いが、その果実を食べてみると、覚醒作用や鎮痛作用のあることがわかり、それが野生のコーヒーの発見だったと言われている。

助手　ヤギもコーヒーで興奮するるんですね。
教授　最初は薬草のように、コーヒーの果実や生豆を煮出した汁が使われていたが、焙煎して保存する手法が発見されて、一般大衆に行き渡る嗜好品となった。
一四世紀にはアフリカからアラビア半島に広がり、現在のイエメンの首都サナアの港「モカ」から大量に輸出されるようになった。
助手　「モカ」って、港の名前だったんですか！
教授　そのとおり。だから、元来のモカはエチオピア産で、その後に栽培されるようになったイエメン産の方は「モカ・マタリ」と呼ばれて区別されている。
その辺りの話、実はエチオピアから来た留学生に詳しく教えてもらったんだがね。彼女によると、エチオピア人はコーヒーのことをアムハラ語で“Buna dabo naw”と表現するが、その意味は“Coffee is our bread”というんだから、思い入れの強さがわかるだろう。
助手　「コーヒーは私たちのパン」というか「コーヒーは私たちの主食」ですか！
たしかに、すごい表現ですね。
教授　エチオピアには、女性がゲストを招いて主宰する「カリオモン」と呼ばれる伝統的なコーヒー・セレモニーがあって、それにその留学生が招いてくれてね。

まず主宰者を中心にゲストが輪になって座り、挨拶から始めるところは、日本の茶会に似ている。主宰者が、おもむろにコーヒーの生豆を鉄皿に入れて、水を入れて洗う。一粒一粒の生豆を、指で捏(こ)ねるように何度も捻(ひね)って、綺麗になるまで洗うんだ。

助手　生豆から始めるなんて、悠長ですこと。

教授　それが重要な儀式なんだよ。そして、鉄皿を炉(ろ)にかけて、コーヒーの生豆を煎(い)る。乳白色だった豆が真っ黒に煎り上がると、客一人一人の顔の前に鉄皿を突き出して、香りを嗅(か)がせる。これが、なんともいえない香ばしさでね。全員が満足して頷(うなず)くと、彼女が豆を細長い筒に入れて、棒で潰(つぶ)して粉状にする。

そのコーヒーの粉を、湯の入ったポットに入れて沸騰させる。一杯目は自然の大地に感謝して地面に流し、二杯目以降をカップに注ぎ分けて、年長者から順に渡す。これを全員が三杯のコーヒーを飲むまで繰り返すんだ。

助手　三杯も飲むんですか？

教授　そうだよ。ゲストは、その合間に「ファンディシャ」と呼ばれるポップ・コーンを食べたり、会話を交わしたりして、セレモニーは二時間近くも続く。

エチオピア人にとって、コーヒーは自然の最大の「恵み」だから、家庭に入る女性は、何よりもコーヒーの扱いを知らなければならない。したがって、礼儀作法にかなった形式でこのセレモニーを主宰できて、初めて一人前の女性とみなされるわけだ。
助手　それがエチオピアの花嫁修業なんですね。
教授　現在の日本では、コンビニのコーヒー・マシンでコーヒー豆を挽いてドリップしても、たった四五秒後に熱いコーヒーが出てくるからね。
　君が言うように「悠長」な話かもしれないが、エチオピア人にとっては、あくまで生豆を洗うことから始めるのが正式なコーヒーの飲み方だ。私にとって、あの二時間は、別世界で過ごした優雅な時間だったよ。

ニュートンの絶対時間

助手　いいなあ、「優雅な時間」！　ところで私、幼い頃からずっと不思議に思っているんですが、そもそも時間とは何なのでしょうか？
教授　それはまた、深遠な問題を持ち出してきたね。
「神は、天地創造以前に何をしていたのか」と問われた聖アウグスティヌスは、その疑問から出発して生涯にわたって時間論を追究した哲学者だが、彼は、「時間とは何か。誰も私に問わなければ、私はよく知っている。しかし、誰かに説明しようとすると、私は何も知らない」と、紀元四〇〇年に書き上げた自伝『告白』で述べている。

助手　どういう意味ですか？

教授　難しく考えなくても、読んで字の如く、自分は時間とは何かを「直観的」に知ってはいるが、それを説明しろと言われたらうまくできない、ということだろう。

助手　私もアウグスティヌスと同じ感覚なんですよ！　時間のことは日常的によくわかっているし、当然のように時間を使っているのに、うまく説明できない感覚……。

教授　それなら、アウグスティヌスの『告白』を読んでみたら？

　彼は、カトリックの司祭とは思えないくらいストレートな人物でね。一八歳の頃に「欲望に支配され、荒れ狂って」同棲していた女性に子どもを産ませた話とか、神や信仰に疑念を抱いて苦悩に陥った話など、実に赤裸々に自己の内面を「告白」しているから……。

助手　いえ、遠慮しておきます、重そうな題名だし。それより今は、時間とは何かについて教えてください。

教授　近代的な意味での時間を物理的に考察したのは、何といってもアイザック・ニュートトンだ。彼が一六八七年に発表した『プリンキピア』では、宇宙が「絶対時間」と「絶対空間」という枠組みにおいて、初めて厳密に定義された。

助手　その「絶対時間」とは？

教授　何物にも関係なく、それ自体で流れる「絶対」的な時間ということ。絶対時間は、宇宙において「単一」であり、恒常的に一定の割合で「一様」に流れ、そのどの部分を切り取っても「等質」だという性質がある。

助手　つまり「客観的時間」ということですね。

教授　「客観的時間」であり「理想的時間」でもある。このような絶対時間の概念は、後に相対性理論によって否定されるんだが、とりあえず現時点では、そのまま説明しよう。

数学的には、絶対時間は、他の変数に依存しない独立変数ｔとして表される。この時間ｔは、過去と未来に「無限」に延びる一次元直線で、その量は「連続」する実数値で表現されるわけだ。

助手　たとえば、気温や人口や株価の変化を表すグラフのｘ軸が時間だということですね。味気ないけれど……。

教授　そういうことだ。ニュートンは、絶対的な時間と空間の枠組みの中で、あらゆる現象が生じると考えた。そして彼は、ユークリッドの『原論』を意識して『プリンキピア』を完成させた。その出発点となる公理に相当するのが、「慣性の法則」・「運動方程式」・「作用・反作用の法則」。これらの基本三法則から、他の物理法則が演繹的に導き出される体系を構築した。

つまり、ニュートンは、自ら発見した万有引力の法則に、落下運動に関するガリレオの力学、惑星運動に関するケプラーの法則や振り子運動に関するホイヘンスの研究なども総合して、見事な物理学を創り上げたわけだ。

助手　いわゆる「古典物理学」ですね。

教授　その古典物理学の威力は、凄まじいものだった。何しろ、地上の物体の運動から天上の惑星の軌道に至るまで、あらゆる自然現象を説明できるんだからね。しかも、ニュートン理論は、当時の機器によるほとんどすべての観測で確認され、またその予測も正確であることが検証された。

助手　何か具体的な実証例はありますか？

教授　歴史的に有名なのは、ハレー彗星だね。そもそも彗星の存在は古代から知られていたが、その動きは惑星とはまったく異なるため、それがどのような軌道を描いているのか、大きな謎だった。

彗星は、直線を描いて太陽系を横切るとか、放物線軌道で太陽に接近して永遠に遠ざかるという説もあった。ところが、ニュートン理論によって、彗星も惑星と同じように、太陽の重力に束縛された楕円（だえん）軌道を描くという仮説が生み出された。

ニュートンの親友だったイギリスの天文学者エドモンド・ハレーは、過去の彗星の観測記録を調査して、一六八二年に彼の観測した彗星の軌道が、一六〇七年・一五三一年・一四五六年に観測されたものと非常に似ていることを発見した。

この彗星は、他の惑星と同じように楕円軌道を描いているが、その軌道は非常に細長く、太陽に非常に接近した後は、土星を遥かに越えた地点まで遠ざかることが、ニュートン理論によって計算できた。

そこでハレーは、一七〇五年、この彗星はおよそ七六年周期で太陽を周回するはずであり、他の惑星の重力の影響を計算した上で、次回は一七五八年頃に回帰するに違いないと発表した。

助手　ワクワクしますね。それでどうなったんですか？

教授　一七五八年一二月二五日のクリスマス、実際にこの彗星が太陽に接近する姿が観測された！

ハレー自身はすでに亡くなっていたが、彼の功績をたたえて、この彗星は「ハレー彗星」と命名されたわけだ。

助手　彗星が予想したとおりに帰ってくるなんて、ロマンティックですね……。

ラプラスの機械論的決定論

教授　一八世紀には蒸気機関が発明されて産業革命が生じたが、ここでもニュートン理論はさまざまな技術に応用されて威力を発揮した。ここまで大成功を収めると、古典物理学は、この宇宙の基本的な自然法則そのものだとみなされるようになった。

そこで、「偶然とは無知の告白である」と主張したことで知られるフランスの数学者ピエール・ラプラスは、この宇宙の出来事はすべて決定されており、不確定要素の入り込む余地はないと考えた。

助手　それはどういうことですか？

教授　たとえばハレー彗星は、ニュートン理論にしたがって公転しているから、ある時点の軌道を計算すれば、ハレーが行ったように、将来いつ地球に接近するかも計算できる。同じ手法で、未来に起こる日食や月食も計算できるし、球を投げればどのように落下するかも正確に予測できる。初期状態さえわかれば、後はそれを古典物理学に当てはめればよいわけだ。

助手　ある瞬間の状態がわかれば、次の瞬間の状態が決まり、さらに次の瞬間の状態が決まる、という風に続くということですね。

教授　そのとおり。任意の一時点で宇宙の状態がわかれば、後はニュートンの古典物理学によってすべてが定まり、不確定性の入り込む余地はないことになる。

一八一四年、ラプラスは著書『確率の哲学的試論』において、「ある瞬間に宇宙のすべての原子の位置と速度を知ることができるならば、未来永劫（えいごう）にわたって宇宙がどうなるかを知ることができる」と述べている。これがラプラスの「機械論的決定論」と呼ばれる考え方だ。

助手　でも、実際に「ある瞬間に宇宙のすべての原子の位置と速度を知る」なんて不可能じゃないですか？

教授　もちろん、人間にはできないかもしれない。そこでラプラスは、人知の限界を超えた悪魔を想定した。この「ラプラスの悪魔」は、ある時点で宇宙のすべての原子の位置と速度を認識し、しかも瞬時に次の位置と速度をニュートンの古典物理学によって計算できる。

仮にラプラスの悪魔が、現時点で宇宙のすべての原子の位置と速度を知ったとすると、一秒後に宇宙はどうなっているか、悪魔はあらゆる原子の位置と速度から一秒以内に計算して、それを知ることができる。

宇宙全体が、一度動き始めれば、後はニュートンの古典物理学にしたがって動き続ける「機械」のようなものであり、あらゆる出来事は「決定」されているとみなされる。もしラプラスの悪魔が存在したら、森羅万象は余すところなく知り尽くされると考えられたわけだ。

助手　もしそうだったら、世界がつまらなく思えてしまうんですが……。

ドリーシュの生気論

教授　一九世紀後半、イギリスの物理学者ジェームズ・マクスウェルがニュートンの古典物理学を拡張して、電気・磁気・光学を統一した電磁気学を完成させた。ついに人類は古典物理学を統合させたから、もはや新たな発見はないだろうとまで言われるようになった。

助手　私たち人間の行動も、古典物理学によって決定されるとみなされたのですか？

教授　当時すでに、人間も機械だとみなす風潮があった。フランスの医師ジュリアン・オフレ・ド・ラ・メトリは、一七四七年の『人間機械論』で「霊魂」の存在を否定し、人間を「みずからぜんまいを巻く機械」と述べて宗教界に衝撃を与えた。彼の著作は禁書処分になったよ。

一八五九年にダーウィンの『種の起源』が刊行されて進化論が広まると、さらに機械論的な考え方が浸透するようになった。さまざまな種の生物にしても、「神の意志」ではなく、方向性のない自然選択によって、機械的に進化したと考えられるようになったわけだからね。

助手　すべてがニュートンの力学とダーウィンの進化論で決定される機械的な世界というわけですか……。

教授　それに異を唱えたのが、一般にはあまり知られていないが、ドイツの生物学者ハンス・ドリーシュだ。

彼は、イェーナ大学で進化論を学んだ後、イタリアのナポリの動物学研究所で研究を続けた。一八九五年、ウニの受精卵が二細胞に細胞分裂した時点で一細胞を破壊しても、残りの細胞が分裂を続けて、通常よりは小さいが、完全な一個体になることを発見した。この事実に衝撃を受けたドリーシュは、「機械論的には説明できない全体性をめざす何らかの志向性」

が生物に備わっていると考えるようになった。

助手　生物は、単なる機械ではないということですか？

教授　そういう主張だね。一般に、生物に非生物にない何らかの力を認める立場を「生気(せいき)論」と呼ぶ。古代ギリシャ時代のアリストテレス以来の考え方だが、一九〇九年、ドリーシュは著書『有機体の哲学』において、生物には非生物にない「エンテレヒー」が備わっているという「新生気論」を唱えた。

助手　「エンテレヒー」とは？

教授　「機械論」では説明できない「目的論」的な結果をもたらす志向性の概念。ドリーシュは、それが生物と非生物の本質的な相違をもたらすと考えたわけだ。

二〇世紀初頭に始まった「機械論×生気論」の対立は、今も脈々と受け継がれている。しかもこの大論争には、実は「時間」の概念が大きく関係してくるんだよ。

助手　そこをもっと伺いたかったのに！

教授　どう関係してくるか、君も考えてみてごらん。

1910年

ベルクソン
『時間と自由』

×

1914年

ラッセル
『外部世界はいかにして知られうるか』

「コーヒーの貴婦人」を一杯

助手　先生、コーヒーどうぞ。今日は、「モカ・マタリ」を淹れてみました。「マタリ」は、イエメン北西部高地の名称。そこで厳選された豆が「ピュア9」で「コーヒーの貴婦人」と呼ばれているそうです。普通のコーヒー豆より、粒が細長い感じですね。

教授　これは強烈なワイン・フレーバーだね。エチオピア産の「モカ」に比べても柑橘系の香りが強い。オレンジとチョコレートが混ざったようなフルーティな後味で、実に美味い！

君は知らないだろうけど、私が幼い頃に流行った「コーヒー・ルンバ」という曲の歌詞の中に、この「モカ・マタリ」が出てくるんだよ。

助手　「コーヒー・ルンバ」？　聴いたことないですね。ロボット掃除機の「ルンバ」だったら、実家にありますけど。ラテン音楽のリズムみたいにクルクル回りながら家中を動き回って掃除してくれるから、母も重宝しているみたいです。

教授　家庭に「ロボット掃除機」とは、「コーヒー・ルンバ」の時代には予想もしなかった話だよ。光陰矢の如し、時間の過ぎ去るのは実に早いものだ……。

助手　その時間の概念について、先生のお話を伺ってから、改めて考えてみました。

ニュートンの「客観的時間」というのは、わかりやすく言えば「時計の時間」のことですよね。でも、私が幼い頃から不思議なのは、同じ時間といっても、流れる速さが違うことなんです。楽しい時間は、アッという間に過ぎてしまうのに、単調作業の繰り返しのような嫌な時間は、なかなか過ぎていかないし……。

教授　なるほど。それで？

助手　私の感じている時間を「主観的時間」とすると、客観的時間と主観的時間のどちらが本当の時間なのか、というのが私の以前から抱いていた疑問でした。

そこで考えたのですが、もし私が存在しなくても「客観的時間」は流れるけれども、私が存在しなければ「主観的時間」は流れない。

「邯鄲の夢」は、人の一生の夢が現実世界では一瞬の出来事だったという逸話（いつわ）でしたが、そこに主観的時間の特殊性が表れていると思います。つまり、「主観的時間」は「意識」によって生じるものであって、「客観的時間」では測りきれないのではないでしょうか。

流れる時間と流れた時間

教授　興味深い考察じゃないか！　まさに君と同じ疑問から出発して、「時間」を自己の哲学の中心に据えたのが、フランスの哲学者アンリ・ベルクソンなんだよ。

彼は、時間を「流れる時間」と「流れた時間」に区別して、「流れる時間」を意識によってのみ認識できる「持続」と名付けた。さらに彼は、機械が識別できるのは「流れた時間」だけであり、それは実は「時間」ではなく、「空間」だと考えた。

助手　「時間」ではなく「空間」？

教授　たとえば、研究室のデジタル時計を見てごらん。液晶画面に「15：23」とあるから、今は午後三時二三分だとわかる。デジタル時計には、この瞬間が「空間」として表示されているということ。

助手　私の腕時計はアナログなので、文字盤の上を長針と短針と秒針が動いています。これを見ていると、「刻々」と時間が流れていくのがわかりますが……。

教授　そこで刻々と時間が流れていくのを意識しているのは「君」であって、「時計」ではないとベルクソンは言っているわけだよ。

　君の時計で、今は何時何分何秒？

助手　午後三時二五分一二秒です。

教授　それでは、今は？

助手　午後三時二五分二一秒、二二秒、二三秒と過ぎていきます。

教授　その各々の瞬間に、時計の針は「空間」の一点を指している。仮にこの研究室を動画で撮影して再生すれば、任意のｔの瞬間に動画を停止することができるね。たとえば「ｔ＝午後三時二五分二一秒」で停止すれば、その瞬間の時計の針や私たちの様子も映し出されるはずだが、それはすでに「流れた時間」であり、動画内の「空間」として映し出されるにすぎない。その意味でベルクソンは、「機械は、時間を空間としてしか認識できない」と主張したわけだ。

助手　なるほど。要するに、機械は、刻々と「流れる時間」を意識していないということですね。過ぎ去って「流れた時間」を空間として識別できるだけ……。

　そうなると、意識を持つ人間は機械にできない「持続」を認識できるわけですから、人間を機械とみなす「機械論」は間違っていて、生物に非生物を超えた力を認める「生気論」が正しいことになりませんか？

教授　そこを簡単に結論付けるわけにはいかないんだが、少なくともベルクソンはそのように考えたわけだ。

ベルクソンは、一八五九年にパリで生まれた。父親はユダヤ系ポーランド人のピアニスト、母親はイギリス人で、四男三女の二男に当たる。幼少期から秀才の誉れ高く、あらゆる科目でトップクラスの成績を収めた。

国立高等師範学校を卒業後、日本の高等学校に相当するリセの教員として働きながら、二九歳で博士論文『意識の直接所与に関する試論』を完成させた。この題名の「意識」に「直接」与えられるものが「時間」だということ。この論文がフランス語から英語に翻訳されて『時間と自由』という題名で出版されると、彼の哲学は、むしろ英語圏で大評判になった。

助手　タイトルが『時間と自由』だったら読みたくなりますね、『意識の直接所与に関する試論』だと遠慮しますが……。

教授　やはり書籍はタイトルが大事ということかな。

ベルクソンは、一九〇〇年に国立の市民大学に相当するコレージュ・ド・フランスの教授に就任し、一般市民を対象に講義を行った。彼の講義は大好評で、講堂から聴衆が溢れ出るほどだったという。

その後も彼は、時間に関する考察を深めて『物質と記憶』を出版、一九〇七年の『創造的進化』によって「生の哲学」を確立した。その一方で『笑い』や『思想と動くもの』のような哲学的エッセイが文学的に高く評価されて、一九二七年には「ノーベル文学賞」を受賞した。

助手　すごい！

教授　一九三二年に『道徳と宗教の二源泉』を執筆した後は引退し、一九四一年、ナチス・ドイツ占領下のパリで、肺炎のため八一歳で亡くなっている。

ベルクソンは、結果的に生涯、いわゆるアカデミックな哲学界には身を置かず、専門家よりも一般市民を対象に講義を行った。文学者ポール・ヴァレリーが「ベルクソンは、大いなる哲学者であり文筆家であるばかりでなく、偉大な人類の友人だった」と弔辞（ちょうじ）を述べたように、「学者」というよりもパリ市民の「友人」だったわけだ。

直観と分析

助手　パリ市民の「友人」とは、親近感が湧きますね。

教授　実はベルクソンは、ソルボンヌ大学の哲学教授職に二度も立候補したんだが、採用されなかったという事情もあってね。このことから、彼の哲学が当時のアカデミックな哲学界から敬遠されていた一面もわかるだろう。

助手　それは、どうして?

教授　ベルクソンが一般向けに書いた『形而上学入門』を見てみよう。この本は、人間の認識には「物の周りを廻る」方法と「物の中に入る」方法の二つがあるという大前提で始まる。第一の方法が「分析」、第二の方法が「直観」というわけなんだが……。

助手　その大前提は、「分析」か「直観」の二者択一しかないんですか?

教授　それはよい質問だ!　しかし、ベルクソンの文章は、流れるように進んで、読者に立ち止まって考える隙を与えない。「物の周りを廻る」方法は、「視点と記号」に依存して「相対」に止まるが、「物の中に入る」方法は、「視点と記号」に依存せず「絶対」に到達すると定義し、どんどん話が先に進んでいく。

実はベルクソンの論法は、最初の前提が結論でもあるように構成されていてね。その結論を読者に納得させるために、その先には数多くの比喩や類推が登場するが、なぜ人間の認識には「物の周りを廻る」方法と「物の中に入る」方法しかないのかという根本的な立論理由については、まったく説明されないまま終わる。

助手　どんな比喩や類推が出てくるんですか？

教授　仮に作家が、ある人物について徹底的に「分析」して、できる限り詳しく描写したとしよう。しかし、どんなにそれを読んでも、君が実際にその人物と会って「直観」的に受ける印象からは程遠いだろう。

あらゆる視点から街の写真を撮って、無制限にその写真を繋ぎ合わせても、それは「我々が散歩している街」とは違う。あらゆる言語で詩を翻訳して、無制限にその翻訳を照らし合わせても、「原作の内的な意味」は表現できない。

ベルクソンによれば、「写真」と「翻訳」という記号は、対象を「分析」して生じる結果であり、写真家の視点と翻訳家の言語に依存する「相対的」認識にすぎない。それに対して、「我々が散歩している街」や「原作の内的な意味」を実感するために必要な「絶対的」認識を、ベルクソンは「直観」とみなす。
この「直観」とは、分析することも言語で表現することも不可能な認識であり、したがって、定義することは不可能なんだが、しいて説明するならば、それは「対象の内部に身を移すための同感のこと」であり、「持続の中に身を置く」行為でもあるという。

ラッセルの批判

助手 その考え方、すごくよくわかります。私が時間をうまく説明できなかったのも、「直観」によって意識していたからだと思えば、納得できます。

教授 そこで納得することに、疑問があるんだがね。

ベルクソンが英語版の『形而上学入門』を上梓したのは一九一三年だが、その前年の一九一二年、ケンブリッジ大学教授の論理学者バートランド・ラッセルが『哲学の諸問題』を発表した。こちらは「かつてないほど明快な哲学入門書」と評判になり、その後、英米の大学の哲学科で標準的な教科書として用いられるようになった。

ラッセルの『哲学の諸問題』は、「どんな理性的な人間も疑わないような確実な知識が、世界にはあるのだろうか」という疑問から議論を始め、「現象」や「実在」のような哲学用語を日常用語によって定義し、何を仮定したら、どのような結論が導かれるか、筋道を立ててわかりやすく解説している。

助手　ベルクソンの入門書とは対照的ですね。

教授　ラッセルは、一八七二年生まれだから、ベルクソンよりも一三歳年下ということになる。イギリス首相ジョン・ラッセルの孫であり、貴族の家庭で幼少期から英才教育を受けて大学教授となったわけで、この点もユダヤ系のパリ市民ベルクソンとは対照的といえる。

ラッセルの代表作は、記号論理を体系化した『プリンキピア・マテマティカ』であり、「ラッセルのパラドックス」の発見で知られるように、彼は何よりも一流の論理学者として、当時のアカデミズムの中枢にいた。

ラッセルは、人間の「理性」を基盤とする「論理的思考」と「合理主義」を最優先に掲げ、思想の自由を尊重する『幸福論』や『教育論』のような哲学的エッセイを発表して、一九五〇年に「ノーベル文学賞」を受賞した。

助手　それもすごい！

教授　つまり、ベルクソンとラッセルは、フランスとイギリスで環境的にも思想的にも対極に位置しながら、一流の文筆家でもあった。二〇世紀初頭の「大陸哲学」と「分析哲学」の論争の原点は、この二人にあったといっても過言ではないだろう。そこで、双方がお互いを意識して強く批判し合うようになったのも、やむを得ない帰結だったかもしれない。

一九一二年、ラッセルは、哲学雑誌『モニスト』誌に「ベルクソンの哲学」を発表した。それによると、ベルクソンの哲学の根底にあるのは「客観」と「主観」の混乱した同一視であり、その同一視が否定されたら一挙に「全体系が崩壊する」という。

ラッセルの論法は明快で、実在するのは「客観的時間」であり、「主観的時間」は意識が作り出した幻想にすぎない。ベルクソンの哲学は必要以上に「主観的時間」を持ち上げているというわけだ。

これに対して一九一四年、ベルクソンを擁護する哲学者ハーバート・ウィルドン・カーと心理学者カリン・コステロが『モニスト』誌に「ラッセル氏に答える」を発表、その後も双方の弟子たちが論争を繰り返した。そして、ラッセルは一九一四年の『外部世界はいかにして知られうるか』で、ベルクソンを徹底的に批判した。

助手　それは、どのような批判だったんですか?

教授　ラッセルによれば、ベルクソン哲学の大部分は、「分析」に対する「直観」の優位を説き、「知性」に対する「経験」の優位を説く膨大な「例証」で占められ、これらは何一つ立証されない「妄想」にすぎない。

ベルクソンの『創造的進化』は、「直観」を「本能」の進化した最良の形態とみなしているが、ラッセルによれば、「直観」は「成人より子供」あるいは「人間より犬」の方が発達しており、「直観」に基づく哲学を信じる人は「森の中で好き勝手に生きるべきだ」という。「直観」が誤らない例として、ベルクソンが「自己」についての認識を挙げていることに対して、ラッセルは、「自己」に関する認識ほど「思い込みや錯誤」に陥り易いものはないとして、これを退ける。ラッセルによれば、「直観が最上の姿で現れるのは原始時代」であり、ベルクソンの「直観」のような概念が無批判に受け入れられることのない学問こそが「哲学」でなければならない！

助手　ものすごい批判ですね！

教授　ベルクソンの比喩や類推は、文学的に洗練されていて、読者の共感を生みやすい。いかにも、なるほどと思わせる表現が多いんだが、ラッセルからすれば、それこそが巧妙な「感情操作」であり、学問に対する「冒瀆（ぼうとく）」でもある。

というのも、ラッセルにとって学問とは、論理的な「分析」だからね。「直観」のようにわけのわからないものを「分析」よりも優位に置くベルクソンの一種の「反知性主義」が、ラッセルには我慢ならなかったわけだ。

助手　言われてみると、ラッセルの批判にも頷ける部分はあります。でもベルクソンの時間に対する考察にも、簡単に切り捨てられない何かがありそうな気がして……。

教授　『創造的進化』で爆発的な「生の飛躍（エラン・ヴィタール）」を主張したベルクソンに対して、ラッセルは晩年の一九五九年に発表した『私の哲学の発展』において、「事実とは、一般に非人間的なものだと私は考える。宇宙レベルで考えれば、人間は重要ではない存在にすぎない」と述べている。

　要するに、ラッセルが目指していたのは「科学」だが、ベルクソンの作品は「文学」だったと考えれば、双方の食い違いが見えてくるかもしれないね。

助手　なるほど。もう一度よく考えてみます！

第４章

「言語」とは何か？

言語相対主義×論理実証主義

1929年

サピア
『科学としての
言語学の立場』

×

ウィーン学団
『科学的世界把握』

ブルーではなくレッド

助手　先生、今日のコーヒーは、ケニア産の「レッドマウンテン」です。

　ケニアの首都ナイロビの北部に「キアンブ」地区という高地があって、そこに「キクユ」と呼ばれる肥沃（ひよく）な赤土の大地が広がっているそうです。そこで採れたコーヒー豆だから「レッドマウンテン」ですって……。

教授　これは懐かしい酸味。カシスとブルーベリーの混ざったような甘味が含まれていて、実に美味い！

助手　コーヒー専門店で聞いてきたんですが、ケニアのコーヒー豆は、サイズが大きいほど等級が高くなって、七ミリ以上の豆が「ケニアＡＡ」と呼ばれるそうです。ヨーロッパに多く輸出されているみたいですね。

教授　そういえば、ベルリンのカフェで、これに似た味のコーヒーを飲んだ覚えがあるよ。日本ではあまり馴染（なじ）みがないが、ドイツやフランスでは、ケニア産がポピュラーだったね。

助手　日本で高級コーヒーといえば、ジャマイカ産の「ブルーマウンテン」ですよね。赤とか青とか、いろいろな色の山の名前が付いていて、おもしろいですね。

虹と言語

教授 色といえば、君は、虹は何色だと思う?

助手 虹ですか? もちろん、七色でしょう。しかも私、昨日の朝、見たばかりですよ。ちょうど雨上がりで、駅を出た瞬間、大きな虹が街全体にかかっていました。側(そば)に立っていた若いお母さんが、子どもに「赤、橙、黄、緑、青、藍、紫の七色が見えるでしょ」と数えていましたが、本当にくっきりと七色が見えました。

教授 たしかに、日本やフランスでは、虹は七色と認識されているんだが、アメリカやイギリスなどの英語圏では、「red(赤)、orange(橙)、yellow(黄)、green(緑)、blue(青)、purple(紫)」の六色が普通なんだ。これがドイツ語圏になると、「rot(赤)、gelb(黄)、grün(緑)、blau(青)、violett(紫)」の五色とみなされている。

助手 ドイツ人は、虹を五色に見ているんですか?

教授 そういうこと。さらに、アフリカ南部のショナ語圏では「chipwuk(赤・橙)、

acitena（黄・黄緑）、acitem（緑・青）」の三色、バサ語圏になると「ziza（赤・橙・黄）、hui（緑・青・紫）」の二色と認識されている。

『古事記』にも「二色の虹」という記述があってね。どうやら古代日本人も虹を二色と認識していたらしい。

助手　たった二色！

教授　大まかに分けると、虹は、赤と青の二色に映る。真ん中を入れると、赤・黄・青の三色になるわけだ。

一般に人間の視覚は、赤系列から青系列に向かって連続的に変化している虹の色を、離散した飛び飛びの色で識別しようとする。だから、虹を五色とみなす文化圏に育った子どもは、自然に虹を五色と認識するようになる。

助手　でも、他の色が見えないわけではないですよね？

教授　それは、もちろんそうだよ。ドイツ語の虹が「赤・黄・緑・青・紫」の五色に分類されているからといって、ドイツ語に「橙」色や「藍」色に相当する言語が存在しないわけではないし、ドイツ語話者がこれらの色を識別できないわけでもない。

ただし、ここで注意が必要なのは、日本語話者にとって虹が「七色」であるのと同等の意味で、ドイツ語話者にとっての虹は「五色」であるということ。その認識が、言語によって決定されているという点なんだよ。

助手　つまり、言語的に「虹」を七色や五色に識別する文化圏によって、実際の視覚認識もそのように変化するということですか？

教授　簡単に言えば、そういうことになるね。

そもそも光は電磁波であって、人間の目で認識できる光線は、およそ波長四〇〇〇〜八〇〇〇オングストロームの「可視領域」にすぎない。赤よりも長い波長領域には、赤外線やラジオ短波やテレビ長波、紫よりも短い波長領域には、紫外線やエックス線やガンマ線が存在し、可視領域などよりも遥かに広域だ。

虹は、大気中の水蒸気の屈折によって、いわば大気がプリズムとなって太陽光線を反射させる現象だから、物理的にはいくらでも色を細かく分類できる。たとえば、八〇〇〇オングストロームと八〇〇一オングストロームの波長は、人間の視覚では同じ赤色にしか見えないが、物理的には異なる周波数を示している。

助手　「オングストローム」って、何でしたっけ？

教授　一オングストロームが、一〇〇〇〇万分の一ミリ。

ちなみに、現代のテレビやパソコンで表示可能な「フルカラー」とは、可視光線を二四ビットカラーの一六七七万七二一六色に分類したもので、この数字は一か〇が二四桁続く二進法ビットを一〇進法で表している。つまり、機械は、色を約一六七八万色に分けて、スクリーン上のドットに表示しているわけだ。

助手 虹の色は、本当は何千万色にでも分類できるのに、人間が七色や六色や五色、あるいは三色や二色に勝手に分けて認識しているということですか?

教授 まさに、そういうことだ。そもそも七色というのは、ニュートンが最初にプリズムに白色光を当てて色を分解させた際、「ド・レ・ミ・ファ・ソ・ラ・シ」の七音階に合わせて、わかりやすく表現した基本色にすぎない。実際には、色は分けようと思えば、いくらでも無数の波長に分類できるわけだからね。

ヘルダーの言語起源論

助手 「虹は七色」という言葉が、私たちの認識にまで影響を与えているとは思いませんでした。言葉の力って、すごいですね!

教授　おもしろい実験があってね。世界の子どもたちに太陽の絵を描かせてみたところ、英語圏の子どもたちの多くが「黄」系統の色を用いたのに対して、日本語圏の子どもたちの多くが「赤」系統の色を用いたという結果が報告されている。

助手　そういえば、私も子どもの頃、真っ赤な太陽の絵を描いた記憶があります。

教授　もともと「yellow（黄）」の語源はインド・ヨーロッパ語の「geolu（光）」、「赤」の語源は「アカ（明）」で、どちらも「明るい光」すなわち「太陽」を意味していたことがわかる。

そこから派生した言語使用が、長年の間に人々の「太陽」の認識に影響を与えて、英語圏では黄色、日本語圏では赤色をイメージするようになったと考えられる。

助手　日本国旗の「日の丸」の「赤」の影響もあるんじゃないでしょうか。

教授　たしかに、その影響もあるかもしれない。

認識が言語に依存するという発想は、一八世紀のドイツの哲学者ヨハン・ゴットフリート・ヘルダーに見ることができる。ヘルダーの最大の業績といわれているのは、彼が一七七二年に発表した『言語起源論』だ。

当時のスコラ哲学者は、新約聖書「ヨハネ福音書（ふくいんしょ）」の冒頭に登場する「はじめに言葉ありき。言葉は神とともにあり、言葉は神であった」を文字どおり受け入れて、言語は神によって人間に与えられたとする「言語神授説」を信じていた。

　これをヘルダーは徹底的に否定して、人間とチンパンジーの発声器官を形態学的に研究し、「人間精神に内在する理性」に言語の起源を求めて、人間を「言語の生物」と名付けた。

助手　なるほど、「言語の生物」……。

教授　人類は、直立することによって両手を使えるようになり、食物を獲得し、道具を作り、衣食住に関わる高度な技術を発達させるようになった。さらに、直立したため遠望できるようになり、集団で狩りや農作業を行うといった行動プランを企画できるようになった。このような知的活動が、脳組織の飛躍的な拡大化をもたらしたわけだ。

　形態学的には、火や道具を用いて調理するようになったことから、食物を噛み切るための強靭な顎が退化し、顔面は平坦化して、重量化した脳を支えるために頭蓋骨が発達し、首は真っ直ぐになって咽頭が下がり、頬や唇の周辺筋肉が発達することによって、豊かな発声が可能になった。

　要するに、一方では言語を必要とするような脳の進化があり、他方では豊かな言語を発声できるような発声器官の進化があり、その両者が非常に短期間に同時に生じたからこそ、人間は言語を獲得することができたと考えられる。

サピア＝ウォーフの仮説

助手　その二つの進化的要因が同時に効果的に作用したために、人類は言語を獲得できたということですね。そう考えると、まるで奇跡的な出来事みたい……。

教授　二〇世紀になると、イエール大学の言語学者エドワード・サピアが、「思考は言語に依存する」という発想を明確に主張した。

サピアは、一九二九年に発表した『科学としての言語学の立場』という論文で、「人間は、物質世界のみに存在するのではなく、一般に考えられているように、社会活動の世界のみに存在するのでもなく、その社会のコミュニケーション手段である特定言語に支配される存在である」と述べている。さらに、現実世界とは「集団の言語習慣に基づいて無意識のうちに築き上げられた結果」であり、「社会が異なれば、その世界も相違した結果になる」と結論付けている。

助手　人間は、言語に支配されているということですね。

教授　それがサピアの根本的な主張といえる。
　後にサピアの弟子になるベンジャミン・ウォーフは、保険会社の社員だった。彼は、何度も出火原因の事故調査をしている間に、言語が人間の認識に大きな影響を与えていることに気付いた。たとえば、人々は、「ガソリン」と書かれた缶は非常に慎重に取り扱うにもかかわらず、その缶に「empty（空）」と書かれていると、途端に扱いが不注意になる。ところが、実は、空のガソリン缶には引火しやすいガスが充満しているため、むしろ爆発や火災の原因になりやすい。それにもかかわらず、人々は「empty（危険がない）」という言語イメージの影響を強く受けていることがわかったわけだ。
助手　「empty」という語の二つの意味を混同してしまうわけですね。
教授　その後、ウォーフはサピアの下で正式に言語学を学び、ネイティブ・アメリカンのホピ語やショーニー語などの概念化に関する実証的研究を重ねた結果、サピアと共に、思考は言語に依存するという「サピア＝ウォーフの仮説」を提唱するようになった。
助手　具体的には、どのような仮説なんですか？
教授　一般に「サピア＝ウォーフの仮説」は、「言語が思考に影響を与える」とする「弱い仮説」と、「言語が思考を決定する」とする「強い仮説」に分類される。弱い仮説については、多くの研究者が問題なく受け入れているが、強い仮説に対しては、その後さまざまな論争が捲き起こっている。

この「強い仮説」は、簡単に言えば、人間の世界観が、その人間の属する文化圏の「母語」に決定されるとみなし、その意味で「言語相対主義」とも呼ばれている。たとえば、イギリス人は英語、中国人は中国語に基づいて世界を認識しているわけだから、イギリス人と中国人は、それぞれ異なる世界を認識しているということになる。

助手　「異なる世界」とは、どういう意味ですか？

教授　文字通り、イギリス人と中国人は、それぞれ「異なる世界」を認識しているということだよ。あたかも、同じ虹を見ても、異なる色数で認識するようにね。

科学的世界把握

助手　言葉が違うと世界も違って見えるなんて……。その考え方は、実証できるんですか？

教授　いや、実証できないから「仮説」と呼ばれているわけだよ。しかも、ちょうどアメリカで「サピア＝ウォーフの仮説」が提唱された頃、ヨーロッパでは、そのような検証不可能な考え方を学問から排除すべきだとする思想運動が起こっていた。

その中心になったのは、ウィーン大学に集まっていた研究者の集団でね。彼らは後に「ウィーン学団」と呼ばれるようになった。リーダー格だった哲学者モーリッツ・シュリックとルドルフ・カルナップは、二人とも物理学の学位を取得している。さらに、数学者ハンス・ハーンとカール・メンガー、社会経済学者オットー・ノイラートが参加していたことにも表れているように、ウィーン学団は、既存の哲学を超えた多彩な研究分野のメンバーによって構成されていた。このサークルには、論理学者クルト・ゲーデルや物理学者フィリップ・フランクも参加していた。

助手 多彩な分野の研究者が議論する環境だからこそ、初めて見えてくることもあるでしょうね。

教授 彼らは、世界を「論理」によって分析し、科学によって「実証」して、明確に認識しようとする「論理実証主義」の立場を掲げた。彼らの理想は、「無意味」な言語使用を哲学から追放し、数学、物理学、生物学、心理学、社会学などの個別科学を「普遍的言語」で記述することによって、「統一科学」を実現することにあった。

助手 もしそのような「普遍的言語」があったら、言語相対主義の見解は否定されますね。

教授　仮に、あらゆる思考が「普遍的言語」で表されるようになれば、そうなるかもしれないが……。

当時のウィーン大学には、ヨーロッパ中から新進気鋭の研究者が集まってきた。ベルリン大学のハンス・ライヘンバッハ、ワルシャワ大学のアルフレッド・タルスキー、オックスフォード大学のアルフレッド・エイヤー、ハーバード大学のウィラード・クワインら、二〇世紀後半の論理学・哲学界をリードする研究者たちだ。

彼らは深夜までカフェで白熱した議論を行い、論理実証主義を広めるためのマニフェストをまとめた。それが一九二九年に発表された『科学的世界把握』だ。

このマニフェストは、「哲学における革命」を求めて、「何千年にもわたって積み重ねられた形而上学と神学の瓦礫（がれき）を道路から取り除く仕事」を推進し、「経済的、社会的、文化的な生活すべての領域」において論理実証主義を取り入れるように呼びかけている。

助手　マニフェストを掲げたということは、まさに一種の改革運動だったわけですね。それにしても、「経済的、社会的、文化的な生活すべての領域」に論理実証主義を取り入れるとは、どのようなことなのでしょうか？

教授　イメージとして、現実社会で一種の論理実証主義を実践しているのは、裁判所だね。

法廷において、検察官や弁護士や裁判官の論述は、何よりも「論理」的に構成されていなければならない。それに、裁判に登場するいかなる証拠や証言も、経験的に「実証」されなければ意味を成さない。論理実証主義者は、このような言語使用を、あらゆる学問分野と生活分野に広げようとしたと考えればわかりやすいだろう。

助手　そうなったら、たしかにいろいろなことが明快になるかもしれないけど、すごく窮屈じゃありませんか？　少し考えてみます。

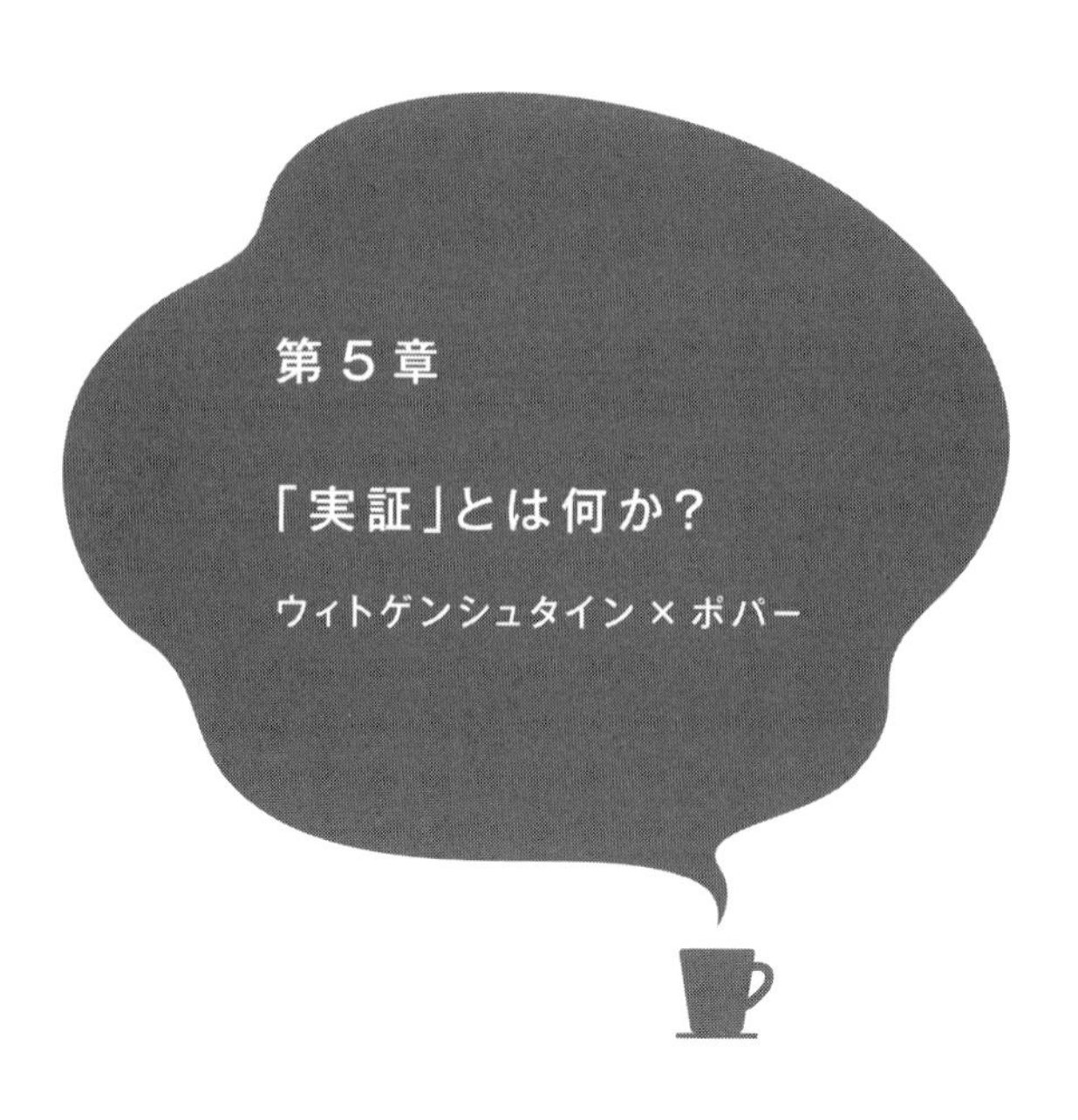

第5章

「実証」とは何か？

ウィトゲンシュタイン × ポパー

1921年
ウィトゲンシュタイン
『論理哲学論考』

1934年
ポパー
『科学的発見の論理』

コーヒーの産地当て

助手　先生、コーヒーどうぞ。今日のコーヒー豆、なんだかおわかりになりますか?
教授　この味は、よく知っている気がする。グレープのような芳醇な香りに、ボルドーワインのような豊かなコク、しかもフルーティな甘味が後味に残るね。アラビカ種に違いないが、ブラジルやモカとは違う種類の酸味だから、おそらく原産地はアフリカだろう。
助手　すごい、そこまで当たっています!
教授　しかも、これまでに君が淹れてくれたエチオピア産にもケニア産にもない濃厚な風味があるから、アフリカでもケニアより南のタンザニア産じゃないかな……。ちょっと豆を見せてくれる?
助手　はい、どうぞ。
教授　かなり大粒の豆が揃っている。ということは、八段階のランキングでも最高評価に違いない。結論として、このコーヒー豆は、「キリマンジャロAA」だろう!
助手　すごい、大正解です! この豆は、キリマンジャロ山系の中でも一番高い「キボー山」の標高一六〇〇メートル以上で栽培された選りすぐりの逸品ですって。コーヒー専門店のおじさんから、この豆は絶対に買いだよって言われて……。それにしても先生、味だけで、よくそこまでおわかりになりましたね！

教授　あははは、味だけでわかったとは言っていない。

　実は今朝、大学に来る途中、そのコーヒー専門店の前を通りかかったら、「最高級キリマンジャロＡＡ入荷」と貼紙に書いてあった。したがって、きっと君が買ってくるだろうと予測したというわけだ。

助手　なーんだ、ビックリした。でも、コーヒーを飲むだけで産地を言い当てられたら、すごいことですよね。

教授　コーヒーやワインには、数えきれないほどの種類があるし、奥が深いからね。産地を的確に言い当てられるのは、ソムリエの中でも一握りの名人だけだろう。

　日本酒のきき酒は、「全国きき酒選手権大会」（日本酒造組合中央会主催）というのが毎年開催されていてね。「純米吟醸（ぎんじょう）酒・大吟醸酒・純米酒・本醸造酒・生酒・低アルコール酒・普通酒」の七種類の日本酒を二度きき酒して、制限時間一五分で同一物を合わせるマッチング法でランキングを決める競技になっている。

助手　七種類だったら、そんなに難しくなさそう。

教授　それが、とんでもなく難しいそうだよ。この大会には「個人の部」と「団体の部」に加えて「大学対抗の部」があってね。私のゼミの学生も参加したことがあるんだが、味覚と嗅覚だけで判断しなければならないから途中で混乱して、次第にどれがどれだかわからなくなり、パニックに陥るそうだ。

助手　なるほど。でも、おもしろそう！

教授　最近は女性の「きき酒師」も増えているみたいだから、君も参加してみるかね？

助手　その前にアルコール耐性を鍛えなければ。いい気分で酔ったら、きき酒どころではないですから……。

教授　その話で思い出したが、二〇一六年の秋、三越伊勢丹新宿店に人工知能の「AI利き酒師」（カラフル・ボード株式会社）が登場してね、私もそのゼミの学生に誘われて行ってみたんだ。

助手　「きき酒」といえば、人間のパーソナルな味覚と嗅覚に基づく究極の感性による判断ですから、人工知能には苦手な分野じゃないかしら。

教授　実際には「きき酒」というよりも、三一種類の日本酒の中から「あなたの味覚にあったオススメの日本酒」をアドバイスするシステムだったがね。

まず、特徴の異なる三種類の日本酒「越乃寒梅」（石本酒造）と「節五郎」（菊水酒造）と「大七」（大七酒造）を試飲して、タブレット端末で「甘味・酸味・旨味・余韻・芳醇（コク）・好み」の六項目について、「感じない」から「強く感じる」まで五段階で評価する。この時点で「あなたの味覚の鋭さ」がチャートになって出てくる。

次に、「日本酒と一緒に味わいたい食事」を「佃煮（肉・魚）・魚の粕漬け・ごま豆腐・ちりめんじゃこ・漬物（白菜）・焼き鳥（タレ）・刺身（白身）・刺身（赤身）」の八種類から一つ選択する。

これらのデータを総合的に評価して、「ＡＩ利き酒師」が「オススメの日本酒」を教えてくれるというわけだ。

助手　その「オススメ」は、当たっていましたか？

教授　驚いたことに、私へのオススメは、以前から好んで飲んでいる銘柄だったよ。しかし、「きき酒選手権」に出場した学生の方へのオススメは、微妙に違っていたようでね。彼は「そもそも味覚も嗅覚も持たないし、二日酔いになった経験もないようなＡＩに酒がわかるはずがない」と笑っていた。

ウィトゲンシュタインの有意味性判定基準

助手　私もその学生さんに賛成！　味覚を項目に分けて、段階別に数値化して分析するなんて、まるで論理実証主義みたいじゃないですか。

教授　その論理実証主義の原点に位置するのが、ルートヴィヒ・ウィトゲンシュタインの『論理哲学論考』でね。

ウィトゲンシュタインは、一九二一年に発表したこの著作の序文で、すべての哲学的問題に対して「その本質において最終的な解決を与えた」と宣言した。

助手　すべての哲学的問題に「最終的な解決」ですって？　どうしたらそんな魔法みたいなことができるんですか？

教授　簡単に言うと、古代ギリシャ時代以来、人々が哲学的問題だと思ってきた内容は、実は「言語」から生じる問題にすぎないと考える。要するにウィトゲンシュタインは、過去の「哲学的問題」は「言語的問題」にすぎないと、一刀両断のもとに切り捨てたわけだ。

たとえば、「善とは何か」とか「悪とは何か」という道徳に関わる問題は、哲学・倫理学における非常に重要な問題として議論されてきたが、そもそも「善」や「悪」という言葉自体が不明確だったら、いくら議論しても混乱を招くばかりだろう。つまり、道徳に関わる問題は、使用する言語が不明確なために生じる問題であって、いくら議論しても「無意味」だということになる。

助手　言語が明確でないために、さまざまな問題が生じるという意味だったら、現代社会でもあらゆる分野で見かける話ですが。

教授　『論理哲学論考』が導くのは、「語りうることは明らかに語りうるのであって、語りえないことについては沈黙しなければならない」という有名な結論だ。

この世界で「明らかに語りうる」ことは、真か偽かを「論理的」に決定できること、あるいは事実か否かを「実証的」に確認できる言語に限られるという論理実証主義の理念は、そこから誕生したわけだ。

助手　以前お話を伺ったウィーン学団は、論理的かつ実証的な言語使用のみを「有意味」とみなす「有意味性判定基準」をスローガンに掲げて、それをすべての学問分野に広げようとしたわけですね。

ポパーの進化論的科学論

教授　そのスローガンに対して、「論理実証主義者の息の根を止めた」と豪語したのが、哲学者カール・ポパーだ。

ポパーは、「もしウィトゲンシュタインの有意味性判定基準を一貫して適用すれば、アインシュタインが『物理学者の最大の課題』と呼んでいる自然法則の探究も、無意味の一言で退けることになる」と一九三四年に発表した『科学的発見の論理』で痛烈に批判している。

助手　論理実証主義は、「哲学」ばかりでなく「科学」の問題も「無意味」にしてしまうということですね。

教授　ポパーの「進化論的科学論」によれば、環境に適応できない生物が自然淘汰されるのと同じように、「古い」科学理論は、観測や実験データによって排除される。この意味で、今日の科学における諸概念も、時間の経過とともに古くなっていく。科学においては、常に、最新バージョンが求められているわけだ。

助手　その考え方は、わかりやすいですね。

教授　科学者は、最新のデータに基づいて研究を進め、その結果として、最先端の科学理論も常に更新されている。あたかもソフトウェアが不具合を修正しながら徐々にバージョン・アップしていくように、科学理論も日々刻々とバージョン・アップを遂げていると考えればわかりやすいだろう。

ここで興味深いのは、ポパーが「実証」よりも「反証」を重視している点だ。彼は、次のように述べている。

「科学理論は、ポジティブな方法で識別されるべきものではなく、経験的なテストによって、ネガティブな方法によって識別されるような論理形式をもつものでなければならない。つまり、経験的な科学理論体系は、経験によって反証可能でなければならない」

ポパーによれば、科学者の仕事は、問題を解決するための仮説を立て、その仮説を批判的にテストすることによって誤りを排除し、その過程で生じる新たな問題に取り組むことだ。

ポパーは、この「批判的思考」の実践によって、「科学」が「真理」へ接近していくと考えている。新しい科学は古い科学よりも多くの批判に耐えうるものであり、その意味で、科学は「進化」するというわけだ。

助手　つまりポパーは、「哲学」も「科学」も単に「言語」の問題だけではないと考えたわけですね。

教授 そのとおり。二〇世紀後半になると、論理実証主義から派生した「日常言語学派」や「言語分析学派」が哲学界の主流になったが、ポパーは「科学」ばかりでなく「哲学」が扱うべき問題も、あくまで「事実の問題」であって、「言語の問題」ではないと主張し続けた。

助手 「言語」よりも「事実」ですか。

ポパーとウィトゲンシュタインの大激論

教授 実は、ポパーとウィトゲンシュタインが、生涯に一度の大激論を交わしたことがあってね。

助手 それは、エキサイティングですね!

教授 一九四六年一〇月二五日、ケンブリッジ大学教授のウィトゲンシュタインが議長を務める「モラル・サイエンス・クラブ」が、ロンドン大学講師に就任したばかりのポパーを講師として招いた。この時点で、ウィトゲンシュタインは五七歳、ポパーは四二歳だった。

クラブがポパーに依頼したのは「哲学の諸問題は存在するか」という講義題目だった。この題目自体、当時いかなる哲学的諸問題も存在しないと考えていたウィトゲンシュタインの「罠」だったと、後にポパーは自叙伝『果てしなき探求』に述べている。

そもそも「モラル・サイエンス・クラブ」からして、「道徳の科学」など存在しないという皮肉をこめてウィトゲンシュタインが名付けた名称だからね。

助手 ウィトゲンシュタインって、かなりの皮肉屋だったみたいですね。

教授 当日、講演を始めたポパーが、無限の認識や帰納法に関するさまざまな「哲学の諸問題」について述べていくと、ウィトゲンシュタインが、その都度ポパーの発言をさえぎって、それは「数学の問題」や「論理学の問題」であって、「哲学の問題」ではないと退けていく。

それでもポパーが無視して講演を続けると、ウィトゲンシュタインはいらだって、暖炉（だんろ）の側にあった火かき棒を振り回し始めた。ちょうどそのとき、ポパーは「哲学の諸問題」の重要な一つとして「道徳」を挙げていたところで、ウィトゲンシュタインが「それでは道徳的規則の実例を挙げてみたまえ」とポパーに迫った。

そこでポパーが「ゲスト講師を火かき棒で脅（おど）さないこと」と答えると、「ウィトゲンシュタインは激怒して火かき棒をなげすて、たたきつけるようにドアをしめて部屋を出ていってしまった」というわけだ。

助手　ウィトゲンシュタインって、そんなに我儘(わがまま)だったんですか！　それに比べて、ポパーはカッコいいわ……。

教授　ところが、ポパーは自分に都合がよいように脚色して自叙伝を書いていて、事実はそうではなかったという証言もあってね。

当日会場にいた大学院生の証言によれば、ウィトゲンシュタインがいらいらして暖炉の火の中から灼熱(しゃくねつ)した火かき棒を取り出したのは事実だが、それを見たバートランド・ラッセルが「ウィトゲンシュタイン、その火かき棒をいますぐ床におきたまえ」と言うと、ウィトゲンシュタインは黙って言われたとおりにして、静かに部屋を出て行ったそうだ。

助手　あのラッセルも、その場にいたんですか！

教授　そもそも、ウィトゲンシュタインの学生時代から面倒を見て、ケンブリッジ大学の教授職を世話したのがラッセルだからね。彼はこの時点で七四歳だが、モラル・サイエンス・クラブにも時折顔を出していた。

当日は、ポパー対ウィトゲンシュタインというよりも、むしろポパーに味方したラッセル対ウィトゲンシュタインで激論が交わされたという証言もあるくらいだ。

会場にいた別の大学生によれば、二人は立ち上がっていて、火かき棒を持ったウィトゲンシュタインが「あなたは、ぼくを誤解しているね、ラッセル。いつも誤解している」と言うと、ラッセルが「それは違うね、ウィトゲンシュタイン。物事を掻き回すのは、君の方だ。いつでも君がゴチャゴチャにする」と言い返したそうだ。

助手　二人の天才的な哲学者がそんな口喧嘩をしたなんて、おもしろすぎます！

教授　この事件は、当時の哲学界でも即座に大きな話題になったらしく、ポパーはニュージーランドの友人から「火かき棒を手にしたウィトゲンシュタインと殴り合ったというのは、事実なのか」と尋ねる手紙を、驚くほど早く受け取ったと自叙伝に述べている。

さらに、この事件については『ポパーとウィトゲンシュタインとのあいだで交わされた世上名高い一〇分間の大激論の謎』という本まで書かれているくらいでね。

著者でジャーナリストのデヴィッド・エドモンズとジョン・エーディナウが、ケンブリッジ大学に残された「モラル・サイエンス・クラブ」の議事録から、当日会場にいた三一人のうち生存している九人を捜し当てて詳しい事情を聞いているんだが、どの証言も微妙に食い違っていて、結局、真相は藪（やぶ）の中なんだ。

結論として、二人の著者は、次のように述べている。「さまざまな対立証言を見ていくと、皮肉な結果が浮かび上がってくる。議論に加わったのは、誰もが認識論の専門家で、認識論とは、知識の土台になる真実を主題とする学問である。その現場には、認識論の専門家が大勢いて、一部始終を目撃したにもかかわらず、核心と真実については、証言がバラバラに分れてしまったのである」とね。

助手　認識論の専門家同士なのに、認識が食い違っているということですね！

もし哲学者と科学者だったら、見方が違うのかしら。

教授　どちらかというと、哲学者はウィトゲンシュタインの肩を持つようだが、科学者は窮屈な論理実証主義を打ち砕いたとポパーを評価する傾向が強いイメージだね。

助手　二人の「大激論」の本、私も読んでみます！

第6章

「論理」とは何か？

論理主義×形式主義

最古のコーヒーの記録

助手　先生、コーヒーどうぞ。今日はトルコ式で淹れたから、ショットグラスです。

教授　フィルターをいっさい通していないから、コーヒーそのものだ。苦味が強い割にマイルドで、美味い！

助手　トルコの銅製「イブリック」を使いたかったんですが、ミルクパンで代用しました。深煎りコーヒー豆を極細に挽いて、水で煮出すのがコーヒーの淹れ方の原点という本を読んだので……。

教授　最近の君のコーヒー研究は、奥が深いね。

助手　コーヒーの歴史は、調べれば調べるほどおもしろいんですよ。

　コーヒーが、エチオピアから現在のイエメンを経てアラビア諸国に伝播（でんぱ）したのが一四世紀。その後、その全域を征服したオスマン帝国が専売権を握ります。一五五四年、イスタンブールに、コーヒーを販売する世界最初の「カフェ」が開かれたそうですよ。

教授　優雅だね。

助手　コーヒーについて現存する最古の記録もあります。ドイツの植物学者レオンハルト・ラウヴォルフが、一五七三年から三年間、薬用植物採集のために中近東諸国を旅して、一五八二年に各地の人々の風習を記録した旅行記を著しました。その中に、シリアのアレッポの人々の姿を描いた次のような文章があります。

「チャウベ（Chaube）と呼ばれる、すばらしい飲料がある。色はインクのように黒く、とくに腹痛のような疾病（しっぺい）に効能がある。人々は早朝、屋外で、何の気兼ねも心配もなさそうに、それを皆の前で飲む。陶器か磁器の器に、できる限り熱く淹れて、できる限り少しずつ啜（すす）るのである」

教授　シリアのアレッポといえば、二〇一五年、シリア政府軍とロシア軍から何度も空爆された地域じゃないか！

四〇〇年以上前、のどかに朝のコーヒーを飲んでいた人々は、まさか自分たちの子孫が二一世紀になって無差別爆撃されるとは、夢にも思わなかっただろう。

助手　人類は遥かに進歩しているはずなのに、どうして戦争を続けているのか、悲しくなりますね。もっと人間は論理的になれないのかと常々思っているんですが、今日はその「論理」について教えてください。

教授　二〇世紀が始まったばかりの一九〇一年春、当時二九歳だったケンブリッジ大学の論理学者バートランド・ラッセルは、集合論の意味について考えていた。そのうちに彼は、「自分自身を要素としない集合の集合」を集合論上に定義できることに気付いた。この集合をSとおくと、S自体もSの要素であるか否かでなければならないが、そのどちらにしても矛盾が生じる。

助手　「自分自身を要素としない集合の集合」ですって？

教授　ラッセルが用いた有名な例によると、自分自身で髭（ひげ）を剃らない村人の髭だけを剃る村の理髪師は、自分の髭を剃ることも剃らないこともできない……。

助手　その理髪師が、自分の髭を剃っても剃らなくても、「自分自身で髭を剃らない村人の髭だけを剃る」という部分に矛盾するということですね。

教授　そのとおり。「私は嘘つきだ」という言明が「嘘つきのパラドックス」を導くことは、古代ギリシャ時代から知られていたが、それに類似したパラドックスが、当時最先端の数学の集合論に含まれていたというわけだ。

ラッセルは、この発見に驚愕（きょうがく）し、自分の推論に誤りがないかを何度も確認したあげく、イェーナ大学の論理学者ゴットロープ・フレーゲに知らせた。フレーゲは、数学は論理学によって構成されるべきだという「論理主義」を基調に、『自然数論の基本法則』という著作を書き上げたばかりだった。

フレーゲは、「仕事を完成した直後に、その基礎を動揺させられることほど悲しいことはない」という一文とともに、彼の本に「ラッセルのパラドックス」という一章を加えて出版した。これによって世に知られた集合論的パラドックスを契機として、数学の基礎を厳密に再構成する研究が始まり、今日「数学基礎論」と呼ばれる研究分野が確立されたわけだ。

助手　「ラッセルのパラドックス」が、そんなに大きな問題になるんでしょうか？

教授　それはそうだよ！　そもそも集合論は、自然数論と並んで数学の原点に位置する基礎理論だからね。その中に、このように単純な矛盾が含まれていることは、当時の数学界に大きな衝撃を与えた。

そこから「数学」とは何か、「真理」とは何か、「証明」とは何かといった根本的問題が改めて問い直され、論争が始まった。とくに焦点となったのは、パラドックスを回避する方法ばかりでなく、いかにして数学全体の無矛盾性を確立するかという問題だった。

ラッセルは、彼の考案した「階型(タイプ)理論」と「記述理論」によってパラドックスを解消し、さらにフレーゲの論理主義を推し進めて、論理学から全数学を導出すべきだと考えるようになった。

ラッセルは、ケンブリッジ大学の数学者アルフレッド・ホワイトヘッドに協力を求めた。二人は、論理主義を完全にシステム化するという意図で共同研究を開始した。その後、七年以上におよぶ共同執筆の末、一九一〇年から一九一三年にわたって刊行された三巻の大著が、論理学界に輝く『プリンキピア・マテマティカ』だ。

英文で一〇〇〇ページ以上におよぶ『プリンキピア・マテマティカ』は、ユークリッドの『原論』やニュートンの『プリンキピア』に匹敵する情熱で書かれている。主としてラッセルが哲学的問題、ホワイトヘッドが数学的問題を扱い、互いに草稿を検討した。この間、ラッセルは身体的な衰弱に悩まされ、ホワイトヘッドは狂気と隣り合わせの状態だった。しかし、彼らは、述語論理の公理系から出発し、自然数論、実数論、解析学を導出することに一応の成功を収めた。この業績によって、「論理主義」が受け入れられるようになったわけだ。

助手　就職活動中の大学生と話していると、「ロジカル・シンキング」や「論理的思考」を重視する企業が多いようですが、そもそも「論理」とは何なのでしょうか？

教授　古代ギリシャ哲学者は、人間を「ロゴス」をもつ動物として定義した。ロゴスとは一般に「言語」の意味だが、同時に、言語そのものを成立させる「根拠」や「理由」の意味も含んでいる。むしろ、この意味が、「ロジック」あるいは「論理」の語源といえるだろう。

助手　なるほど、言語を成立させる根拠ですか……。

教授　「万物は流転する」と主張したことで知られるヘラクレイトスでさえ、あらゆる存在を成立させるためには「根源的秩序」が必要だと考え、それを「ロゴス」と呼んだ。すべての現象は混沌としているように見えるが、その背景には、揺らぐことのない秩序がある。彼は、この秩序へ至る「筋道」を論理とみなしたわけだ。

助手　その筋道のわかりやすい例はありますか？

教授　たとえば推理小説に登場する「アリバイ」を考えてみよう。「もしXが犯人ならばX

は犯行現場にいた」ことが成立し、「Xは犯行現場にいなかった」ことが成立すれば、「Xは犯人ではない」という結論が導かれる。この推論は、現実世界で当然のように用いられているが、その根拠はどこにあると思うかね？

助手　「もしXが犯人ならばXは犯行現場にいた」ことが成立し、「Xは犯行現場にいなかった」にもかかわらず、「Xは犯人ではある」ことも成立したら矛盾します。

教授　そうだね。実は、「もしAならばBである」という前提が与えられて、「Bではない」という前提も与えられたら、「Aではない」という結論が成り立たなければならない。

助手　A＝「Xが犯人である」、B＝「Xは犯行現場にいた」を代入したら、よくわかります。

教授　この推論形式は論理学の世界では「仮言三段論法否定式」と呼ばれるんだが、二つの前提が成立したら、結論も必ず成立するような形式になっている。アリバイは、このような論理の「形式」を根拠にしているわけだよ。

論理学を創始した古代ギリシャ時代のアリストテレスは、あらゆる推論の形式を詳細に分析して、二五六種類の三段論法を体系化した。彼は、人間が知識を得るさいに不可欠な「道具」として、論理を位置付けた。

アリストテレスの論理学は、中世スコラ哲学に引き継がれ、一九世紀に至るまで、唯一の「思考の法則」とみなされてきた。

助手　さらに、それを数学と結びつけたのが、ラッセルとホワイトヘッドの『プリンキピア・マテマティカ』だったわけですね？

教授　簡単に言えば、そういうことだ。中身は、ほとんどすべてが記号だから、すぐには読めないと思うがね。ここにあるから、ちょっと開いて見てごらん。

助手　キャー、これ何ですか？　変な記号が何百ページも並んでる！

教授　たとえば、先ほど例に挙げた推論規則があるね。

これは記号では「[(A∪B)∧～B]∪～A」のように表記される。彼らは、このような推論規則を組み合わせて新たな規則を生み出し、証明し続けたというわけだ。

助手　こんなことを何年間もやっていたら、頭もおかしくなりますよ。ホワイトヘッドが「狂気と隣り合わせの状態だった」という意味が、よくわかりました。

「論理が世界を満たしている」

教授　一九一一年秋、『プリンキピア・マテマティカ』第一巻を出版したばかりのラッセルのもとに、初対面から「天才か狂人かわからない」印象を与える哲学者志望の青年が現れた。それが、当時二二歳のルートヴィヒ・ウィトゲンシュタインだった。彼は、その翌年ケンブリッジ大学に入学し、指導教官ラッセルの論理学の講義内容を短期間のうちに理解し尽くした。

助手　「天才か狂人かわからない」印象ですか！

教授　ケンブリッジ大学は全寮制だからね。ウィトゲンシュタインは、真夜中に何度もラッセルの部屋を訪ねて、「この部屋を出たら自殺するつもりだ」と言い放ったりしたため、追い出すこともできないような手が焼ける学生だった。それでもウィトゲンシュタインは、結果的に自分に「生涯で最も刺激的な知的冒険」をもたらしてくれたと、ラッセルは後に自叙伝で述べているがね。

第一次大戦が勃発(ぼっぱつ)すると、ウィトゲンシュタインは、祖国オーストリア軍に志願入隊した。

四年にわたる戦闘活動において、彼は三度以上勲章を授与され、少尉にまで昇進している。このような戦功を挙げた最大の理由は、彼が、戦場に「死に場所」を求めていたからだった。

助手　どうして彼は「死に場所」を求めたんですか？

教授　ウィトゲンシュタインは、ウィーンの大富豪の家庭に生まれ育ったが、四人の兄のうち三人が自殺し、彼自身も莫大な遺産を放棄して、生涯を通じて簡素な生活を送った。実は彼は、同性愛者で、自己の存在に「深い罪の意識」を背負っていたんだ。

助手　傲慢な人だと思っていたけど、ウィトゲンシュタインに、そんな苦悩の一面があったとは……。

教授　そして一九一八年夏、ウィトゲンシュタインが戦争中に綴った断片をまとめて、一九二一年に『論理哲学論考』を完成させたことは、以前話した通りだ。

　彼の『論理哲学論考』における基本的な理念は、「論理が世界を満たしている」という言葉によく表れている。

　まずウィトゲンシュタインは、「世界」を「論理的空間」における「事実」の総和とみなす。これらの事実の「写像」となるのが「命題」であり、その真偽は「真理関数」によって与えられる。もう少し詳しく言うと、命題は最も単純な「要素命題」の結合による「事態」

として成立し、要素命題そのものが現実の写像になるためには、その中に表される任意の名称が「指示対象」を持たなければならない。すなわち……。

助手　あの、急に話が難しくなって、わからなくなってきたんですが……。

教授　それは、失礼。つい講義している気分になっていたよ。今、話したのは「写像理論」と呼ばれる『論理哲学論考』の中核的なアイディアでね。もっとわかりやすく言うと、この理論では、言語的表現を幾何学(きかがく)における投影になぞらえるんだ。

たとえば、ここにミロのヴィーナス像があるとして、我々は、この像をさまざまな方法で投影することができる。ウィトゲンシュタインは、これらの方法が、さまざまに異なる「言語」に対応していると考える。投影図に表れるヴィーナス像の基本的な特徴は、どの方法による投影にしても変わることはない。つまり、「事実」と「命題」は幾何学像と投影図のような対応関係にあり、「言語」とは「世界」を投影する写像であるとみなされる。

ここで重要なのは、命題と事実が同じ論理的形式を分かち合っているということで、このような共有関係が成立するのも、「論理が世界を満たしている」という大前提があるからだ。

形式主義

教授　一九二八年秋、国際数学者会議が、ボローニャで開催された。当時の数学界を代表するダフィット・ヒルベルトは、六七名のドイツ数学者団を率いて参加し、『数学基礎論の諸問題』について基調講演を行った。彼は、数学の基礎が動揺し続けている状況を憂慮し、ラッセルのパラドックス以来の問題を一挙に解決するために、全数学を形式化すべきという「形式主義」を掲げた。

フレーゲからラッセルとホワイトヘッドにいたる論理主義は、基本的に数学を論理学の一部とみなし、述語論理の公理系から数学を導出しようとするものだった。したがって、その方法は非常に複雑で難解なものになり、直観的に受け入れ難い「還元公理」や「無限公理」と呼ばれる特殊な公理を採用しなければならなかった。『プリンキピア・マテマティカ』で「1＋1＝2」を証明するために数百ページが費やされたのも、そのためだった。

これに対して、ヒルベルトの形式主義は、公理系を構成し、その無矛盾性と完全性を証明することによって、公理系の基礎を確実にすればよいと考える。数学は、その公理系の「解釈」として与えられるわけだ。ヒルベルトは、彼自身が厳密に公理化した幾何学において、その公理系の未定義記号を「点」や「線」の代わりに「椅子」や「机」と解釈してもよいと述べている。

ヒルベルトは、「人間性の名誉」のためにも形式主義を完遂させるべきだと世界の数学者に訴え、多くの支持を得た。そのために重要な目標となるのが、述語論理・自然数論・集合論における完全性と無矛盾性の問題だった。彼は、全数学者が協力して、この目標を達成すべきだと考えた。これが、「ヒルベルト・プログラム」と呼ばれる世界の数学者の一大目標になったわけだ。

助手　それで、論理主義と形式主義のどちらが正しかったんですか？

教授　そのどちらも厳密には成立しないことを明らかにしたのが、クルト・ゲーデルの不完全性定理だった！

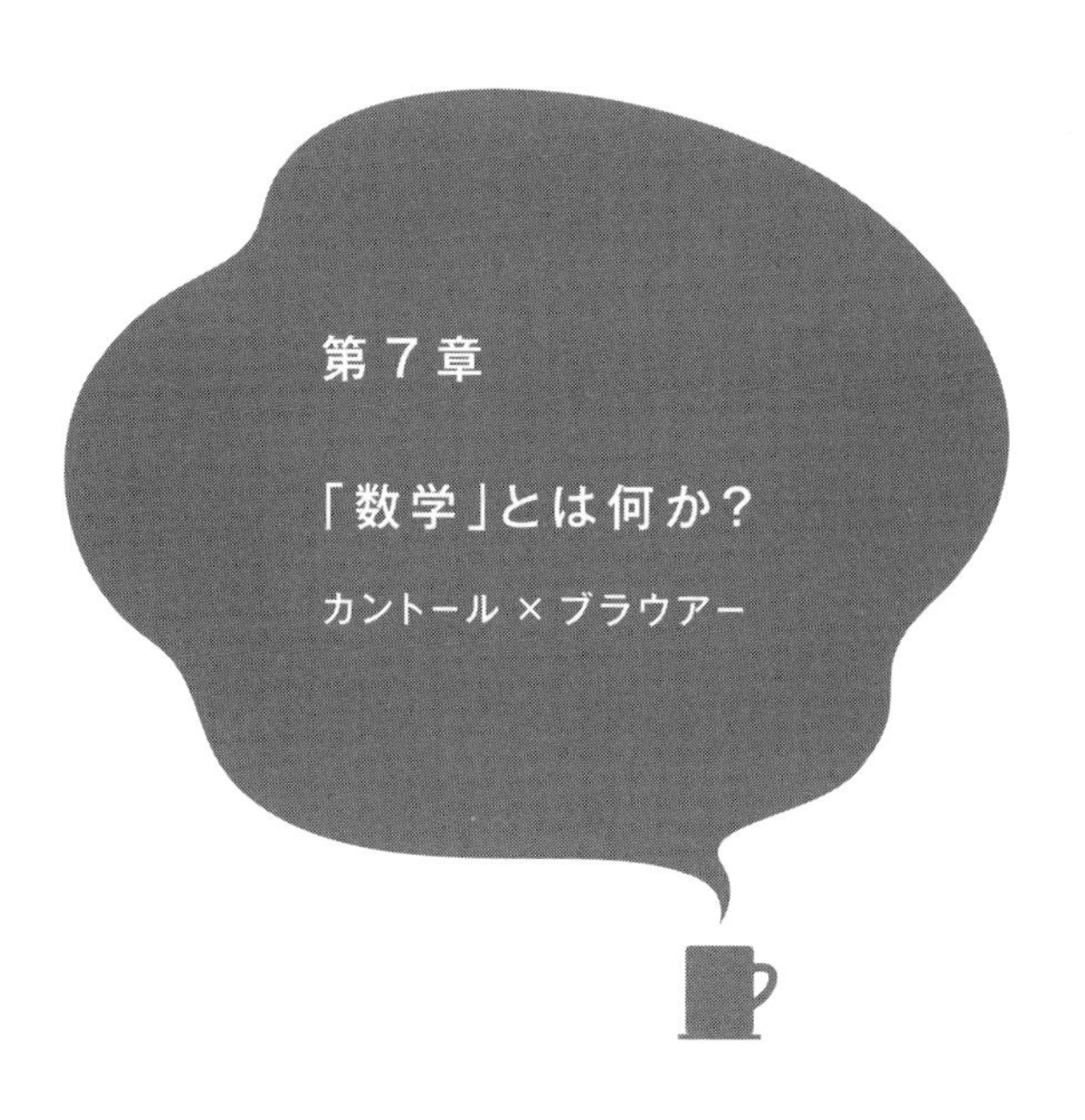

第7章

「数学」とは何か？

カントール × ブラウアー

1897年

カントール
『超限集合論』

1907年

ブラウアー
『論理的な原理に
対する不信感』

コーヒーの焙煎

助手　先生、コーヒーどうぞ。今日は、インドネシア産マンデリンのフレンチ・ローストを淹れてみました。

教授　これは馥郁たる香りだね。香ばしい苦味と力強いコクがあって、実に美味い！

助手　やはりコーヒーの味は、焙煎で大きく変わってくるんですね。コーヒー専門店で聞いてきたんですが、焙煎の度合いは、八段階に分けられるそうです。焙煎時間の短い浅煎りから、順に、「ライト、シナモン、ミディアム、ハイ、シティ、フルシティ、フレンチ、イタリアン」のロースト。

ライトは試飲専門家の「官能試験用」で、一般のカフェではシナモンからシティまでの需要が多く、フルシティが炭火焼きレベルの焦げ加減だということです。

教授　それで思い出したが、スターバックスでは「フレンチ」と「イタリアン」が逆で、最も深煎りの豆が「フレンチ・ロースト」と呼ばれている。

アメリカに行くと、地域によって言葉が違ってくるからね。炭酸飲料が、東部では「ソーダ」、中西部では「ポップ」、南部では「コーク」と呼ばれるようなものだろう。

助手 スターバックスといえば、ワシントン州シアトルが発祥の地ですから、位置的にはウエストコーストになりますね。もしかしたら、東部と西部で、「イタリアン」と「フレンチ」が逆転しているのかしら。

教授 そうかもしれない。ボストンのカフェでは、普通にイタリアン・ローストの方が深煎りだったからね。

留学中に論文を書いていて、行き詰まったとき、頭をスッキリさせようとイタリアンを何杯も飲んで、カフェインを補給したものだよ。

助手 そうそう、これもコーヒー専門店で聞いてきたんですが、カフェインは揮発性(きはっせい)なので、深煎りになればなるほど、コーヒー豆の体積に対する含有量は減っていくそうですよ。

教授 それは知らなかった！ カフェインを摂取したければ、コーヒーは浅煎りの方がいいわけか！

助手　それで先生、二〇世紀初頭の「数学の危機」のお話ですが……。

教授　その周辺の話、記号を使わなければ説明し難い部分もあるんだが、ともかくわかりやすく解説してみよう。

紀元前六世紀、ピタゴラスが「任意の直角三角形において、斜辺を一辺とする正方形の面積は、直角をはさむ二辺それぞれを一辺とする正方形の面積の和に等しい」ことを導いたんだが、これは知っているね？

助手　「ピタゴラスの定理」でしょう？　そのくらいは知っています。直角三角形の斜辺の長さをA、他の二辺の長さをBとCとするとき、「$A^2=B^2+C^2$」が成り立つということですね。

教授　そのとおりだが、実は、ピタゴラスが「ピタゴラスの定理」を発見したわけではないんだ。そのパターンが直角三角形に認められることは、ピラミッドのような巨大建造物を設計した古代エジプト文明においても、すでに十分知られていたことだからね。

それにもかかわらず、そのパターンが「ピタゴラスの定理」と呼ばれるようになったのは、彼が「Ａ＋Ｂ」を一辺とする正方形から「Ｃ」を一辺とする正方形の面積を差し引くことによって、この定理を明確に「証明」したからだ。

つまりピタゴラスは、経験的な知識から一定の数学的パターンを抽象化し、そのパターンが任意の直角三角形に対して成立することを、正方形の基本的な性質から論理的に導いた。この意味で、数学に「証明」の概念を最初に持ち込んだのが、ピタゴラスといえる。

助手　なるほど。彼は人類史上、初めて論理的に「証明」してみせたわけですね。

教授　紀元前三世紀になると、ユークリッドが、幾何学を総合的に体系化した。彼は、「公理」と呼ばれる命題から出発して、論理的な推論だけを用いて、「定理」と呼ばれる新たな命題を導くシステムを構築した。このようなシステムを「公理系」と呼ぶ。

ユークリッドの定めた五つの公理は、次のようなものだ。彼は、これらの命題を、理性的な人間ならば、誰もが疑いなく受け入れる「自明の共通概念」とみなした。

［公理１］　同じものに等しいものは互いに等しい。
［公理２］　等しいものに等しいものを加えれば、全体は等しい。

〔公理3〕　等しいものから等しいものが引かれれば、残りは等しい。
〔公理4〕　互いに重なり合うものは互いに等しい。
〔公理5〕　全体は部分よりも大きい。

ユークリッドは、これらの公理に加えて「公準（こうじゅん）」と呼ばれる幾何学的公理を定義し、それらを用いて、四六五におよぶ数学的定理を証明した。その成果としてまとめられたのが、全一三巻の『原論』だ。その後、二〇〇〇年以上にわたって、ユークリッド幾何学は、自然界の真理を表す「唯一」の幾何学とみなされてきた。

非ユークリッド幾何学

助手　たった数個の公理から、膨大な数の定理を論理的に導けるなんて、すごいシステムですね。

教授　一七世紀のニュートンは、絶対時間・絶対空間における力学体系『プリンキピア』を構成したが、これもユークリッド幾何学を大前提とする理論だった。

ところが、一九世紀になると、ユークリッド幾何学が必ずしも「唯一」の幾何学ではないことが、相次いで導かれた。

そもそもユークリッド幾何学は、一本の直線Lとその上にない一点Pが与えられたとき、Pを通るLの平行線を一本と定める「平行線公準」に基づいている。しかし、そのような平行線が存在しないと仮定しても、あるいは、そのような平行線が二本以上存在すると仮定しても、論理的には問題のないことがわかった。

つまり、ユークリッド幾何学から平行線公準を除き、新たに「平行線公準の否定」を公準として加えても、論理的に矛盾のない公理系を構成できる。これらは「非ユークリッド幾何学」と呼ばれた。

助手　いくら論理的に矛盾しないといっても、「平行線公準」を否定するなんて、おかしくないですか？

教授　たしかに「非ユークリッド幾何学」は直観的に認識し難く、当初は、自然界とは無関係な「人工的」創作物にすぎないとみなされていた。

ところが、一九世紀末になると、ニュートン力学は、地球規模のスケールにしか適用できないことが、観測的事実から明らかにされた。宇宙規模のスケールの物理現象を説明するためには、重力が時空そのものを変化させるという概念が必要だった。
この概念を確立したのが、二〇世紀初頭にアルベルト・アインシュタインが発表した一般相対性理論であり、この理論は、非ユークリッド幾何学に基づいている。つまり、現実の宇宙は、むしろ非ユークリッド幾何学でなければ描写できないことが明らかになったわけだ。

助手 宇宙は、ユークリッド幾何学とニュートン力学では、十分に摑(つか)みきれなかったわけですね。

教授 そのとおり。この非ユークリッド幾何学の成立は、数学の方法論に根本的な変化をもたらした。
最大の問題は、二〇〇〇年以上もユークリッド幾何学の公理を「自明の共通概念」として安易に受け入れてきた点にあった。この問題を解決するためには、公理から「自明」のような不明確な概念を排除し、日常言語の混在も避ける必要があった。そこで、論理学から数学を導出すべきだという「論理主義」と、全数学を形式化すべきだという「形式主義」が追究されるようになったわけだ。

カントールの集合論

助手　でも、ユークリッドの五つの公理は「自明」でしょう？　これに反することなんて考えられますか？

教授　それが、考えられるんだよ。たとえば「全体は部分よりも大きい」というユークリッドの第五公理は、一九世紀末に数学者ゲオルク・カントールが導入した「集合論」では成立しない。

カントールは、一定の条件を満たす対象の集まりを「集合」と定義した。集合に含まれる「要素」は、人間やペンのような物理的対象であっても、数や命題のような抽象的対象であってもかまわない。

たとえば、自然数の集合N＝{1、2、3、4、5、6、…}には、奇数の集合O＝{1、3、5、…}と、偶数の集合E＝{2、4、6、…}が含まれる。このとき、Nを「全体集合」、OとEを「部分集合」と呼ぶ。また、集合の要素の個数を「基数」と呼び、集合のすべての要素間に「一対一対応」が成立するとき、その二つの集合は「同等」という。

かりに｛1、2、3、4、5、6｝の番号を付けた六人がパーティに参加し、男性は奇数番号、女性は偶数番号であれば、〈1、2〉、〈3、4〉、〈5、6〉の一対一対応が成立して、三組のカップルが生じる。

助手　そのとき、全体集合の基数は6、部分集合の基数は、どちらも3ですね。

教授　そうだね。有限数で考えると、全体集合の基数は、明らかに部分集合の基数よりも大きい。

ところが、無限集合においては、全体集合と部分集合の基数が同等になることもある。これこそが、カントールの発見した衝撃的な帰結だった。

助手　全体集合と部分集合の要素の個数が同じになるということ？　そんなことがありますか？

教授　簡単に証明できるよ。全体集合を自然数の集合N＝｛1、2、3、4、5、6、…｝、部分集合を偶数の集合E＝｛2、4、6、…｝とおく。すると、NとEの要素を先頭からそれぞれ対応させていくと、〈1、2〉、〈2、4〉、〈3、6〉、…、〈n、2n〉の一対一対応が成立する。つまり、すべての自然数は、偶数と一対一に手を繋ぐことができるわけだ。

助手　なるほど、どちらも無限に続くからですね！

教授　さらにカントールは、「自然数」の基数が、「偶数」、「奇数」ばかりでなく、「整数」(正と負の自然数と0)、「有理数」(分母が0以外の整数比)の基数と同等であることも示した。

助手　ということは、すべての分数が、自然数と一対一に手を繋げるということ？　信じられないんですが……。

教授　その証明を知りたければ、集合論の入門書を見てごらん。必ず出てくるはずだから。

さらにカントールは、無限にも階層があることを証明した。実数の基数は、自然数の基数よりも大きく、そこから「連続体仮説」が生まれたわけだ。ともかく、「無限」について考えてみると、我々の思い込んでいる常識が簡単に覆(くつがえ)されて、楽しいよ。

ブラウアーの直観主義

助手　いえいえ、楽しくないです。「全体は部分よりも大きい」という常識が覆されるなんて……。

教授　実は、君と同じように、カントールの「無限集合」や「無限基数」といった概念そのものを否定した数学者もいた。その代表格が、カントールの恩師に当たるベルリン大学教授レオポルト・クロネッカーだった。

クロネッカーは、集合論を「数学ではなく神秘主義」と呼んで非難し、カントールの論文の出版を妨害し、彼を地方のハレ大学に追いやった。もともとカントールは双極性障害の持病があったが、クロネッカーの攻撃で悪化し、晩年は苦しみながらハレの精神科病院で亡くなった。

助手　まるでイジメじゃないですか、ひどいわ。

教授　クロネッカーは、極端な思想家でね、「自然数は、神が創造した。それ以外の数は、すべて人間の創作である」と述べている。彼は、自然数論にみられるような、直観的に明白な数学的言語と構成方法以外は、受け入れるべきでないと考えていた。したがって、無限に続く無理数のような概念さえ「人工的」な創造物だと否定した。

助手　そう言われてみると、「無限」の概念は、自然界には存在しない形而上学の対象のようにも思えますね。

教授　クロネッカーの見解をさらに発展させて、数学は人間精神の産物であり、人間精神を離れた数学は存在しないと考えたのが、アムステルダム大学の数学者ライツェン・ブラウアーだ。

彼は、人間精神が数学的概念に直接的な「直観」を与え、その直観が数学に確実性をもたらすと考えた。直観は、論理でも形式でもなく、概念を受け入れるか否かの「判断」とみなされる。これがブラウアーの主張する「直観主義」だ。

助手　以前お話を伺ったベルクソンの直観主義を思い出しますね。

教授　それは興味深い指摘だ！　一般にブラウアーは、カント哲学の影響を受けたとみなされているが……。

ブラウアーは、一九〇八年に『論理的な原理に対する不信感』という論文を書いて、すべての数学上の命題を真か偽のどちらかとみなす「排中律（はいちゅうりつ）」を批判した。そこから彼は、「排中律」を用いる「背理法（はいりほう）」のような証明方法も同時に徹底的に批判した。

ヒルベルトの「数学の自由」宣言

助手　高校生の頃、無理数が有理数でないことを「排中律」を用いて証明した記憶がありますが、それも認めないということ?

教授　ブラウアーは、一九二〇年の論文で「数学の証明に排中律を用いることは許されない」と断言している。

これに対して、「数学から排中律を奪うのは、ボクサーから拳を奪うのと同じだ」と述べて擁護したのが、当時の数学界を代表するダフィット・ヒルベルトだった。

ブラウアーは、ラッセルのパラドックスが「論理」の欠陥を示すものであり、むしろ論理学は数学から導かれるものだとみなして、論理主義を批判した。さらに彼は、真の数学には「形式」も必要ないと断定し、完全性や無矛盾性を求める形式主義の価値を認めなかった。

このような直観主義に基づく数学は、パラドックスを含まず、多くの数学者の直観と合致する。しかし、その一方で、「無限」をはじめとする多彩な数学的概念を犠牲にしなければならない。

カントールは、「数学の本質は、その自由にある」と述べたが、直観主義は、その「自由」を数学者自ら放棄する主張ともいえた。

助手　どちらも一理あるようで、難しいですね。

教授　一九三〇年九月五日から七日にかけて、ウィーン学団の主催する「厳密科学における認識論」会議がケーニヒスベルクで開催された。この会議は、ドイツ自然科学・医学会とドイツ数学・物理学会と同時に開かれ、全体会議の冒頭では、ヒルベルトが「ケーニヒスベルク名誉市民」の称号を受けた。

会議初日の九月五日には、数学基礎論をめぐる三学派を代表して、ルドルフ・カルナップが「論理主義」、ジョン・フォン・ノイマンが「形式主義」、アレン・ハイティングが「直観主義」の立場から講演を行った。

ヒルベルトは、記念講演「自然認識と論理」において、直観主義からカントールの「自由」を守るべきだと主張し、「数学者に『無知』は存在しない」と宣言した。そして彼は、「我々は知らなければならない。我々は知るであろう」という有名な言葉で、講演を締め括った。

助手　カッコいい……。

教授　ところが、そのヒルベルトの夢を打ち砕いたのがクルト・ゲーデルだ。最終日の九月七日、数学基礎論に関する討論会の終了間近、ゲーデルが静かに立ち上がり、「古典数学の無矛盾性を前提とすると、その形式体系において、内容的には真であるにもかかわらず、証明不可能な命題の例を与えることができます」と言った。

1913年

ラッセル／ホワイトヘッド
『プリンキピア・マテマティカ』

×

1931年

ゲーデル
『プリンキピア・マテマティカおよび
関連体系における
形式的に決定不可能な命題について』

カフェ・オ・レ

助手　先生、コーヒーどうぞ。今日は、北海道の学会から戻った院生が、新鮮な牛乳をおみやげに持ってきてくれたので、カフェ・オ・レにしてみました。

教授　これは甘くて、優しくて、落ち着く味だね。モンマルトルのホテルの朝食で、ルノアールの描く少女のようなメイドが、濃いコーヒーと熱い牛乳を同時に大きなカップに注いでくれたことを思い出すよ。

助手　コーヒーがフランスに伝播したのは、一六六九年。オスマン帝国の大使ソリモン・アガが、ルイ一四世に謁見した際、トルコ式のコーヒーを献上したのがキッカケだったということです。

　アガは、大使公邸をアラビア風の家具調度と東洋の磁器で飾り立て、宮廷の貴族を招いては、豪奢(ごうしゃ)なコーヒー・パーティを催しました。それが上流社会の流行になり、その人気が一般大衆に広がって、一八世紀にはパリだけで三〇〇軒ものカフェが誕生したといわれています。

教授　パリで最初に開店したのが、「ル・プロコップ」だ。この店は今ではレストランになっていてね、昨年パリの学会に行ったとき、食事してきたよ。

助手　今も続いているんですか？　私も行きたいなあ！

教授　ワインと料理はもちろん、食後のコーヒーも実に美味いから、行ってみるといい。

場所はサン・ジェルマン・デ・プレ地区のランシエンヌ・コメディ通りで、コメディ・フランセーズの劇場の真向いだから、すぐにわかる。

この店のプラークには、次のように書いてあった。「カフェ・プロコップは、シチリア出身のプロコピオ・ディ・コルテリが、一六八六年に開店した。世界で最も古いコーヒーハウスであり、一八世紀と一九世紀の文学的・哲学的生活の最も著名な中心地でもある。ラ・フォンテーヌ、ヴォルテール、百科全書派、ベンジャミン・フランクリン、ダントン、マラー、ロベスピエール、ナポレオン・ボナパルト、バルザック、ヴィクトル・ユーゴー、ガンベッタ、ヴェルレーヌ、アナトール・フランスらが頻繁(ひんぱん)に訪れた」

助手　三〇〇年以上も続いているカフェとは……。

教授　気さくなギャルソンが店内を案内してくれてね。これがヴォルテールの愛用した大理石の机、それはルソーお気に入りのソファ、そちらの椅子に座ってロベスピエールが革命の方針を決めたんですなどと、まるで見てきたように説明してくれた。まあ、どこまで本当の話なのかは別として、ヨーロッパの歴史の奥深さを大いに楽しませてもらったことはたしかだよ。

ゲーデルの歴史的発言

助手　二〇世紀初頭には、ウィーン学団のメンバーもカフェで夜を徹して議論を続けたというお話でした。ヨーロッパの知識人にカフェが果たした役割は、重大ですね。

そして、一九三〇年九月五日から七日にかけて、ウィーン学団の主催する「厳密科学における認識論」会議がケーニヒスベルクで開催されて、そこで不完全性定理が発表されたわけですね。

教授　最終日の九月七日、数学基礎論に関する討論会が、数学者ハンス・ハーンの司会で開かれた。ハーンは、当時二四歳の天才論理学者クルト・ゲーデルのウィーン大学における指導教官だった。

セッションの終了間近、ゲーデルが立ち上がり、「いかなる形式体系においても、その内容すべてが表現可能であるとは限りません」と述べたことは話したね。
それに対して、天才数学者ジョン・フォン・ノイマンが、「直観主義的にも許容できる推論規則を形式化できるかどうかは、まだ結論づけられていないでしょう」と答えた。ゲーデルが不完全性定理を公表したのは、その瞬間だった。彼は、「古典数学の無矛盾性を前提とすると、その形式体系において、内容的には真であるにもかかわらず、証明不可能な命題の例を与えることができます」と言った。
この歴史的発言に対して、すでにゲーデルから二度にわたって内容を聞かされていた論理学者ルドルフ・カルナップも、ゲーデルの研究を知っていたはずのハーンも、他の出席者も、何の反応も示していない。後に出版されたセッションの議事録には、ゲーデルの重大発表に対するコメントが何もないため、特別に、ゲーデルの定理の概要が付け加えられたほどだった。

助手　衝撃的すぎて、誰も言葉が出なかったのかしら……。

教授　三日間続いた会議の最終セッションにおける最後の発言だから、周囲も気が抜けていたのかもしれない。

その場で即座にゲーデルの発言の重要性に気付いたのは、フォン・ノイマンだけだった。

彼は、会議終了後にゲーデルに話しかけて、「非常に興味深い」発見について詳しく知りたいと言った。そこでゲーデルは、「自然数論を含む無矛盾な公理系には必ず決定不可能な命題が存在する」という「第一不完全性定理」の概要を述べた。

ウィーンに戻ったゲーデルは、第一不完全性定理の決定不可能命題を多項方程式に書き換え、「自然数論を含む無矛盾な公理系は自己の無矛盾性を証明できない」という「第二不完全性定理」の証明を加えて、一一月二三日、その概要をウィーン科学アカデミーに提出した。学会誌『数理物理学月報』が、ゲーデルの完成論文『プリンキピア・マテマティカおよび関連体系における形式的に決定不可能な命題について』を正式に受理したのは、一一月一七日のことだ。

その三日後の一一月二〇日、フォン・ノイマンがゲーデルに送った手紙には、彼自身が独自に「注目に値する」第二不完全性定理を発見したという内容が記されている。その手紙を送付した直後、フォン・ノイマンは、ゲーデルの完成論文のコピーを受け取った。彼が、一一月二九日付でゲーデルに出した手紙では、すでにゲーデルが第二不完全性定理を証明していることは明白であり、「もちろん私は、この結果を発表するつもりはありません」と結んでいる。

助手　フォン・ノイマンが、たった数日遅れで第二不完全性定理を証明していたとは、驚きました。

教授　当時のフォン・ノイマンは、ヒルベルト・プログラムを推進するための講義をベルリン大学で担当していた。このクラスにいた論理学者カール・ヘンペルは、次のように述べている。「ある日授業に来たフォン・ノイマンは、ヒルベルト・プログラムは達成不可能だと突然言った。彼は、それを証明したウィーンの若い数学者の論文を受け取ったばかりだった」

助手　その不完全性定理が何を意味するのか、わかりやすく説明してくださいませんか？

ペアノの自然数論

教授　不完全性定理を理解するためには、自然数論を理解する必要がある。君は「自然数」のことは知っているね。1、2、3、……と指で数えられる数のことで、その加法や乗法などの演算に関する理論が「自然数論」だ。

助手　つまり、小数点や分数が出てくる以前の算数のことでしょう？　小学生でも知っているような……。

教授　たしかに小学生でも何が問題なのかは理解できるが、その解を求めようとすると驚異的に難解な世界が広がっていてね、それが実におもしろいところなんだが。

たとえば、1とそれ自身の他に約数を持たない自然数のことを「素数」と呼ぶ。ただし、1は素数とはみなさない。さて、一七四二年、ロシアの数学者クリスティアン・ゴールドバッハは「4以上の偶数は、二つの素数の和で表すことができる」という命題を予想した。これが有名な「ゴールドバッハの予想」だ。

助手　4＝2＋2、6＝3＋3、8＝3＋5のように、4以上の偶数が、素数の和で表せるということですね。

教授　現在では、コンピュータ計算によって、数十億桁の偶数まで成立することがわかっている。ところが、きわめて単純に見えるにもかかわらず、ゴールドバッハの予想は、未だに証明されていないし、その反例も発見されていない。

助手　三〇〇年近く前の予想なのに、世界中の数学者が研究しても解けないということですか！

教授　そのとおり！　それを言うなら、古代ギリシャ時代から知られているにもかかわらず、二〇〇〇年以上未解決の問題もあるよ。

一般に、自然数が、その数を除く約数の和で表されるとき、その数を「完全数」と呼ぶ。たとえば、6＝1＋2＋3だから、6は完全数だ。これまで数多くの完全数が発見されてきたが、それらはすべて偶数でね、不思議なことに、奇数の完全数は、一つも発見されていない。

助手　奇数の完全数は、存在するんですか？

教授　まさにそれが未解決問題だ。もし奇数の完全数が一つでも発見されるか、あるいは「すべての完全数は偶数である」という命題が証明されたら、この問題もスッキリ解決するが、そう簡単にはいかないというわけだよ。

助手　二〇〇〇年以上も未解決の超難問があるとは……。

教授　それらの難問を解決に導くためには、まず自然数論を論理的に厳密に公理化すべきだと要請されるようになった。そして一八八八年、イタリアの数学者ジュゼッペ・ペアノは、五つの公理から自然数論を導く公理系を論理的に構成した。それは、次のようなものだ。

［公理1］　1は自然数である。

〔公理2〕　aが自然数であれば、aの後続数も自然数である。
〔公理3〕　aとbが異なる自然数であれば、aの後続数はbの後続数と等しくない。
〔公理4〕　1は、いかなる自然数の後続数でもない。
〔公理5〕　1がある性質を持ち、自然数aがその性質を持てばaの後続数もその性質を持つとき、すべての自然数はその性質を持つ。

助手　要するに、ペアノの公理系は、「自然数」を「1」と「後続数」という二つの用語によって定義しているわけですね。

教授　そのとおり。これらの用語は、公理系そのものからは何を意味するのか指示されていないため、「未定義用語」と呼ばれる。これらの未定義用語を、どのように解釈するかは自由だが、aの「後続数」を「a＋1」と解釈するのが普通だ。

ペアノの公理系によって、すべての自然数とその性質について、純粋に論理的な議論を行うことができるようになった。これが数学界にとって、すばらしい進展だったわけだ。

たとえば、公理1と公理2から、1、1＋1、1＋1＋1、……と無限に続く自然数が存在することがわかる。ここで、1＋1＝2、1＋1＋1＝3、……と定義すれば、一般的な一進法の自然数列1、2、3、……が生じる。

公理3と公理4からは、最初の自然数が1であることや、1≠2、2≠3、3≠4、……が導かれる。公理5は「数学的帰納法」を表し、以上の公理から生み出された対象だけが自然数であり、それ以外は自然数でないことを保証している。

不完全性定理のイメージ

助手　ユークリッドの公理系を思い出します。ペアノの公理系によって、自然数論が基礎付けられたんですね。

教授　自然数論を、さらに厳密に公理化したのが、論理学者バートランド・ラッセルとアルフレッド・ホワイトヘッドが一九一三年に完成させた『プリンキピア・マテマティカ』だ。すでに話したように、彼らは、それまでは暗黙の了解として用いられてきた「論理」を厳密に構成し、その論理から自然数論を導いた。彼らの緻密（ちみつ）な仕事のおかげで、ゲーデルの偉業も達成できたんだ。

さらに『プリンキピア・マテマティカ』の公理系が「完全」であることさえ証明できれば、

数学の基礎は形式主義的に揺るぎなく確固たるものとして完成される。それを目指したのが、「ヒルベルト・プログラム」だったというわけだ。

助手 なるほど。ただ、その「完全」という言葉の意味がよくわからないんですが……。

教授 一般に、公理系Sの命題Xが証明可能か反証可能のどちらかであるとき、XをSで「決定可能」と呼ぶ。公理系Sのすべての命題が決定可能であるとき、Sを「完全」と呼び、それ以外のときSを「不完全」と呼ぶ。

もし自然数論の完全性を証明できれば、自然数論を基礎として構成される全数学も完全だということになる。

助手 つまり、「ゴールドバッハの予想」のような自然数論の問題は、仮に現時点では未解決だとしても、証明可能か反証可能のどちらかでなければならないということですよね。要するに「すべての数学の問題は、必ず解くことができる」ということでしょう？

私には、当然の常識のように思えますが……。

教授 まさに君と同じように、ヒルベルトもフォン・ノイマンも、世界中のほとんどの数学者も、自然数論は完全だと信じていたからこそ、それを証明しようと努力していた。その常識を根本的に覆したのが、ゲーデルなんだよ。

助手　うまくイメージが浮かばないんですが……。

教授　あくまでアナロジーだが、たとえば世界中の法律学者が集まって、完全な法律体系を構築しようと努力していたとする。ところが、そこに現れたゲーデルが、犯罪Ｇには真犯人が存在するとわかっていながら、いかなる法律体系Ｓも立証できない犯罪Ｇを構成する方法を示したようなものだ。

法律体系Ｓは、当然その犯罪Ｇに対処する新たな法律を公理として組み込むだろうが、その新システムＳ´では立証できない新たな犯罪Ｇ´を構成できる。これをいくら繰り返して法律体系を改定しても、ゲーデルの方法を用いると、その法律体系内部でとらえきれない犯罪を構成できる。したがって、すべての犯罪を立証する法律体系は、永遠に構築できないというイメージだね。

助手　それが自然数論の不完全性ということですか！

不完全性定理と理性

教授　一般に、有意味な情報を生み出す体系は自然数論を含むことから、不完全性定理は、いかなる有意味な体系も、完全には体系化できないという驚異的な事実を示したことになる。
物理学者ロバート・オッペンハイマーは、ゲーデルの業績を称えて、「人間の理性一般における限界を明らかにした」と述べたが、不完全性定理は、人類の世界観を根本的に変革させたといえる。

助手　「理性の限界」とは、すごすぎますね！

教授　この言葉は誤解を与えやすいが、「理性」を「公理化」と解釈すれば、文字通り不完全性定理は、その「限界」を示しているといえる。

助手　なるほど。どんな有意味な体系も完全ではなくて、適用の限界があるということですね。形式体系は「自己完結」できない、というイメージかしら……。

教授　ゲーデルの定理は、論理学と数学の世界に留まらず、言語知識を完全に体系化しようと試みていた論理実証主義者にも大きな打撃を与えた。彼らの理想とする「普遍言語」が存在しないことが示されたからだ。
一方、別の言い方をすると、ゲーデルは「自然数論は公理系では汲みつくせない」事実を示したともいえる。

助手　自然数論は、見掛けによらず驚異的に奥深くて、どんな公理系でも摑みきれない、ということですね。

教授　そういうことだ。ところが、ゲーデルの論文を実際に読んで、内容を明確に理解している読者は少ない。とくに困ったことに、いわゆるポストモダニストに代表される社会学者や文学者が、ゲーデルは「数学の不可能性」や「自然数論の矛盾」を示したなどと誤解して濫用を広めたため、オッペンハイマーの言葉も間違って解釈されるようになってしまった。

物理学者アラン・ソーカルとジャン・ブリクモンの『「知」の欺瞞（ぎまん）』は、ポストモダニストによる数学や科学的知識の濫用を批判した名著だが、そこには「ゲーデルの定理こそ汲めども尽きぬ知的濫用の泉である」と書いてあるくらいだ。

助手　その本はおもしろそう！　読んでみます。

教授　逆に、ゲーデルの不完全性定理を「数学の単なる一定理にすぎない」とみなす極端な意見もあるが、こちらはその意義と影響を過小評価しすぎだろう。いかに歴史的偉業を正当に評価することが難しいか、考えさせられるよ。

第9章

「対象」とは何か?

ゲーデル×フォン・ノイマン

1944年

ゲーデル

『ラッセルの数理論理学』

×

1951年

フォン・ノイマン

『数学者』

アラビカ種とロブスタ種

助手　先生、コーヒーどうぞ。今日のコーヒー豆は、ウガンダ産のロブスタ種です。
教授　これは、焦げた麦のような香りだね。渋みが強くて、荒々しく、実に野性的な味だ。
エチオピアを起源とする「アラビカ種」に対して、ウガンダを起源とする「ロブスタ種」は、病気や害虫に強く、たしかインスタント・コーヒーの原料に多く用いられているはずだが……。
助手　コーヒー専門店で聞いてきたんですが、ロブスタ種は、低コストで大量に生産可能で、アラビカ種のように上品な口当たりではないため、他の豆とブレンドされるのが普通だということです。でも、この豆は、ロブスタ種の中でも高品質で、ストレートで飲める珍しいタイプですって。
　かつてウガンダの戦士は、戦闘に出掛ける際、このコーヒー豆を口で噛んだそうですよ。ロブスタ種のカフェイン含有量は、アラビカ種の約二倍だということですから、興奮剤の役割を果たしたんでしょうね。

教授　ウガンダといえば、ケニア、タンザニア、ルワンダ、コンゴ、南スーダンに囲まれた内陸国だ。アフリカ大陸最大のビクトリア湖と、そこから流れるナイル川の豊富な水資源、大地も肥沃で緑に覆われて、すばらしい大自然の景観らしい。イギリスの植民統治時代、担当大臣として派遣されたウィンストン・チャーチルは、その美しさに感嘆して、「パール・オブ・アフリカ（アフリカの真珠）」と呼んだそうだ。

助手　行ってみたいなあ……。

教授　行ってくればいいじゃないか。最近のウガンダは、「エコ・ツーリズム」でも人気のスポットらしいから、大自然を満喫して、英気を養ってくれば……。

助手　そんな余裕があればいいんですが。私は、ロブスタ種のコーヒーを飲みながら、先生のお話を伺うだけで、十分英気を養えますから……。

ところで、クルト・ゲーデルが不完全性定理を発表したとき、即座にその重要性に気付いたのはフォン・ノイマンだけだとおっしゃっていましたが、そのノイマンとはどんな人物だったんですか？

天才フォン・ノイマン

教授　ジョン・フォン・ノイマンは、一九〇三年一二月二八日、オーストリア・ハンガリー帝国のブダペストで生まれた。当時のブダペストの人口は八〇万人を超え、ロンドン、パリ、ベルリン、ウィーン、サンクト・ペテルブルクに次ぐヨーロッパ第六位の大都市だった。街並みには六〇〇を超えるカフェがあり、ヨーロッパ最高峰の高等教育で知られるギムナジウムが三校あった。

後にアメリカでフォン・ノイマンと一緒に原水爆を開発した物理学者レオ・シラード（一八九八年生）、ユージン・ウィグナー（一九〇二年生）、エドワード・テラー（一九〇八年生）、さらに哲学者マイケル・ポランニー（一八九一年生）、数学者ポール・エルデシュ（一九一三年生）、ホログラフィーを発明した電子工学者ガーボル・デーネシュ（一九〇〇年生）のような優秀な人材が、同時代のブダペストで誕生し、市内三校のギムナジウムのどれかの卒業生だった。

助手　どうして当時のブダペストに、それほど多くの天才が現れたんでしょうか？

教授 その質問に対して、ウィグナーは次のように答えている。「その質問は的外れだよ。なぜなら天才と呼べるのはただ一人、ジョン・フォン・ノイマンだけだからだ！」

助手 そんなにノイマンは特別だったんですか？

教授 彼が幼児期からどんなに人間離れした天才だったかについては、数えきれないほどのエピソードがある。

ノイマンの父親は銀行の顧問弁護士、母親はユダヤ系大富豪の娘で、彼らの一族は四階建てのビルで一緒に暮らしていた。一階に会社事務所があり、ノイマン一家は四階に居住したが、そのフロアだけで一八部屋あったというから、いかに豪勢なビルだったかわかるだろう。

助手 「フォン」ということは、貴族の家系？

教授 一九一三年、ノイマンの父親がフランツ・ヨーゼフ帝から貴族に叙せられ、世襲の称号「フォン・ノイマン」を与えられた。この称号は「金で買った」ものではないかと、揶揄(やゆ)するような伝記もあるがね。

当時のハンガリーの上流家庭では、ギムナジウムに入学する一〇歳まで、子どもを家庭内で教育するのが普通だった。ノイマンは、幼児期から母語のハンガリー語はもちろん、住み込みのドイツ人とフランス人の家庭教師からドイツ語とフランス語を学んだ。さらに英語とイタリア語に加え、父親が教養として重視していたギリシャ語とラテン語の英才教育も受けた。「六歳の頃には、父親と古典ギリシャ語で冗談を言い合って、家族を煙に巻いたものだ」というのが、後にノイマンが得意気に語った自慢話の一つでね。

助手　古典ギリシャ語で冗談を言い合う六歳児とは……。

教授　ノイマンの記憶力は幼児期から抜群で、彼がフォン・ノイマン家のパーティで披露してみせたのは、客が開いた電話帳のページをその場で暗記するゲームだった。

その後で、客がランダムに氏名を言うと、ノイマンがその電話番号と住所を答え、電話番号を言うと、氏名と住所を答えた。さらに幼いノイマンは、六桁の電話番号の列をすべて足した和を暗算で求めることもできた。

八歳になると、ノイマンは父親の図書室にあったドイツの歴史家ウィルヘルム・オンケンの『世界史』全四四巻を読み通した。とくに南北戦争の章はお気に入りで、後にアメリカの古戦場を訪れた際には、その章を一字一句間違えずに暗唱してみせた。そもそもノイマンは、基本的に、一度読んだ本や記事を一字一句たがわずに引用することができたというからね。

助手　まさに神童！

教授　ギムナジウム入学直後から、ノイマンは、音楽と体育を除くすべての学科でトップの成績を収めた。とくに数学では、最上級のクラスに入れても簡単すぎたため、大学教授が彼のために特別講師を務めた。

ノイマンが一一歳のとき、彼よりも一年上級のウィグナーが「おもしろい定理があるんだけど、証明できるかな？」とノイマンに尋ねたことがある。それはウィグナーにも証明できない自然数論の難解な定理で、いくらノイマンでも容易には証明できないだろうと思っていた。

するとノイマンは、「この定理を知っている？　知らないか……。あの定理はどうかな？」と、さまざまな自然数論の基本定理を挙げて、ウィグナーがすでに知っている定理をリストアップした。そして、それらの定理だけを補助定理として用いて、遠回りしながらではあるが、結果的にその難解な定理を証明してみせた。

助手　カッコいい！

教授　ウィグナー自身、後にノーベル物理学賞を受賞したほどの天才肌の人物だからね。もちろん当時から、数学も抜群に優秀だった。その彼にできない証明を、ノイマンはウィグナーの知識だけを用いて導いたばかりか、より適切な補助定理を使えば、遥かに簡潔に証明できることも同時に示した。この事件以来、ウィグナーは、ノイマンに「劣等感」を抱くようになったと述べている。

助手　そんな事件があったら、打ちのめされますね。

教授　ノイマンがギムナジウムを首席で卒業した後、彼の父親は「数学では金が稼げない」と考えて、息子を大学の化学科に進学させることにした。ただし、ブダペスト大学大学院数学科の試験を試しに受けてみることを許可したところ、なんとノイマンは、大学を飛び越えて大学院に合格してしまった。

結果的にノイマンは、スイス連邦工科大学応用化学科を卒業したんだが、在学中に大学院の勉強も進め、二二歳で学位論文を完成させて、博士号を取得した。

助手　二二歳の博士とは、すごすぎますね！

教授　しかも、彼の博士論文『集合論の公理化』は、集合論の厳密な公理化を導くテーマで、数学の基礎を形式主義的に構成するためのヒルベルト・プログラムに沿っていたので、数学界の大御所ダフィット・ヒルベルトを大いに感激させた。

一九二六年九月、ノイマンは、ヒルベルトの招聘(しょうへい)を受けてゲッティンゲン大学に向かった。口頭試問でノイマンに初めて会ったヒルベルトは、「君の着ているスーツほど立派なものは見たことがない。どこで仕立てたのか教えてくれないかね」と尋ねたと伝えられている。この年、ヒルベルトは六四歳なので、ノイマンとは四〇歳以上離れていたことになるが、彼ら二人は、ヒルベルト家の書斎や庭で、何時間も尽きることなく話し合ったそうだ。

天才クルト・ゲーデル

助手　それ以来、ノイマンは、ヒルベルト学派の旗手になったわけですね。

教授　そのノイマンが、「二〇世紀最高の知性」と呼ばれるたびに、「それは自分ではなくゲーデルだ」と返答するほどに高く評価していたのが、クルト・ゲーデルだった。

すでに話したように、一九三〇年、ゲーデルが二四歳の若さで「不完全性定理」を発表したとき、その証明の内容を誰よりも早く理解し、その独創性と重要性を見抜いたのが、二七歳のノイマンだった。彼はゲーデルの定理を「時間と空間をはるかに超えても見渡せる不滅のランドマーク」だと賞賛した。

ゲーデルは、すでに一九三〇年にウィーン大学に提出した博士論文において、古典的論理の完結性を表す「完全性定理」を証明している。この定理は、アリストテレスの三段論法に始まる推論規則が完全に形式体系化されることを示すもので、いわば古典論理学を完成させた偉業といえる。ゲーデルが「アリストテレス以来の天才論理学者」と呼ばれる所以(ゆえん)だ。

さらにゲーデルは「選択公理と一般連続体仮説の無矛盾性」を証明し、その後の公理的集合論の発展に大きな影響を及ぼした。これらの抜群の業績によって、ゲーデルは順調にウィーン大学私講師になったが、その直後にナチス・ドイツがオーストリアを占領して、彼の職を奪ってしまった。ゲーデルは、ドイツ軍の兵役義務を果たさない限り出国もできない状況に追い込まれ、持病の神経衰弱と鬱病が一挙に悪化して、自殺願望を抱くまでになってしまった。

助手　それは大変！

教授　その状況のゲーデルを助けたのが、プリンストン高等研究所に移っていたノイマンだった。当時のノイマンは、アメリカ合衆国の原水爆開発とコンピュータ開発の中枢で重責を担い、プリンストンとワシントンを分刻みのスケジュールで往復しながら、政府や軍の最高レベルの関係者と対等に議論できる立場にあった。

ノイマンは、「ゲーデルをヨーロッパの瓦礫のなかから救い出すことほど重要なことはない」と政府上層部を説得し、「ありとあらゆる手」を用いてゲーデルをウィーンから救出して、プリンストン高等研究所に招いた。

そこでゲーデルと親友になったのが、物理学者アルベルト・アインシュタインだ。晩年のアインシュタインは、「私が研究所に行くのは、ゲーデルと散歩する恩恵に浴するためだ」

とまで述べている。二人は、毎日のように一緒に散歩をしながら一般相対性理論について議論を重ねた。その結果、ゲーデルは、難解で知られるアインシュタインの重力場方程式に「回転宇宙論解」と呼ばれる新たな解を発見した。

助手　聞けば聞くほど、ゲーデルもすごい天才ですね！

数学における対象とは何か

教授　ノイマンは、彼自身が推進した原水爆開発の核実験で何度も放射線を浴びたため骨髄癌を発症し、一九五七年に亡くなった。彼は、たった五三年あまりの短い生涯の間に、論理学・数学・物理学・化学・計算機科学・情報工学・生物学・気象学・経済学・心理学・社会学・政治学に関する一五〇編の論文を発表した。

彼の死後、生前の論文を集めて出版されたのが、『フォン・ノイマン著作集』だ。ここにあるから、見てごらん。

全六巻で、合計三六八九ページに及ぶ。第一巻「論理学・集合論・量子力学」、第二巻「作用素・エルゴード理論・群における概周期関数」、第三巻「作用素環論」、第四巻「連続幾何学とその他の話題」、第五巻「コンピュータ設計・オートメタ理論と数値解析」、第六巻「ゲーム理論・宇宙物理学・流体力学・気象学」というタイトルを眺めるだけでも、彼がどれほど多彩な専門分野に影響を及ぼしたのかがわかるだろう。

助手　想像を絶する天才ですね。まるで、レオナルド・ダ・ヴィンチみたい！

教授　たしかにノイマンは、ダ・ヴィンチ的な「万能の天才」だった。幅広い分野の天才だけが集まるプリンストン高等研究所の教授陣のなかでも、さらに桁違いの超人的な能力を示したノイマンは、「人間のフリをした悪魔」と呼ばれたくらいだからね。

　その彼の著作集第一巻の巻頭を飾るのが、ノイマンの思想を最も明快に表現しているといわれる一九五一年の講演『数学者』だが、そのなかで彼は、「数学」の在り方に、大きな警告を発しているんだ。

助手　警告ですって？

教授　ノイマンは、現在のコンピュータの基礎となったプログラム内蔵方式の「ノイマン型コンピュータ」を発明したことでも知られるように、試行錯誤から発明を導く「経験主義者」だった。

　ところが、現代数学は、非常に多くの領域に枝分かれし、それが「取るに足りない些事（さじ）と煩雑さの集積に陥るようであれば、それは大きな危険といえます」というのが、ノイマンの警告だ。彼は、次のように述べている。

「数学が経験的な起源から遠く離れるにつれて、とくにそれが『現実』から生じる発想に間接的にしか刺激を受けない二世代から三世代後の時代になると、非常に重大な危機にさらされるということです。数学は、純粋に審美主義的になればなるほど、ますます純粋に『芸術のための芸術』に陥らざるをえないのです」

「要するに、経験的な起源から遠く離れて『抽象的』な近親交配が長く続けば続くほど、数学という学問分野は堕落する危険性があるのです。何事も始まるとき、その様式は古典的です。それがバロック様式になってくると、危険信号が点るのです」

助手 バロック様式？

教授 「バロック様式」とは、一七世紀のヨーロッパで栄えた絢爛豪華な芸術様式のことだが、一方では装飾過剰に対する蔑称としても用いられる言葉でね。数学がそうなっては困るというノイマンらしい皮肉だよ。

助手 ノイマンにとって、数学は、人類の経験から生まれた「発明」であり、それが「芸術のための芸術」に陥ってはいけないと警告しているわけですね。

教授　そのとおり。彼は、数学は、常に「経験」の原点に立ち戻り、「若返り」する必要があると結論付けている。

これに対して、数学の対象は「実在」し、数学者の仕事はそれを「発見」することだと考えたのが、ゲーデルだ。ゲーデルは、一九四四年の論文『ラッセルの数理論理学』で、集合や概念などの数学的対象が「人間の定義と構成から独立して存在する」と断定している。

このような実在的対象を仮定することは「物理的実在を仮定することと、まったく同様に正当であり、それらの実在を信じさせるだけの十分な根拠」があり、これらの数学的実在は「物理的実在が、人間の知覚理論を満足させるために必要であるのと同じ意味で、数学的体系を満足させるために必要」だと述べている。

助手　どういうことですか？

教授　今、机の上に、二本の赤ペンと三本の黒ペンがあるね。したがって「2＋3＝5」本のペンがあると導くのが「数学」だ。ここで「2＋3＝5」という対象を「経験的」な「発明」とみなすのがノイマン、「実在的」な「発見」とみなすのがゲーデルだということ……。

助手　ノイマンにとって数学は人間の「発明」、ゲーデルにとって数学は実在の「発見」だったわけですね。同時代の二人の天才なのに、根本的な発想はまったく別で、不思議ですね！

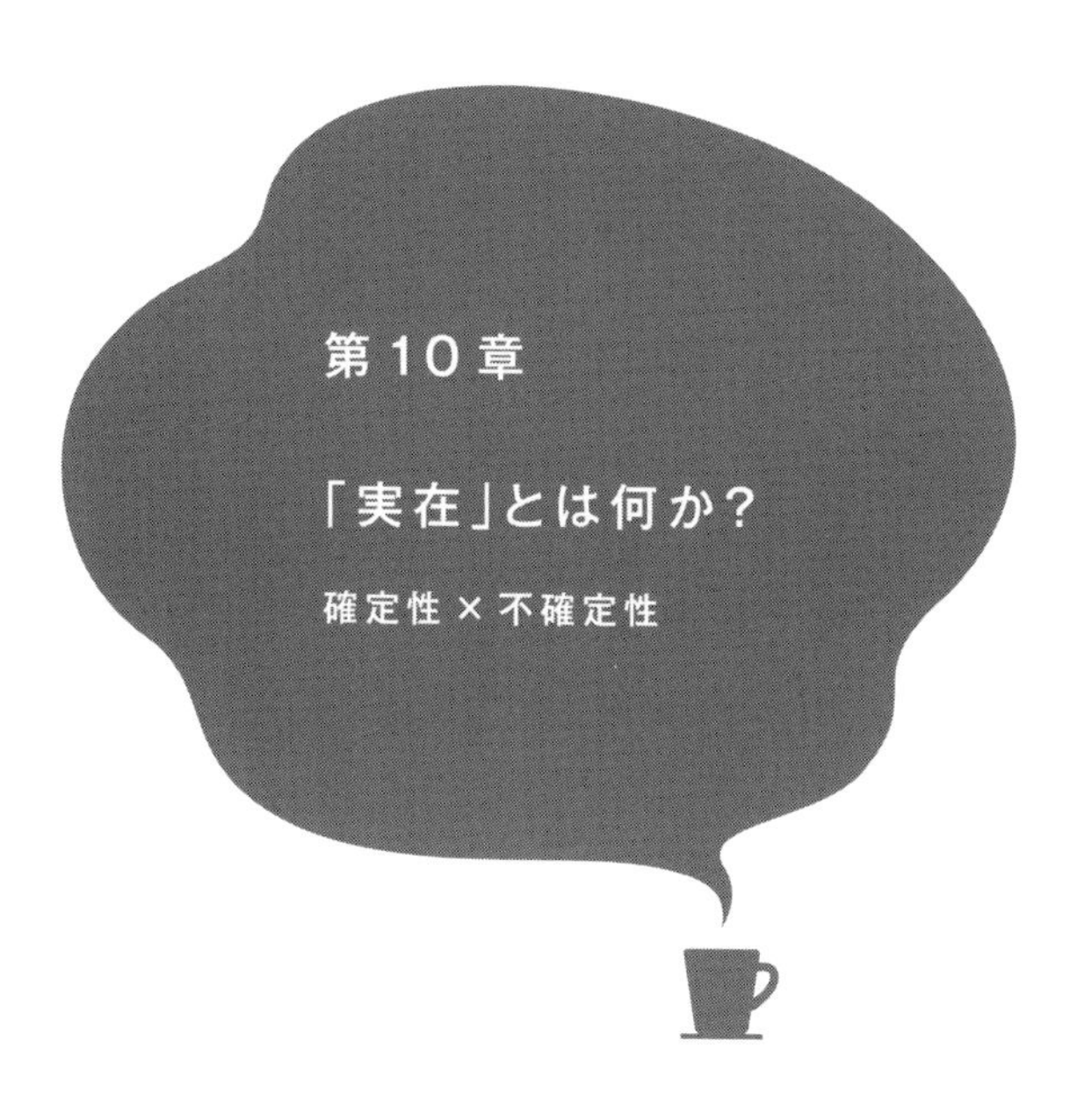

第10章

「実在」とは何か？

確定性×不確定性

1905年
アインシュタイン
『光量子論』

1927年
ハイゼンベルク
『不確定性原理』

コーヒー禁止令を撤回させた王様

助手　先生、コーヒーどうぞ。今日は、エジプト産の「カナカ」と呼ばれる真鍮（しんちゅう）製のコーヒー鍋でモカを沸かしてみました。

教授　微妙にシナモンの香りがするね。フルーティな酸味と香ばしい苦味、しかも力強いコクがあって、すっきり目が醒（さ）める。美味い！

助手　エジプトでは、コーヒーにシナモンやカルダモンのような香辛料を加えるのが普通なんですが、実はこれがすごく健康的な飲み方なんですって。血糖値を下げて、血管を丈夫にするから高血圧も改善させるし、脂肪燃焼効果もあるそうですよ。

教授　たしかに、身体の芯から、ポカポカ温かくなってくる気がするね。

助手　コーヒーについて調べてみると、本当に奥が深くておもしろいですね。一三世紀頃から、イスラムの寺院では、夜の礼拝の眠気覚ましにコーヒーが飲まれていたんですが、『コーラン』が炭の食用を禁じていることから、煎ったコーヒー豆を炭とみなすか否か、大きな宗教論争にまで発展したそうです。

一五一一年、コーヒー反対派に説得されたメッカ総督のハイール・ベイ・ミマルは、コーヒーの売買に関わった者と飲用した者を鞭打ち刑とする「コーヒー禁止令」を制定しました。さらに彼は、メッカ市内のコーヒー豆を探し出して、すべて焼き払ったそうです。

教授　それはすごい！　メッカ市中にコーヒー豆の焼けた芳醇な香りが満ち溢れたに違いない。それを飲めなかったとは、コーヒー好きな人々には辛かっただろう。

助手　たしかにそうですね。それが史上最初のコーヒー弾圧事件で、「メッカ事件」と呼ばれています。この事件以降、逆にコーヒーの人気が高まったそうですから、本当にその人気は、焼かれたコーヒー豆の香りのおかげかもしれませんね。

翌年には、エジプト国王のカーンサウフが「コーヒー禁止令」を撤回させて、ハイール・ベイ・ミマルのメッカ総督の職も解任しています。

教授　それは、どうしてかね？

助手　この王様は、実は大のコーヒー好きで、毎日飲んでいたそうです。だから「コーヒー禁止令」なんて許せなかったんでしょうね。

教授　それはおもしろい！

助手　ところで、さきほど研究室から出てきた学生さん、深刻そうな顔をしていましたが、大丈夫なのかしら。

教授　彼は四年生でね、進路相談に来ていたんだよ。いろいろな企業の説明会に顔を出しているそうだが、どこも一長一短があって、なかなか希望業種を絞り切れないらしい。というか、就職先を考えているうちに、これまで自分が学んできたことは何なのか、それをいかに社会で活かせばよいのか、混乱してきたというところかな。まあ、よくある相談なんだがね。

助手　その感覚、私もよく覚えています。就職活動をしているうちに、そもそも自分とは何なのか、根本的な疑問を抱き始めるんですね。そこから、深刻な「アイデンティティ・クライシス」に陥った友人もいます。私の場合は、結果的に大学院に進学したんですが……。

教授　古今東西を問わず、自分の将来に悩むのが若者の姿だからね。ただし、そこから「驚くべき学問の基礎」を導いた非凡な人物が、「近代哲学の父」と呼ばれるルネ・デカルトだ。

デカルトは、一五九六年、ブルターニュの高等裁判官の家庭に生まれ、優秀な成績でポワティエ大学を卒業した。法学士になったものの、どこにも就職せずに二年間ほどブラブラして、「八十年戦争」の渦中にあったオランダ軍に志願入隊した。

助手　「八十年戦争」といえば、ネーデルラント諸州がスペイン国王の統治に反乱を起こした戦争ですね。

教授　結果的にオランダの独立を導いた戦争だが、当時は一二年間にわたる長期の休戦中で、戦闘はなかった。というわけで、デカルトは、オランダに集まっていたヨーロッパ諸国の数学者や科学者から知的刺激を受けることができたが、今度は「三十年戦争」の始まったドイツに赴いて、神聖ローマ帝国の軍隊に志願した。

助手　デカルトって、思っていたよりも血気盛んな青年だったんですね。

教授　まさに、自分を持て余している典型的な若者そのものだ。ただし、ここからが彼の天才的なところでね。デカルトは、そのような自分を徹底的に「省察」して、将来どのように生きるか、考え抜くことを決意した。

一六一九年一一月一日、二三歳のデカルトは、ウルム郊外の宿屋に籠り、暖炉の部屋に座った。彼は、これまでに学習したこと、教師から与えられてきた教えや、一般に当然と思われている常識、あらゆる既成概念や慣習を、すべて放棄することにした。つまり、あらゆることを疑ってみることにしたわけだ。

助手　あらゆることを疑ってみる？

教授　君もやってみたまえ。今ここで、あらゆることを、疑えるだけ疑ってみる。

助手　たとえば、このコーヒー豆を、私はモカだと思っているけど、本当はコロンビアかもしれないとか、そういうことですか？　実際に、コーヒーは豆を見ただけでは簡単に区別がつかないので、この豆は本物なのかなと思うことが時々あるんですよ。

教授　まあ、そういう風に疑ってみるということだ。もっと根本的な疑いはないかね？

助手　目の前にいる先生が、実は宇宙人かもしれないとか、窓の外に見えている校舎が、実はバーチャル・リアリティではないかとか、そういうことですか？

教授　そのとおり！　すべてを疑ってみることだ。

助手　そんなことを言い出したら、この世界が存在することさえ疑えますよね。すべては夢の世界なのかもしれないし……。

教授　まさに、そのとおり！　実は君は、今もベッドの中で眠っているのかもしれないし、今ここで話していることも、夢の世界の出来事かもしれないだろう。

助手　手をつねったら痛いんですが、これも夢の中で痛いと思っているだけかもしれないということですね。夢の中で、また夢を見ている可能性もあるし……。

教授 実際にデカルトは、悪魔があらゆる点で彼を騙（だま）しているかもしれないと想定した。人間は身体を持っていると思っているが、それさえ悪魔に騙されているのかもしれない。現代のSF風に言うと、脳に電極が取り付けられて、五感に幻覚が与えられているだけかもしれない。

助手 でも、そこまで疑い続けたら、きりがないいんじゃありませんか？ タマネギの皮をむき続けたら何もなくなってしまうように、すべてが疑いで消え去ってしまうのではないでしょうか？

教授 ところがデカルトは、あらゆることを疑った結果、どうしても疑うことのできない「確実な真実」を発見したというわけでね。

助手 そうそう、思い出しました。仮にすべてが夢の世界の出来事だとしても、私が疑っているという行為そのものは、疑えないということですね。つまり、私が疑っているという行為だけは、タマネギの皮のように消え去ることはない。高校時代の倫理の授業に出てきました。

教授 デカルトは、いかなる悪魔に騙されていようと、何重の夢の中にいようと、その内部で疑っているという「自己の意識」だけは、疑えない確実性を持っていると考えた。このことを、デカルトは、「我疑う（思う）、故に我在り（Cogito, ergo sum）」と表現したわけだ。

知覚の因果説

助手　つまりデカルトは、「自己の意識」を「驚くべき学問の基礎」に置いたということですが、そんなに自分の意識に確信を抱けるものでしょうか？

教授　少なくとも、デカルトは確信を抱いて、この世界は「精神」と「物質」という相互に還元不可能な二つの要素によって構成されていると考えた。これがデカルトの二元論で、互いに相容れない究極の「精神」と「物質」の分類から近代哲学が始まったというわけだ。

そのどちらの要素を重視するかによって、大まかな「理系」と「文系」の枠組みができたと言っても過言ではないだろう。

助手　「我（脳）在り、故に我（心）思う」というのが理系の考え方、「我（心）思う、故に我（脳）在り」というのが文系の考え方だということですね。

教授　そういうこと。一例として、視覚を考えてみよう。ここに一本のバラの花がある。この花に光が当たって反射し、光線となって目の網膜上に像を結び、そのインパルスがニューロンによって視覚神経系から脳細胞に伝送される。つまり目に入力されたデータが電気的に伝送されて脳細胞の興奮を生じさせるわけで、これこそが「感覚」に他ならない。

ヒトの脳神経系は、その感覚のデータを過去に保存したデータの集合体である「記憶」と照合し、それが花の形であることや赤い色であることを「知覚」する。さらに新皮質に累積されている語彙群の中から一定の語句を取り出して、それが一本のバラの花であることを「認識」するわけだ。

このように「知覚」を物理的な因果関係に還元する考え方は「知覚の因果説」と呼ばれ、科学者に支持されている。

ところが、哲学者は、そんなことで「知覚」が簡単に説明できるわけがないと考える。そもそも「知覚の因果説」は、「ここに一本のバラの花がある」から始まって、「それが一本のバラの花であることを『認識』する」で終わっているが、なぜ最初に「ここに一本のバラの花がある」と言えるのかは説明されていない。

要するに、認識が先にくるという「観念論」と、実在が先にくるという「実在論」の古代ギリシャ時代以来の大論争が、改めて「知覚の因果説」解釈で繰り返されているわけだ。

ハイゼンベルクの不確定性原理

助手　鶏と卵のどちらが先かみたいな議論ですね。

教授　二〇世紀になると、その論争の根底を覆すような衝撃的な限界がミクロの世界で見つかった。それが、一九二七年にドイツの物理学者ヴェルナー・ハイゼンベルクの発見した「不確定性原理」だ。

助手　それは、どんな原理ですか？

教授　簡単に言えば、人間の観測には、超えられない限界があるということでね。

人間が何かを観測するとき、実際には、対象から跳ね返ってくる光を見ている。たとえば、今私は君の顔を見ているが、それは、君の顔を反射した光が私の目の網膜上に映り、その像が視覚神経系を伝わって脳細胞に伝達されることによって、認識が生じているわけだ。

助手　それが「知覚の因果説」ですね。

教授　光は電磁波の一種だから、ミクロの対象の位置を精密に測定したければ、対象が一回の波の振動に埋もれないように、短い波長の光を使う必要がある。ところが、光は波長が短くなればなるほど、振動数が高くなり、エネルギーが高くなるため、対象の位置を乱してしまう。

たとえば、科学者が電子の「位置」を測定したいとする。波長の短いX線のような電磁波を電子に当てると、X線は特定の方向に跳ね返ってくるので、その方向を逆算すれば、その電子の位置がわかる。ところが、波長の短い電磁波のエネルギーは高いので、電子の方も動かされてしまうことになり、電子が最初に持っていた「運動量」に影響を与えてしまう。一方、電子の「運動量」に影響を与えないためには、波長の長い電磁波を使えばよいが、今度は波長が長すぎることによって、電子の「位置」を正確につかめなくなるというわけだ。

助手　ミクロの世界では、あまりにも観測する対象が小さすぎるために、測定のために用いる光や電磁波そのものが対象を乱してしまうということですね？

教授　そのとおり。もう少し正確に言うと、一般に、粒子の位置xと運動量pに対して、その不確定性をそれぞれΔ_xとΔ_pとおくと、「$\Delta_x \Delta_p \geqq \hbar$」が成立するというのが、ハイゼンベルクの不確定性原理なんだ。

ここで「運動量」というのは質量と速度の積、hはプランク定数を意味する。要するに、不確定性原理は、粒子の位置と運動量を、hという数値よりも高い精度で測定することが不可能だということを示しているわけだ。

助手　そのプランク定数とは何ですか？

教授　プランク定数というのは、最初に「量子」という「とびとびの量」の概念を定義したドイツの物理学者マックス・プランクにちなんで名付けられた定数で、運動量と10^{-34} mの積を指す。この長さは、一メートルの小数点下に0が三三個並んだ微小さでね、原子の半径が10^{-10} m、その中心にある原子核の半径でさえ10^{-15} mで、プランク定数はそれよりも10の19乗分の1小さいわけだ。この「プランク長さ」が、宇宙で最小の単位なんだよ。

助手　まったく実感が湧きませんが……。

教授　仮に最も単純な水素原子一個を直径三キロメートルにまで拡張したとしよう。これは、ドーム球場の一〇倍くらいの大きさだ。この巨大な空間の真ん中にゴルフボール一個を置くと、これが原子核のサイズになる。さらに、そのゴルフボールを構成する原子の原子核を考えると、それがプランク定数のサイズということになる。

助手　なるほど。少なくともプランク定数が、いかに究極的に小さい数を意味するのか、イメージは浮かびました。

教授　そのプランク定数が、あらゆる観測精度の限界を示しているというわけだ。

助手　あまりにミクロな対象を観測しようとすると、それを観測するために使う光でさえ影響を与えてしまうので、粒子の「位置」と「運動量」の両方を完全には測定できないということですね。

友人と一緒にバードウォッチングに行ったとき、似たような経験をしました。バードウォッチングの目的は、まったく自然のままの鳥の姿を見て、その鳴き声を楽しむことにあります。遠くから双眼鏡を使えば、活き活きとした鳥の姿を観察することはできますが、あまり鳴き声が聞こえません。ところが、鳴き声が聞こえるまで鳥に近づこうとすると、今度は鳥が人の気配を察して逃げてしまうのです。つまり、自然なままの「鳥の姿」と「鳴き声」の両方を同時に味わうのは難しいわけです。

教授　今の君の話は、観測が対象を干渉してしまうという意味では、非常にわかりやすいアナロジーだと思うよ。

そこで君は、電子の位置と運動量は、本来は決まっているにもかかわらず、人間の観測精度の限界によって、それを同時に知ることはできないと考えている。つまり君は、暗黙の裡(うち)に「実在論」を前提にしているわけだが、ハイゼンベルクの不確定性原理の本質は、バードウォッチングのように、単に観測が対象を干渉するといった素朴な見方では不十分だと考えられるようになったんだ。

助手　それは、どういうことですか？

教授　ハイゼンベルク以降に進展した量子力学によれば、電子の位置と運動量は、本来的に決まっているものではなく、さまざまな状態が「共存」しているとみなされる。つまり、不確定性原理は、我々がどの状態を観測することになるのか、本質的には決まっていないという原理を表していることになる。そこで、認識が先にくるという一種の「観念論」が、ここで復活したとも考えられる。

助手　それでは、「実在」と「認識」をどのように考えればよいのでしょうか？

1927年

ボーア
『量子の要請と原子理論の最近の発展』

×

1935年

アインシュタイン／ポドルスキー／ローゼン
『物理的実在の量子力学による記述は完全とみなせるか』

水出しコーヒーとドラフト・コーヒー

助手　今日はすごく暑いから、アイス・コーヒーにしました。淹れたてをどうぞ！

教授　氷で一杯にしたグラスに、熱いコーヒーを注いで一気に冷ますとは、本格的だね。炭火焼きの香ばしい風味とコクがあって、スッキリ目が醒めるよ。美味い！

助手　コーヒーというとホットのイメージですが、必ずしもそうではないんですね。冷蔵庫のなかった時代、熱帯のコーヒー産地の人々は、気温の下がった夜のうちに水とコーヒー粉を壺に入れて土に埋め、翌朝取り出して、濾過（ろか）して飲んでいたそうです。

教授　それが「水出しコーヒー」の起源だろう。熱湯を通さないから、まろやかで優しい風味になるんだね。

そういえば昨年の夏、学会でニューヨークに行ったとき、カフェで「コールド・ブリュー」と呼ばれるコーヒーを飲んでみたが、なかなかの味だったよ。

助手　「ブリュー」というと「醸造」ですか？

教授　そうだね。まさに「ビール・サーバー」にそっくりな「コーヒー・サーバー」を使っていた。蛇口を捻ると、窒素ガスを含ませた冷たいコーヒー液が出てくる。これをグラスに入れると、ビールと同じようにクリーミーに泡立って、喉越しがすばらしいというわけだ。

助手 それ、飲んでみたい！

教授 このタイプの「泡出しコーヒー」は、「ドラフト・ビール」にかけて、日本では「ドラフト・コーヒー」という名称で流行り始めているらしい。東京のカフェにもあるみたいだから、探してごらん。

ボーアの相補的解釈

助手 ところで、量子論の話を伺ってから、いろいろと考えてみたのですが、難しくて……。もう一度確認したいんですが、電子の位置と運動量は、本来は決まっているにもかかわらず、人間の観測精度の限界によって、それを同時に知ることはできないというのが、ハイゼンベルクの「不確定性原理」の意味ですよね。

教授 それが「実在的解釈」だ。アインシュタインも、君の解釈と同じように、あくまで電子の位置と運動量は、本来は決まっているはずだと主張し続けて、最後まで量子論に強く反発し続けた。
一方、不確定性原理は、電子の位置と運動量が本来的に決まっているものではなく、さまざまな状態が「共存」していて、どの状態を観測することになるのかは決まっていないことを立証するものだとみなす解釈がある。

助手　もし電子の位置と運動量が原理的に「不確定」だったら、その電子の未来の位置と運動量を予測することも不可能になりますね。そうなると、不確定性原理は、以前伺った「ラプラスの悪魔」が原理的には存在しないことを示す成果になりませんか。

教授　そのとおり。ミクロの世界は根本的に不確定で、未来は何も決定されていないというのが、「相補的解釈」であり、これが現代物理学で一般に受け入れられている量子論の解釈でもあるんだ。

助手　その相補的解釈とは、何を意味するんですか？

教授　これは、デンマークの物理学者ニールス・ボーアの導いた解釈でね。ボーアは、一九二七年に「量子の要請と原子理論の最近の発展」という講演を行い、その中で、古典物理学では説明のできない量子論の新しい概念を「相補性」と名付けた。そもそも相補性とは、相反する二つの概念が互いに補い合うことによって、一つの新たな概念を形成するという考え方だ。

たとえば、電子は「波」であると同時に「粒子（りゅうし）」であり、古典物理学のように一方の概念に還元できるものではないとみなされる。不確定性原理が示す粒子の「位置」と「運動量」も、相補性の関係にあるわけだ。

ボーアは、相補性を表すシンボルとして、「陰（いん）」と「陽（よう）」という対立の相互作用によって世界を解釈する中国哲学の「陰陽思想」を取り入れた。彼は、人間と自然の関係や、物質と精神の関係も、相補的に結びついていると考えていた。要するに、一方が他方を定めるのではなく、双方が互いに補い合わなければ、すべてを理解することはできないというのが、ボーアの自然観なんだ。

アインシュタインの実在的解釈

助手　「陰陽思想」を取り入れたなんて、おもしろいですね。

教授　物理学者といえば、どちらかというと哲学嫌いが多いが、ボーアは、そうではなかった。とくに彼は、量子論の導くまったく新しい自然観を説明するために、「相補性」という新たな概念を生み出す必要があった。そのインスピレーションを「陰陽思想」から得たというわけだろう。

いずれにしても、ハイゼンベルクの不確定性原理そのものは、アインシュタインであろうとボーアであろうと、誰もが認める物理学上の事実と言える。ただし、この原理がいったい何を意味しているのか、それをどのように解釈すればよいのかについては、いまだに論争が続いているような状況と言える。

助手　その論争がどのようなものなのか、簡単に説明していただきたいのですが……。

教授　簡単にといっても、なかなか難しくてね。というのも、相補的解釈を導いたボーア自身が、「量子論を理解していると思ったら、理解していない証拠だ」と言っているくらいだからね。究極のミクロの世界は、それほどに意味不明だということだ。

助手　理解していると思ったら、理解していない証拠！

教授　その後、量子論を理論展開した物理学者リチャード・ファインマンになると、「量子論を本当に理解している人など、一人もいない」とまで言い切っている。ファインマンによれば、量子論の研究者は決して「なぜこうなっているのか」と考えてはならない。なぜなら、永遠に逃げ出せない袋小路に迷い込んでしまうからというのが、彼の忠告だ。要するに、量子論は、常識では計り知れない不思議な帰結を導くということだよ。

助手　専門家が考えても、そんなに不思議なんですか。おもしろそう！　ぜひ教えてください。

教授　アインシュタインが、物理学者アブラハム・パイスに向かって、「君は本当に、君が見ているときにしか月が存在しないと思っているのかね」と語った有名なエピソードがあってね。これを例に考えてみよう。

今、空を見上げると、ちょうど満月が輝いている。しかし、もし君が月を見ていなかったら、月はどこにあると思うかね？

助手　私が見ていなくても、月はそのまま空にあるに決まっているじゃないですか。私でなくても、世界中の他の誰かが見ているかもしれないし、月面の観測装置が地上にデータを送っているかもしれないし、何らかの月の痕跡(こんせき)があるに違いありません。

教授　仮に世界中の誰も月を見ていないとして、いかなる観測装置も月を観測していないとする。つまり、何者も月を「認識」していないとする。そのとき、月はどこにあると思うかね？

助手　月の存在は、見ている人がいようがいまいが、観測装置があろうがなかろうが、地球周回軌道上にあるでしょう。それが常識だと思いますが……。

教授　そうだね。まさにアインシュタインも、君と同じように、月は「実在」すると考えた。ところが、量子論によれば、ミクロの物質は、誰も見ていないとき、さまざまな場所に同時に存在している。これが、すでに話した「共存」のイメージでね。もちろん、月は巨大なマクロの物質だが、ミクロの物質が集まって構成されているわけだから、これに量子論の考え方を適用して、アインシュタインが皮肉を述べたわけだ。アインシュタインは、そんなことはありえないと思っていたからね。

助手　お話を伺っていると、量子論の解釈は、まるで一種の観念論のようですね。

教授　たしかに相補的解釈は、アインシュタインの信じていたような意味での「客観的実在」を否定する。つまり、いかなる観測者からも無関係に独立した客観的な存在という解釈を、量子論は否定するわけだ。

その一方で、量子論は高度に完成された理論であり、多くの実験においても、ほとんどすべてが量子論の予測どおりに確認されている。

ここで注意してほしいのは、従来からの観念論が主張するように、観測される対象すべてが観測者の知覚に依存すると量子論が結論付けているわけではないことだ。つまり、量子論は実在論と両立しないわけではないが、その解釈が、常識からはかけ離れているんだ。
助手　ミクロの物質が、さまざまな場所に同時に存在しているというのは、どういうことですか？
教授　さまざまな場所に、一種の波として存在するとみなされる。量子論によれば、ミクロの物質は通常は「波」として存在し、それが観測される瞬間に「粒子」になると解釈される。
助手　その波というのがよくわからないんですが……。
教授　海の波や音波を考えてみたまえ。水面の波は、水の分子が数多く集まって振動しているものだね。あるいは、今この研究室には、私の声が響いているが、この声というのも、実は私の咽喉の声帯が空気を振動させている結果であって、それが君の耳の鼓膜に伝わっているわけだ。空気の分子がなければ、音は存在しない。
　ミクロの世界で、原子核の周りにある電子も、やはり一種の波として存在する。しかし、電子は、水や空気の多数の分子のような媒質（ばいしつ）の振動によって波になるのではなく、多数の電子が集まって波になるのでもなく、一個の電子そのものが波の性質を持つとみなされるんだ。
助手　一個の電子が、原子核の周りで波のように広がっているわけですか？
教授　そうそう。常識では考えられないかもしれないが、波が広がっている範囲全体に、一個の電子が同時に存在しているとみなされる。これを量子論では「共存」と呼ぶわけだ。水素の原子核の周りには一個の電子しか存在しないが、この電子は、原子核の周囲の至る所に存在し、いわば周囲を満たしていると表現される。

アインシュタインは、月の位置と同じように、電子の位置も本来的には決定されているはずで、波のようにしか認識できないのは、量子論が実在を十分に説明できていないからだと考えた。しかし、どうもそうではなさそうなことが「二重スリット実験」で明らかにされた。

二重スリット実験

助手　それは、どのような実験なのですか？

教授　図式的には、非常に簡単なものでね。二つの細長いスリットの空いた板に向かって、ちょうどその真ん中に電子銃から電子を打ち出し、板の先に設置したフィルムに記録する。

もし電子が単純な粒子であれば、二つのスリットのどちらかを通過して、出口部分のフィルムにだけ電子の跡が残るはずだろう？　ところが、実際には、波を打ち出したときにしか表れないはずの干渉パターンが記録されるというわけだ。

助手　電子銃から数多くの電子が放出されるので、電子がお互いに干渉し合って、水面の波のように記録されるという意味ですか？

教授　いやいや、そうではない。そのような可能性を排除するため、一九七四年、イタリアのボローニャ大学の物理学者ピエル・メルリを中心とする研究グループは、実験装置に改良を加えて、電子を一個ずつ、しかもゆっくりと時間間隔を空けて打ち出し、他の電子と干渉しないようにして、一個ずつフィルムの感光を観測した。

フィルムには、電子が感光させた点が、ポツリポツリと付いてゆく。最初は、その点の分布はランダムに見えるが、点の数が蓄積されていくにしたがって、実験者は驚愕する。というのは、それが徐々に、秩序立った干渉パターンになっていったからだ。

助手　どうして干渉パターンがそれほど衝撃的なのでしょうか？

教授　なぜなら、常識的には起こりえない事実を目の当たりにしているからだよ。一個一個打ち出された電子が干渉パターンを作るということは、一個の電子が、同時に二つのスリットを通ったとしか考えられないからだ！

助手　電子は、幽霊のように二つのスリットを同時に通過しているということですか？

教授　そのとおり。電子は、波の状態で二つのスリットを同時に通過し、自分自身に干渉して、フィルムに衝突する。ところが、衝突する瞬間、一個の粒子になってフィルムに写る。そうとしか考えられないんだ。

この現象を、電子は「片手で握手できる」と説明している科学者もいる。別の科学者は、雪の中を、スキーヤーの滑った二本の線がずっと続いていて、その二本の線が、ある部分で一本の木を両側から挟んでいるという漫画で、二重スリット実験を説明している。

助手 つまり、滑った跡だけを見ると、スキーヤーが透明人間のように木を貫通したとしか思えない漫画ですね。もちろん、ギャグでしょうが……。

教授 ところが、二重スリット実験は、もちろんギャグではない。実際に一個の電子が、二つのスリットを波のように同時に通過しているんだよ。

この事実を証明するため、さらに驚くべき実験が行われた。それは、世界各地で同じ時刻に同じ二重スリット実験を行い、それぞれのフィルムに電子を一個だけ発射するというものだ。その後、このフィルムを集めて重ね合わせると、どうなると思うかね？

助手 まさか、それも干渉パターンになるんですか？

教授 そのとおり、それも干渉パターンになった！

助手 背筋が寒くなってきました。どうして世界中でバラバラに打ち出された電子のフィルムが、一緒に重ねてみると干渉パターンを作るのでしょうか？

教授　その解答を与えてくれるのが、電子が自分自身に干渉しているというボーアの相補的解釈だ。一個だけでは粒子の点なのに、多くの電子の当たった点の分布を重ね合わせると、干渉パターンが見えてくるわけだ。

助手　電子がどちらのスリットを通過するのか、スリットを通過する時点で判定できないのでしょうか？

教授　焦点を突いた発想だね。実は、そのような実験も実際に行われている。

この実験では、物理学者が、二つのスリットの出口に光電管を仕掛けて、電子がどちらのスリットを通過するのかを確認した。すると、電子は一方のスリットを通過する時点で粒子として観測され、もう一方のスリットを通過したはずの波は消えてしまった。そして、フィルムからは、干渉パターンも消えてしまったんだ。

助手　それは、本当に不思議ですね！

教授　しかし、電子がどちらのスリットを通過するかを確認するための「観測」行為そのものが、電子の波を「収縮」させると考えれば、それほど不思議なことでもないだろう？

逆にこのことからも、電子は通常は波の状態で存在し、観測された時点で収縮して粒子となるというボーアの相補的解釈が、実験的にも確認されたと言える。

助手 つまり、量子論の論争は、ボーアが正しくて、アインシュタインが間違っていたということですか？

教授 そう簡単には結論付けられない。相補的解釈では、自然の究極的な本質が、あまりにも曖昧（あいまい）になってしまう面もあるからね。

ボーアの「ミクロの世界に実在はない」という解釈に対抗するため、観測によって実在世界そのものが無数に分岐するという「多世界解釈」も生み出されている。

それに、現代物理学の双璧（そうへき）をなす相対性理論と量子論が整合しないという大問題もある。

というわけで、まだまだ論争は続いているという状況だ。

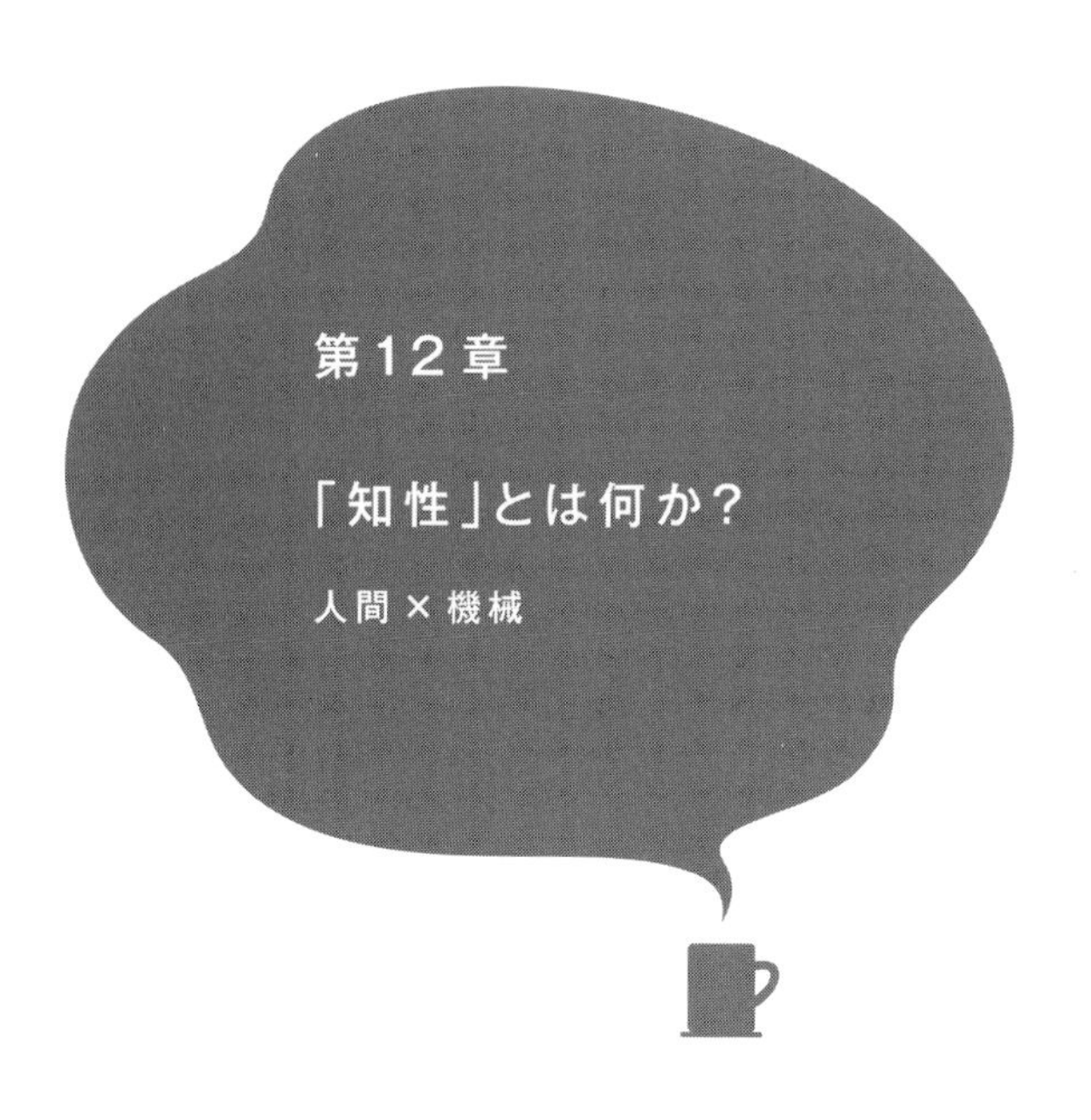

第12章

「知性」とは何か？

人間×機械

1950年

チューリング

『計算機械と知性』

スタバの裏メニュー

教授　いつも美味しいコーヒーを淹れてもらっているから、今日はスターバックスでプレゼントを買ってきたよ。

助手　これ「チェリー・アンド・チョコレートチップ・フラペチーノ」じゃないですか！ダークチェリーの果実がたっぷり入っていて、私、大好きなんです。

教授　店員に聞いたら、若い女性には、これが夏一番のオススメだと言われたんでね。ついでに「キャラメルプリン・ウィズ・コーヒージェリー」も買ってきたよ。

助手　嬉しい！　ご馳走になります。先生のは？

教授　単なるエスプレッソの「カフェモカ」。それにしても、スターバックスのメニューはバリエーションが豊富で、どれにするか迷うね。

助手　メニューに出ていない「裏メニュー」もあるんですよ。たとえば、この「チェリー・アンド・チョコレートチップ・フラペチーノ」に「チョコソース」を追加したのが「ダブル・チョコチェリー・フラペチーノ」……。

教授 そんな組み合わせもあるのか!

助手 期間限定ですが、先生が一言「チョコソース」とおっしゃったら、無料で追加してくれたはずです。

教授 それは驚いた! そんな情報どこに出ているの?

助手 ネットですよ。とくにスタバは、顧客を飽きさせないように、毎月のように新作メニューを出していますからね。すべての新作を飲んで感想を書いている「スタバ・ウォッチャー」のブログもあるし……。

教授 なるほど。そこまでいくと、一種の「スタバ現象」なのかもしれない。

モノマネ・ゲーム

助手 ところで先生、二〇一七年五月、コンピュータ囲碁プログラムの「アルファ碁」が、世界のトップ棋士柯潔(かけつ)九段に三連勝して、中国囲碁協会から「名誉九段」の称号を与えられたという記事を見たんですが、囲碁界では、ついに機械が人間を超えたということでしょうか。

教授　そう言えるだろう。グーグル傘下のディープ・マインド社が開発した「アルファ碁」は、人工知能が過去の膨大な棋譜データを学習する「ディープ・ラーニング（深層学習）」を組み込み、最適な手を導くシステムになっている。負けた棋士たちは、一様に「人間では思い付かない手があって、本当に強い」と啞然（あぜん）としていた。

　そもそも「機械は考えることができるか」という問題を提起したのは、イギリスの天才数学者アラン・チューリングだ。一九五〇年、三七歳のチューリングは、記念碑的な論文「計算機械と知性」を哲学雑誌『マインド』に発表した。この論文については、私が日本語訳を『現代思想―総特集チューリング』に寄稿した。

　この論文でチューリングは、「機械は考えることができるか」という抽象的概念を、「モノマネ・ゲームにおいて満足な結果を生み出すことができるデジタル計算機は存在するか」あるいは「うまくモノマネ・ゲームのできる離散状態機械は存在するか」という具体的概念に置き換える。

　さらに、その問題は、「ある特定のデジタル計算機Cについて考える。この計算機が十分な記憶容量を持ち、実行速度が十分に速く、さらに適切なプログラムが与えられているとする。ここで、デジタル計算機Cは、モノマネ・ゲームにおいて人間Bを相手にしたとき、A

の役割を満足にこなすことができるか」のように具体化される。

助手　「モノマネ・ゲーム」？

教授　原語は「イミテーション・ゲーム」だから「模倣ゲーム」と訳されることもあるが、チューリングが意図していたのは「モノマネ・ゲーム」の感覚だろう。というのも、彼は、もともと別室の男女が相手のモノマネをして質問者を騙した方が勝つというイギリスのパーティ・ゲームからヒントを得たと述べているからね。

さて、「機械は考えることができるか」という問題に対するチューリング自身の結論は、次のようなものだった。「今から五〇年ほど経(た)てば、およそ10の9乗の記憶容量を持つ機械をプログラムできるようになり、その機械にモノマネ・ゲームを実行させると、平均的な質問者が5分間質疑応答を繰り返したとして、それが機械だと正確に判定できない確率は70パーセントを超えているはずである。その頃になれば、『機械は考えることができるか』という最初の問題自体、議論するに値しないほど無意味なものになっているだろう」

さらに彼の論文が興味深いのは、「機械は考えることができない」という九種類の反論を想定し、それら一つ一つに丁寧に答えている点だ。これらの批判のなかには、彼の論文から七〇年が過ぎた今もなお、哲学や心理学の分野で堂々と主張されている変形や亜種がある。

助手　おもしろそう。その九種類、教えてください。

九種類の反論に対するチューリングの回答

教授　第一の反論は「神学的反論」と呼ばれている。「思考は人間の不滅の魂による作用である。神はすべての男女に不滅の魂を与えたが、他のいかなる動物や機械にも与えなかった。したがって、いかなる動物も機械も考えることはできない」という見解だ。

助手　つまり、人間には魂があるが、機械には魂がない。そして、魂がなければ思考はできないから、機械は考えることができない、という論法ですね。

この種の神がかりな論法では、使われている「魂」という言葉の意味が曖昧ですよね。だから、いろいろな議論の可能性が出てしまうように思えるんですが……。

教授　そのとおり。チューリングは、「女は魂を持たない」とする一部のイスラム教徒の見解を引用して、これをキリスト教徒はどう考えればよいのかと皮肉を述べている。過去の数々の神学的な議論が、いかに「感心できたものではない」か、というのがチューリングの回答だ。

第二の反論は、「真実を見ない反論」と呼ばれている。「機械が考えるという帰結は恐怖を与える。したがって、機械にそんなことはできないと信じることにしよう」という内容だ。

助手　「真実を見ない反論」とは、すごいネーミングですね。でも、たしかに機械が勝手に考えた結果、人類を絶滅させるべきだと殺人攻撃を始める映画『ターミネーター』のような状況は、得体のしれない恐怖感を与えますから、怖いものは見ないでおきたいという心理が働く気持ちも、理解できるような気がします。

教授　チューリングは、この反論も「議論に値するほどの内容を含んでいるとは思わない」と述べている。「むしろ、この種の反論を述べる人に対しては、慰める方が適している」というのが彼の回答だよ。

第三の反論は、「数学的反論」だ。これは「離散状態機械の能力に限界があることを示すために、さまざまな数理論理学の帰結が用いられる」という見解で、すでに述べた二つの感情的な反論よりも、ずっと骨がある内容だ。

たとえば、ゲーデルの「不完全性定理」については、すでに君に説明したね。この定理を応用すると、「論理体系を機械言語によって記述し、機械言語を論理体系によって記述する必要が生じる。その要求を満たすのは、本質的に無限容量量を持つデジタル計算機としての一種の機械である。そして、そのような機械に実行できない何かがあるということが証明されている」ことになる。

助手　もう少しわかりやすく説明していただけますか。

意識・特性・独創性

教授　自然数論の公理系を組み込んだ機械にゲーデルの定理を適用すると、その機械の内部にゲーデルの決定不可能命題が存在することになる。要するに、その機械が数学的に「完全」ではないことが証明される。したがって、その「機械が間違った回答を出すか、あるいは回答することができない質問が存在」するというわけだ。

チューリング自身、ゲーデルの定理を拡張したすばらしい業績のある人物だから、もちろん、この反論の正当性を認めてはいる。しかし彼は、「その点を重要視しすぎないようにすべきだと思う。私たち自身、質問に間違った回答を出すことが多すぎるので、機械のたった一部分に限界を示す証拠があるからといって、大喜びはできない」と述べている。

第四の反論は、「意識に基づく反論」と呼ばれている。その代表的なものとして、チューリングは、神経生理学者ジェフリー・ジェファーソンの発言を引用している。「機械がソネットを書いたりコンチェルトを作曲したりできるようになるまで、それも何らかの偶然で記号が組み合わされたのではなく、思考と感情のおもむくままにそれが成し遂げられるようになるまで、我々は機械が脳と同等だと認めることはできない。すなわち、機械は何かを書くことができるだけでなく、それが自分の書いたものであることを意識できなければならない。いかなる機械装置であっても、感じることはできない（簡単な仕掛けで、単なる人工的な信号を表すことはできるだろうが）。機械は、何かを成し遂げて成功を喜ぶことはできないし、自分の真空管のヒューズが切れたとしても悲しむことはできない。お世辞を言われて喜ぶことも、失敗してみじめな気持ちになることも、異性に惹かれることも、欲しい物が手に入らないからといって怒ったり意気消沈したりすることもないのである」

助手　その反論は、私にも納得できる気がします。人間には意識があるが、機械には意識がない。そして、意識がなければ思考はできないから、機械は考えることができない、という論法ですね。

教授　この論法に対して、チューリングは、「誰かが機械が考えていると確信するためには、その人自身が機械になって自分が考えていると感じる以外に方法はないことになる。もしそうなれば、その人は自分が何を感じているかを外部世界に説明することができるだろうが、もちろん誰も、そのことによって彼が考えていることが正当化されるとは思わないだろう」と述べている。

助手　それはどういうことですか？

教授　簡単に言うとね、意識があるかないかという議論を突き詰めていくと、哲学的には「自分の意識だけを確信できる」という「唯我論」に到達してしまうんだ。誰も他者の意識を実感することはできないからだよ。

助手　なるほど、おもしろい議論ですね！

教授　第五の反論は、「さまざまな能力の欠如に基づく反論」と呼ばれている。チューリングは、「あなたが主張するような機械を製作できたとしよう。それでも、その機械は、決してXをすることはできないだろう」という命題を挙げる。そして、機械を批判する人々は、そこにさまざまな「特性X」を当てはめるわけだが、その幾つかを挙げると、次のようになる。

「親切であること、機知に富んでいること、美しいこと、友好的であること、リーダーシップを取ること、ユーモア・センスのあること、何が善で何が悪かを見分けること、間違えること、恋におちること、ストロベリー・クリームを楽しく味わうこと、誰かに何かを好きにさせること、経験から学ぶこと、言葉を正しく使うこと、自分自身の思考の主体となること、人間と同じくらい多彩な行動をとること、何か本当に新しいことを始めること」

助手　どれも機械には難しそうなことばかりですね。

教授　この批判に対して、チューリングは、「機械は醜く、非常に限定された目的のために作られ、少しでも違う目的に応用しようとしても役に立たず、多彩な行動をすることなど考えられない」という人々の批判は、無理もないことだと認めている。というのも、当時の人々は、そのような機械しか見たことがないからだ。

　ところが、チューリングが天才的なのは、一九五〇年時点で、これらの「特性X」は、機械の「記憶容量」が非常に大きくなり、「処理能力」が非常に速くなれば、すべて改良されると見抜いていた点にある。

　たとえば、一九八七年から一九九四年まで続いたテレビドラマ「新スタートレック」に登場するアンドロイドの「データ」や、一九九九年公開の映画『アンドリューＮＤＲ１１４』に登場する「アンドリュー」のような人間に変異するロボットの構想について、チューリングは、すでに気付いていたと考えられるわけだ。

助手　それは本当にすごいことですね！

教授　第六の反論は、「独創性に基づく反論」と呼ばれている。機械は「何かを独創するようには作られていない。それは、私たちがどのような実行を命令するか知っていることに限り、何でも実行することができる」という考え方で、この反論の変種として、機械が「何か本当に新しいことを始めることはできない」とか、機械は決して「人を驚かせる」ことができないという見解もある。

助手　人間には独創性があるが、機械には独創性がない。そして、独創性がなければ思考はできないから、機械は考えることができない、という論法ですね。

これも「独創性」という言葉の定義によって、いろいろと見解が分かれそうですね。現在は、ピカソ風の絵を描くソフトや、モーツァルト風の曲を作曲するソフトもありますから、これを一種の「独創性」とみなすこともできそうですが……。

教授　たしかに、そうだね。チューリングは「いったい誰が、自分の『独創的な仕事』とは」何なのかを「確信できるだろうか」と皮肉を述べている。

第七の反論は、「神経系の連続性に基づく反論」と呼ばれている。「神経系は、明白に離散状態機械ではない。神経細胞に当たる入力刺激のわずかな情報の誤差によって、そこから出力される刺激には大きな相違が生じることもありうるだろう。したがって、離散状態機械が神経系の行動を真似ることは不可能だという主張が生じるかもしれない」という見解だ。

助手 つまり、生物の神経系は外界からの刺激と反応が「連続的」なのに、機械は入力と出力が飛び飛びの「離散的」だということでしょうか。

教授 そのとおりだが、チューリングは「微分解析機」のような機械に「ランダム性」を組み込むことによって、離散的な機械が連続的にしか見えない行動を起こす可能性を示唆している。これも、一九五〇年当時としては、非常に先見性の高い発想だと考えられる。

第八の反論は、「非形式的な行動に基づく反論」と呼ばれている。「もし人間が自らの生活を統制する明確な行動の規則に従うのであれば、彼は機械と同等である。しかし、そのような規則は存在しない。したがって、人間は機械ではありえない」という見解だ。

助手 つまり、機械は規則に従うが、人間は必ずしも規則には従わない。そして、規則に従わない自由がなければ思考はできないから、機械は考えることができない、という論法ですね。

教授 その論法も、機械をあまりにも杓子定規（しゃくしじょうぎ）に規定しすぎていることは明らかだろう。

第九の反論は「超感覚的知覚に基づく反論」と呼ばれている。チューリングは、「超感覚的知覚」のなかでも「テレパシー・透視・予知・念力」を「通常の科学的な概念すべてを否定する」ところの「迷惑な現象」と呼びながら、万一このような超感覚的知覚能力を持つ人間がいたら、そこで人間と機械は同等ではなくなると述べている。

助手　万能な機械に立ち向かうエスパーのＳＦ作品などは、そこからヒントを得ているのかもしれませんね。

教授　チューリングの発想には、今でも驚かされるよ！

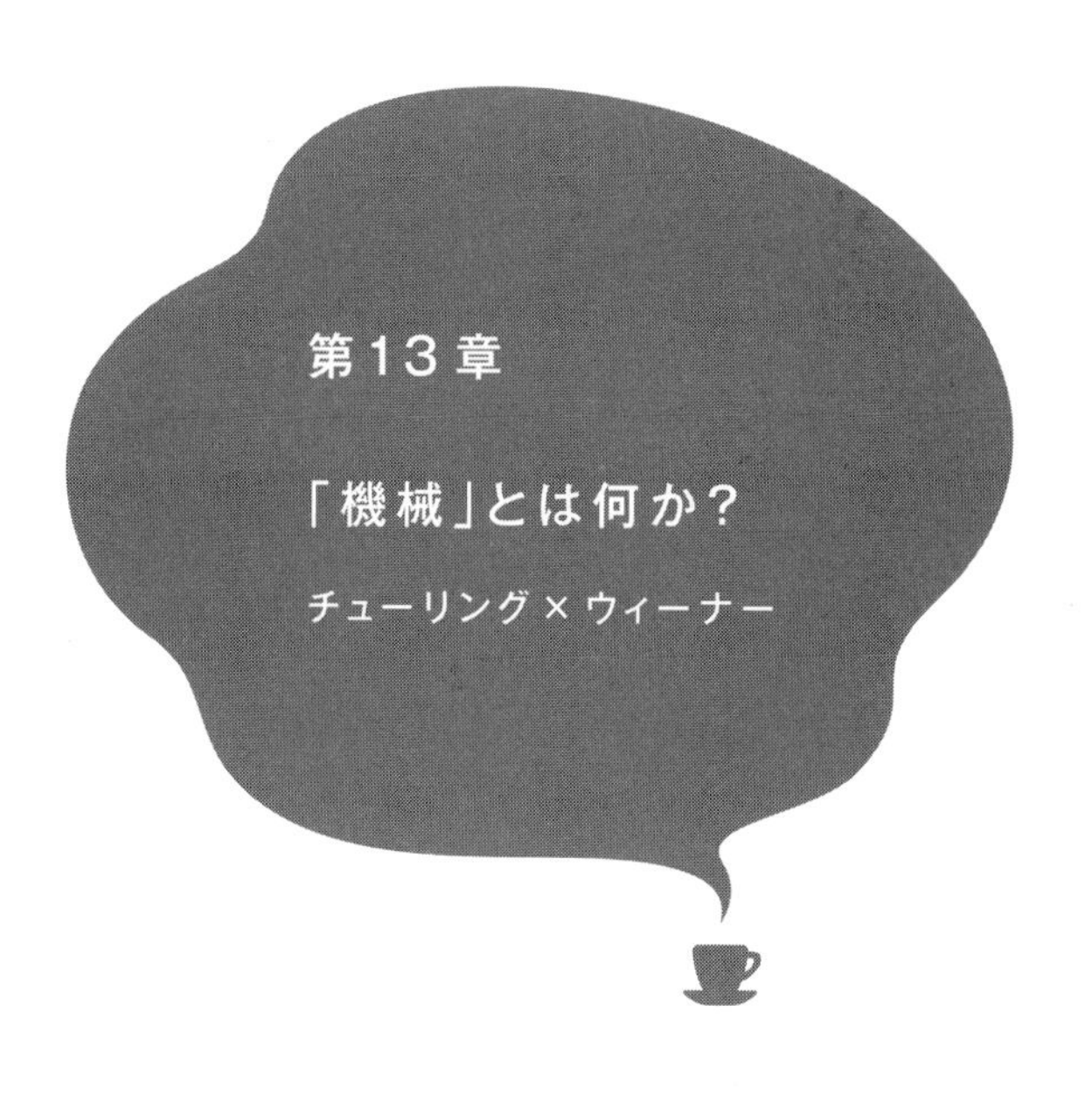

第13章

「機械」とは何か？

チューリング × ウィーナー

1936年		1948年
チューリング 『計算可能性と その決定問題への応用』	×	ウィーナー 『サイバネティックス』

守り抜かれたコーヒーの苗木

助手　先生、コーヒーどうぞ。今日の豆は、メキシコ産をシティ・ローストにしたものです。
教授　これはフルーティで甘い香りだね。爽やかな酸味に加えて、苦味とコクの調和も取れていて、暑い季節にピッタリの味だ。美味い！
助手　コーヒー専門店で聞いてきたんですが、この豆は、メキシコ南西部チアパスの標高一三〇〇メートルにある自然保護区サンタ・テレサエステートで栽培された「Qグレード」と呼ばれる高級品だそうです。メキシコの自然保護地区では、森の中にコーヒーやバナナなどを一緒に植えて、生態系を守りながら有機栽培を行っていて、野生のジャガーと遭遇することもあるそうですよ。
教授　ジャガーだって？　コーヒー栽培も命懸けだね。
助手　コーヒーの歴史を調べてみると、苗木を移すだけでも命懸けだったみたいですよ。そもそもコーヒーがヨーロッパからメキシコに伝わった起源は、フランス領マルティニーク島の原木にありました。

教授 マルティニーク島といえば、一五〇二年にコロンブスが第四次航海で発見して「世界で最も美しい場所」と呼んだ島だね。たしかゴーギャンや小泉八雲も滞在したことがあったはずだ。

助手 「マルティニーク」という名前は、カリブ系の原住民が「マディニーナ（花の島）」や「マティニーノ（女の島）」と呼んでいたのが語源だということです。

しかし、一七世紀には、フランス軍が島を植民地化するため、抵抗する原住民の殺戮（さつりく）を繰り返し、ついには島のカリブ系の原住民を絶滅させたという恐ろしい過去もあります。

教授 侵略戦争は、人間の攻撃本能をエスカレートさせて、信じられないほど悲惨な結末を生み出すからね。二度と繰り返してほしくないものだ！

助手 コーヒーを西インド諸島に伝播させたのは、一八世紀、マルティニーク島に赴任することになったフランス海軍大尉のガブリエル・ド・クリューでした。

クリューが晩年の一七七四年に書いた自伝によれば、一七二三年、彼は知人に頼んで、パリ植物園のコーヒーの苗木を密（ひそ）かに入手しました。航海中、苗木は鉢植えにして自室に厳重に保管し、海賊に襲撃された際にも、必死で守り抜いたそうです。船が嵐で漂流した際には、水が不足して配給制になりましたが、彼は自分の飲料水を苗木に分け与えて、枯れさせないようにしたそうです。

教授　当時の帆船で大西洋を横断するのは、まさに命懸けだったからね。それにしても、その苗木からメキシコに伝播したコーヒーを、現代の我々が日本で味わっているとは、実に感慨深い……。

アラン・チューリングのデジタル計算機

助手　ところで、「機械は考えることができるか」という問題を提起した「コンピュータの父」アラン・チューリングとは、どんな人だったんですか？

教授　アラン・チューリングは、一九一二年六月二三日、ロンドンで生まれた。彼の父親は、大英帝国政府代表部の高等文官として、当時のインド帝国の首都マドラスに赴任していた。そこで出会ったマドラス鉄道の主任技術者の娘と結婚して、アランが生まれた。ところが、教育熱心な両親は、アランをイギリスで教育すべきだと考えて、彼を退役(たいえき)軍人の家庭に預けてしまった。

助手　まさに、植民地政策の影響ですね。イギリスの初等・中等教育機関で寄宿舎が発展したのは、海外に派遣された両親が、本国で子どもに教育を受けさせる目的だと聞いたことがあります。

教授 チューリングの父親は、仕事が忙しくて帰国することはほとんどなかったが、母親は年に一度のクリスマス休暇でイギリスに戻ってきた。それでもチューリングの幼児期の大部分は、預けられた家庭のメイドに世話される「孤児のような生活」だったという。

チューリングが九歳のとき、クリスマス休暇が終わった母親が再びインドに赴く際、彼女は「私の乗ったタクシーが見えなくなるまで、道路の真ん中で両手をいっぱいに振りながら追いかけてくる」息子の姿を見たそうだ。

助手 かわいそうな少年……。

教授 すでに話したように、ジョン・フォン・ノイマンは、幼児期から温かい家庭に恵まれ、早い段階から言語や数学のような「抽象的思考」で大人が驚く才能を発揮した。一方、チューリングは、幼児期から、手で触れることのできる事物に対する工夫や発明のような「具体的思考」に驚くべき才能を発揮した。

一〇歳のチューリングは、自分の手にフィットする万年筆を作製し、その万年筆を使って、設計図も付けて、インドの両親に手紙を書いた。当時のチューリングの手紙には、新しい形式のタイプライターや、自転車をこぐ力を蓄電池に蓄積する方法が書かれている。

助手　きっと、両親に褒めてほしかったんでしょうね。

教授　ところが、優等生だったノイマンと違って、チューリングは、自分が興味を持たないことには意欲を示さなかった。彼は、気に入らない科目で落第点を取っても勉強しようとはしなかった。大人の言うことを聞かなくなり、髪も爪も伸び放題で「不潔」と呼ばれ、カラーはインクに汚れ、シャツはズボンの外にはみ出て、預けられた家庭でも「厄介者」扱いされるようになった。

助手　それは、反抗期でしょう。周囲が理解してあげなければ……。

教授　そのチューリングを救ったのが、彼が一五歳のときにパブリック・スクールで出会った一歳年上のクリストファー・マルコムだった。

マルコムは、どの科目も全校トップの秀才で、とくに数学と科学に関して抜群の能力を誇っていた。この「初恋の相手」に気に入られようとチューリングは猛勉強を始め、ついにマルコムと一緒にケンブリッジ大学進学を目指すようになった。

助手　「初恋の相手」ですって？

教授　偏屈な変わり者で、誰からも相手にされなかったチューリングに、マルコムは音楽やビリヤードの楽しさを教え、一緒に化学実験や天体観測を行った。ところが、大学から合格通知が届いた直後、マルコムは結核のため、あっけなく急逝してしまったんだ。

助手　それは悲劇ですね。

教授　チューリングは自殺を考えるほどに憔悴したが、マルコムの両親から、マルコムのために生きてほしいと懇願されて、学問を追究することを決意したという。

　ケンブリッジ大学で、チューリングは、とくに数学で天才的な能力を発揮した。確率論の授業で、一八世紀から未解決の難問とされる「中心極限定理」に関する講義を聞いているうちに、二二歳の若さでチューリングは、この定理を証明してしまった。

助手　学部生の間に数学の未解決問題を解決してしまうなんて、フォン・ノイマンに似ていますね。

教授　一九三六年、二四歳のチューリングは「計算可能性とその決定問題への応用」を発表した。この論文において、彼は、あらゆる命令を一定の規則に基づく記号列に置き換えて計算する理想機械「チューリング・マシン」を想定した。ここでチューリングの用いた画期的な概念が、あらゆる情報を０か１でデジタル処理する現在のコンピュータに実現されているわけだ。

第二次大戦が始まると、チューリングは、イギリス政府の暗号機関に招集された。彼は、まさに未解決問題を具体化する才能を最大限に活かして、コンピュータの原型といえる暗号解読機を作製し、難攻不落と呼ばれたドイツ軍の「エニグマ」暗号解読を成功させたんだ！

助手 それはすごい！　チューリングは、連合軍を勝利に導いた「英雄」だったんですね。

教授 暗号解読がなければ、連合軍は負けたかもしれないとまで言われているからね。その功績によって、彼は、一九四五年、チャーチル首相から「大英帝国勲章」を授与された。ところが、イギリス政府の暗号機関に関する情報は一九七〇年代まで国家機密にされたため、戦時中のチューリングの偉業は、母親でさえ知らなかった。

助手 「英雄」なのに、功績を秘密にしなければならないなんて、悔しい……。

教授 第二次大戦後、チューリングはマンチェスター大学数学科に赴任して新型コンピュータを開発し、世界で最初のチェス・プログラムを書いている。そして一九五〇年、チューリングは、「機械は考えることができるか」を検証するために「チューリング・テスト」を考案した記念碑的な論文「計算機械と知性」を発表したわけだ。

彼の研究活動は充実していたが、その一方で、少年時代から同性愛者であることを自覚していたチューリングにとって、私生活での安定は望めなかった。実は、彼の同性愛の資質を受け入れたうえで結婚を承諾した女性もいたんだが、チューリング自ら婚約を破棄している。

助手 そんなこともあったんですか……。

チューリングの悲劇

教授 一九五二年、三九歳のチューリングは、映画館で知り合った一九歳の青年を自宅に招いて宿泊させた。その数週間後、チューリングの自宅に泥棒が入り、警察の捜査の結果、犯人はその青年のゲイ仲間であることがわかった。チューリングは、窃盗の被害者であったにもかかわらず、裁判の過程で、同性愛者であることが公表されてしまったんだ。

助手 聞けば聞くほど、チューリングは「不運」な人だったみたいですね。

教授 当時のイギリスでは、同性愛は「違法」だからね。チューリングには、「定期的な女性ホルモン投与」という屈辱的な刑罰が与えられた。この事件は、大学教授のスキャンダルとして、新聞にも大きく報道された。

その二年後、チューリングは、四一歳の若さで「自殺」した。ベッドの脇には、青酸化合物の入った瓶と齧（かじ）りかけのリンゴがあった。

助手　それ、本当に「自殺」だったんですか？

教授　いや、実はそうではないという説もあるんだがね。

　君は、どうして「自殺」を疑問に思ったのかな？

助手　だってチューリングは、急逝したマルコムの分も生きると決心したんでしょう？　そういう人は、辛いことがあっても、簡単には自殺しないはずです！

教授　なかなか鋭いね。実は、駆け付けた母親も、チューリングが自殺するはずはないと主張したんだ。

　そもそも、彼が最も信頼する母親への遺言書がなかった。それに、寝る前にリンゴを齧るのは、以前からのチューリングの習慣であり、通いのメイドによれば、当夜のチューリングは上機嫌で彼女の作った夕食を食べている。さらに彼は、その翌々日に友人の数学者と会う約束をしており、大学の研究室に残されていたメモには、翌週以降の予定も書き込まれていた。

助手　やはり「自殺」じゃないですよ！

教授　チューリングの部屋には、彼の趣味である化学実験道具があった。天井の電灯には変圧器が取り付けられ、電線が蒸発皿の電極に繋げられ、その皿には青酸化合物で生じた泡が付着していた。彼は、この装置でスプーンを金メッキしていたんだ。しかも、物事に頓着(とんちゃく)

しないチューリングは、青酸化合物の結晶をジャムの瓶に入れて保存していた。

つまり彼は、電気分解をしているうちに青酸ガスを吸い込み過ぎたか、あるいは間違って結晶を飲み込んだため、事故で亡くなったというのが母親の主張だ。

助手 たしかに「事故」の方が納得できますね。

教授 さらに、実は自殺でも事故でもなく、「殺害」されたという驚くべき見解もあるんだ。

チューリングは、暗号解読やコンピュータに関する国家機密を知りすぎていただけでなく、同性愛を武器に敵側から籠絡(ろうらく)される危険性があった。当時のアメリカでは、ジョセフ・マッカーシーの「共産主義者とゲイが安全保障を脅かす」という主張に基づく大粛清が行われ、イギリスの情報機関も、その大きな影響を受けていたからね。

あくまで仮定の話だが、彼の家に忍び込んで、寝ているチューリングの口に青酸化合物を押し込むことは、諜報機関のプロにとっては容易な仕事だっただろう。

ノーバート・ウィーナーのサイバネティックス

助手 本当の死因もわからないなんて……。

教授　たしかに「不運」だが、史上稀に見る天才だった。「チューリング・テスト」にしても「チューリング・マシン」にしても、彼の驚くべき独創性は、「計算」や「思考」のような抽象概念を、具体的に処理可能にする方法を発見する際に発揮された。
　その反面、チューリングは抽象概念を深めていくタイプの議論は苦手でね。彼は、ケンブリッジ大学でルートヴィヒ・ウィトゲンシュタインの授業を取って「無限」や「矛盾」について白熱した議論を展開しているが、二人の議論は、どれも平行線のまま終わっている。
助手　たしかに、その二人は嚙み合わない感じですね。
　ところで、最近は「人工知能が人間を超える」という「シンギュラリティ」が話題になっていますが、機械の未来についての研究は……。
教授　その先駆者が、数学者ノーバート・ウィーナーだ。
　彼は、ノイマン以上の早熟の神童でね。一歳六か月のとき、ベビーシッターが浜辺にアルファベットを書いているのを見ているうちに、読み書きを覚えた。三歳で専門書を読み始め、五歳でギリシャ語とラテン語、七歳で数学と化学、九歳で物理学と生物学を習得して高校に特別入学、一一歳でタフツ大学に特別入学した。
助手　一一歳の大学生！

教授　ハーバード大学教授のスラブ語学者である父親が、息子に徹底した英才教育を施したというわけだ。

ノーバートは一四歳で大学を卒業して、ハーバード大学大学院に入学、一八歳で数理論理学の博士号を取得した。

助手　一八歳の博士！

教授　その後ヨーロッパに留学し、ケンブリッジ大学のバートランド・ラッセルやゲッティンゲン大学のダフィット・ヒルベルトのような一流の学者のもとで学んだ。帰国したノーバートは、二四歳でマサチューセッツ工科大学講師となった。

助手　二四歳の大学講師！

教授　といっても、彼の講義は悪評が高くてね。彼の証明は、自分がわかっている部分を何段階も飛ばしているため、学生はその証明を辿（たど）ることができなかった。ノーバートは天才すぎて、他者の理解を推量できないんだ。

あるとき、彼は満員の講義室に入ってくると、黒板に大きく「4」と書いて、そのまま出て行ってしまった。これは、何を意味していると思うかね？

助手　教科書4ページ？　問題を4問解きなさい？

教授　「学会出張のため、4週間大学を離れるから、この講義から4回休講が続く」という意味だった！

助手　おもしろい先生！

教授　ノーバートは、生物の神経系から出発して、同じ構造を持つ計算機械を生み出そうとした。そのため彼は、情報工学やシステム工学ばかりでなく、神経生理学の専門家と共同研究して、通信と制御を同時に操る「サイバネティックス」と呼ばれる学問分野を創始した。

彼は、この言葉をギリシャ語の「キベルネテス（舵(かじ)を取る者）」から思い付いたと述べている。英語の「コントロール」よりも広い意味で、あらゆる刺激に組織的に反応する生命や機械を指す言葉としてね。そこから「サイバー・スペース（電脳空間）」のような用語も派生した。

助手　それが「サイボーグ」に繋がるわけですね。

教授　彼の研究は、即座に応用できなかったため脚光を浴びることはなかったが、人間と機械の融合が焦点となる将来には、非常に大きな意味を持ってくると思うよ。

第14章

「本質」とは何か？

本質主義×実存主義

1942年

カミュ
『シーシュポスの神話』

希少で新鮮なニュー・クロップ

助手　先生、コーヒーどうぞ。今日の豆はコロンビア産をミディアム・ローストにしたものです。収穫から一年以内の新しい生豆で「ニュー・クロップ」と呼ばれているそうですよ。

教授　たしかに新鮮な緑の香りが漂ってくるような気がするね。ジャスミン風の酸味に加えて、ココナッツとチョコレートのような甘味が残る。美味い！

助手　コーヒー専門店で聞いてきたんですが、コーヒー豆は、本来は鮮度が非常に重要なのに、「ニュー・クロップ」は品数が少なくて、あまり一般市場に出回っていないとのことです。

　それに、コーヒー豆は焙煎すれば長持ちすると思われていますが、豆の成分は焙煎直後から化学変化を始めるため、賞味期限は、焙煎後、せいぜい二、三週間程度ですって。一か月以上経つと、コーヒー豆が酸化して、風味も香りも楽しめなくなってしまうそうですよ。

教授　「コーヒーを飲むと胃もたれする」と同僚が言っていたが、もしかすると、彼は賞味期限切れのコーヒーを飲んだのかもしれない……。

助手　コーヒーのことを調べていたら、おもしろい記事を見つけたんですよ。「コーヒーを飲むと自殺率が半分に低下する」という説なんですが……。

教授　コーヒーが人体にプラスだという説もマイナスだという説も山のようにあるからね。そもそもコーヒーに含まれるカフェインやポリフェノール自体、人体にメリットもデメリットも同時にもたらすわけだから、両方をサポートする説が出てくることは当然予想できる。とはいえ、コーヒーと自殺の関係にまで飛躍するとはね……。

助手　この種の説を安易に妄信してはいけないという先生の教えを守って、第一次資料を探してみました。すると、原典はハーバード大学公衆衛生学部栄養学科マイケル・ルーカス研究員ら七名の研究グループによる「コーヒー、カフェインと自殺既遂(きすい)の危険率」という学術論文で、『生物学的精神医学国際ジャーナル』二〇一五年七月号に発表されています。

ルーカスらは、一九八八年から二〇〇八年にかけてアメリカ合衆国の二一万八四二四人のコーヒー摂取者を追跡調査した結果、自殺者は二七七人（一万人当たり年間約六・六人）でした。この数値は、WHO（世界保健機関）が二〇一〇年に発表した合衆国の人口一万人当たりの自殺率（年間約一三・〇人）のおよそ半分に相当するということです！

教授　コーヒー摂取者の自殺率が、合衆国の自殺率の半分以下だとすれば、たしかに興味深い調査結果だね。もしかすると、そこには有意な「相関関係」があるのかもしれない。ただし、調査対象がコーヒー摂取者だということは、調査対象が健康で嗜好品を楽しむだけの余裕があることを意味するわけだ。したがって、必ずしもコーヒーだけが原因で、彼らの自殺率が低いとは限らない。つまりコーヒー摂取率と自殺率に「相関関係」があったとしても、それが直接の「因果関係」とは断定できないということだ。

助手　コーヒーに含まれるカフェインの「抗うつ作用」が自殺率を低下させるという仮説もあるようですが、それを立証するためには、もっと科学的に厳密な調査が必要でしょうね。

本質と実存

教授　自殺といえば、フランスの哲学者アルベール・カミュは、『シーシュポスの神話』の冒頭で、「真に重大な哲学上の問題はひとつしかない。自殺ということだ。人生が生きるに値するか否かを判断する、これが哲学の根本問題に答えることなのである」と述べている。

ここに登場する「シーシュポス」とは、聡明でありすぎたために神々を侮辱して罰を与えられた人間のことでね。その罰というのが、休みなく岩を転がしてオリンポス山の頂まで運び上げ、山頂に達した岩が自らの重みで麓（ふもと）まで転がり落ちると、再び岩を山頂まで運び上げ、岩は転がり落ち、再び岩を転がして運び上げ、ということを永遠に繰り返すというものなんだ。

助手　無意味な作業を永遠に繰り返させる罰……。

教授　カミュは、「死へ向う一方で生きなければならない人間の人生」自体、シーシュポスに与えられた罰と同じような「不条理」だとみなした。

カミュによれば、自殺の問題に比べれば、真理の追究は「遊戯（ゆうぎ）」にすぎない。たとえば、地球と太陽のどちらがどちらを回るのか？　カミュは、そのような宇宙の真理、すなわち「本質」に関する問題は、人間に与えられた「実存」に比べれば、どちらでもよいことであり、「取るにたらない疑問」だと述べている。

助手　真理の追究が「遊戯」とか「取るにたらない疑問」というのは、極端すぎませんか？　学問にとって最も重要な目的は、真理の追究でしょう？

教授　カミュは、そうは思わなかった。ここで「実存」と言っているのは「現実存在」のことで、要するに、私たち人間が、なぜかこの世界に投げ出されて、現に存在してしまっているということを意味している。

カミュと同時代に活躍したフランスの哲学者ジャン・ポール・サルトルは、「実存は本質に優先する」と述べている。彼は、文字通り、先立つのは「実存」であって、「本質」は後付けにすぎないと考えた。

助手 それはどういう意味ですか?

教授 たとえば、古代ギリシャ哲学にも古代中国哲学にも、人間を生まれながらに善だとみなす「性善説」と、悪だとみなす「性悪説」のような発想がある。これらの説によれば、人間には善か悪かの「本質」が先立って備わっているわけだが、サルトルによれば、それらは「実存」する人間の行動に対して、後付けで理屈を述べている「遊戯」にすぎないということだ。

人間は、どうしてもこの世界に意味を求めようとする。科学者や哲学者や宗教家は、この世界には何らかの意味や目的があると信じて、「真理」や「正義」や「神」を追究する。つまり彼らは、世界の「本質」を探しているわけだが、それらが存在する保証などどこにもない。

助手 この世界には意味がないということでしょうか?

教授 それは誰にもわからないことだろう。ただし、多くの人々は、この世界に意味があると勝手に思っている。それが「本質」を前提とする「本質主義」だが、その思い込み自体が根本的な間違いかもしれないと指摘しているのが、カミュやサルトルの「実存主義」なんだよ。

彼らによれば、この世界で明らかなことは、生々しい「実存」が優先しているということだ。それなのに人間は、あるかないかもわからない「本質」を懸命に探し求めている。それを「不条理」と呼ぶわけだ。

助手　私たちは何らかの「本質」に頼らなければ不安に陥るから、探さざるを得ないのかもしれませんね。

仮にこの世界がカミュの言うように「不条理」だとして、私たちは、どうすればよいのでしょうか？

教授　カミュによれば、不条理に対処する方法は三つ考えられる。

第一の方法は「自殺」すること。これは、成功すれば自分がこの世界から消滅するわけだから、不条理も同時に消え去ることになる。

しかし、実存する人間は、何よりも根源的に生を欲するものであり、それを超えてまで自殺を肯定する思想は存在しないというのがカミュの結論でね。

助手　それはおもしろいですね。ここまで伺ったカミュの考え方だったら、「人間は自殺して、すべてを終わりにすればよい」と言いそうなのに……。

教授　それは、どちらかというとフリードリッヒ・ニーチェの発想だね。ニーチェは、自殺を「自由な死」と呼んで、人間の自己決定権の当然の行使だと主張している。

しかし、カミュにとって、自殺は不条理からの「逃避」であり、真の自由に逆行する行為となる。その意味でも、カミュは、自殺を否定するというわけだ。

第二の方法は「妄信」すること。これは、不条理を超えた何らかの「理由」を信じることだ。この世界で、いかなる「不条理」に遭遇しても、そこには「未知の科学的あるいは合理的な理由」があるとか、「全知全能の神の与えた試練」だとみなせば、それは実質的には「不条理」ではなくなるだろう。

つまり、何らかの「本質」を「実存」に優先して信じるという方法だが、すでに話したように、カミュは、この世界の背景に「本質」があるという根拠はないと考える。したがって、カミュによれば、このような妄信は「哲学的自殺」であり、やはり否定しなければならない。

助手　「未知の科学的あるいは合理的な理由」も「全知全能の神の与えた試練」も拒否すれば、「科学」も「宗教」も否定することになりますね。激しいわ……。

教授 たしかに激しいが、それがカミュの真骨頂でね。

助手 それで、「不条理」から逃れる最後の方法は?

教授 第三の方法は「反抗」すること。これは、世界が「不条理」であることをそのまま認めて、あらゆる真実を包括するような科学的、合理的あるいは宗教的な「本質」も存在しないことを理解し、さらに人生に意味がないことを受け入れ、そのうえで「反抗」するという方法だ。この唯一の方法を、カミュは「形而上学的反抗」と呼んでいる。

『異邦人』と不条理

助手 私、大学時代にフランス文学の授業でカミュの『異邦人』を読んだんですが、よく意味がわかりませんでした。あれが「形而上学的反抗」ということを意味しているんでしょうか……。

教授 『異邦人』は、実に意味深い作品だよ。どういう内容だったか、覚えているかね?

助手 「今日、ママンが死んだ。それとも昨日か、僕は知らない」という文章で始まるんですが、主人公のムルソオという青年は、母親が死んだのに全然悲しまないで、お葬式の次の日には、タイピストのマリーと一緒に喜劇映画を観て、海で泳いで遊びます。その後、男友達のトラブルに巻き込まれて、アラブ人と喧嘩になって拳銃で撃ち殺してしまい、逃げることもなく逮捕されます。

裁判では、検察官が、母親が死んでからのムルソオの行動を調べ上げていて、「薄情で人間性のかけらもない息子」だと非難して死刑を求刑するんですが、ムルソオは、自分の裁判の弁論にさえ興味を示しません。なぜ殺したのかと裁判官に尋ねられて、「太陽が眩しかったから」と答えます。

この言葉が「不条理」を意味するということで、授業ではフランス人の教授が一時間かけて説明してくれたんですが、私には理解ができなくて……。

教授　たしかに、人を殺した直接的な理由としては、まったく意味不明な言動だからね。

助手　そして、ムルソオは、弁護士の上訴の勧めを断り、刑務所付きの司祭の面会も拒否します。それでも独房に入ってきた司祭が「あなたのために祈りましょう」と言うと、彼は初めて感情をむき出しにして怒り、司祭を罵倒して独房から追い出します。そして、「幸福な気持ち」で死刑を待つという話でした。

教授　さきほどカミュのことを哲学者と言ったが、文学者と呼ぶべきかもしれない。というのも彼は、二九歳のときに発表した『異邦人』で脚光を浴び、その後に書いた『カリギュラ』や『誤解』などの戯曲が文学界で高く評価され、極限状況の人々を描いた『ペスト』がベストセラーとなって、四三歳の若さでノーベル文学賞を受賞しているんだ。

助手　『異邦人』は、そんなに若いときに書かれた作品だったんですか！

教授　実際には、カミュが二五歳の頃に構想をまとめ、二七歳の頃には書き上げられていたが、ナチス・ドイツがパリを占領したため、刊行が一九四二年に延期されたんだよ。『異邦人』については、カミュ自身が「母親の葬儀で涙を流さない人間は誰でも、この社会で死刑を宣告される恐れがある」と述べているように、社会が定めた環境に適応できない「異邦人」が「不条理」に翻弄される姿を描いている。

そもそも喧嘩の場面では、アラブ人のならず者が先に凶器のナイフを取り出してムルソオを刺そうとしたんだから、裁判では、正当防衛で無罪判決が出てもよかったくらいだ。ところが検察側は、母親が死んだ後のムルソオの行動から、彼が「冷酷無比な殺人者」だという虚像を組み立て、陪審員の感情を煽り立てて、死刑判決に誘導する。

弁護士は、陪審員の同情を引き出すために、ムルソオに涙を流して、心から反省している態度を取るように指示するが、ムルソオは「僕はママンを深く愛しているが、それには何も意味はない」と言って、すべての尋問に対して、自分の気持ちのまま正直に淡々と答える。

陪審員たちは、事件そのものよりも、ムルソオが棺桶に横たわる母親の顔を見ようとしなかったことや、遺体のすぐ側で、コーヒーを飲み、タバコを吸ったことに衝撃を受ける。

助手　その場面、覚えています。ムルソオに悪気はないけれども、フランスの社会的慣習からすれば、非常に無礼な行動を取っていたということですよね。

教授　ムルソオは、「ママンを深く愛している」と言う一方で、神を信じていないし、死体は単なる物質だと思っているから、コーヒーもタバコも「死者への冒瀆」だとは感じていない。彼の行動は、フランス人の常識、すなわち「本質」からは逸脱しているが、自分の感性にしたがって「実存」しているだけだというのが、カミュの主張だろう。

助手　でもムルソオは、どうして上訴しなかったのでしょうか？　そうすれば助かったかもしれないし、マリーと結婚できたかもしれないのに……。

教授 それこそが、彼の「形而上学的反抗」だったと解釈することもできるだろう。ムルソオは、人生が無意味だと知っていた。だから、社会的慣習にしたがって悲しい振りをして、後悔しているような演技をすることを拒否したわけだ。

助手 ムルソオは、彼を愛して、彼にも愛を求めるマリーに、「たぶん愛していない」と答えます。ところが、その一方で、「結婚してもいい」とも言っています。無責任すぎませんか？

教授 一般常識からすれば無責任だが、それもムルソオが自分の感情が揺れ動くままに正直に答えたということだろう。

ここで興味深いのは、『異邦人』におけるムルソオのいかなる言葉にも行動にも、意図的な嘘はないと考えられる点だ。ただしその結果、あらゆる不条理が彼に襲い掛かるという仕組みになっているんだよ。

助手 いまだに「形而上学的反抗」の意味がよくわからないんですが、「自分の感性にしたがって生きている」ということが「反抗」に繋がるのでしょうか？

教授 ムルソオの場合はそのように描かれているが、「形而上学的反抗」が具体的に何を意味するのかは、状況によっても変化するからね。ただし、基本的には、世界と人生が不条理であることを明確に意識すること自体、すでに「反抗」の芽生えだというのが、カミュの見解だ。

カミュは、一九五一年に発表した評論『反抗的人間』において、「形而上学的反抗」とは「人間が生まれながらに与えられた条件に対して立ち上がる行動である」と定め、「形而上学的反抗者は、創造によって欺かれたと宣言する」とも述べている。

助手　「創造によって欺かれたと宣言する」……。

第15章

「反抗」とは何か？

カミュ × サルトル

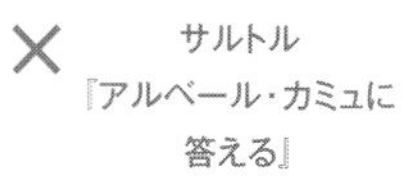

1951年

カミュ
『反抗的人間』

×

1952年

サルトル
『アルベール・カミュに
答える』

ネコのフンから採れる高級コーヒー豆

助手　先生、コーヒーどうぞ。今日の豆は、インドネシア産の「コピ・ルアク」ですよ！
教授　「コピ・ルアク」といえば、もしかしてネコのフンに含まれているコーヒー豆を集めたものかね？
助手　そうです。インドネシアのスマトラ島やジャワ島に生息するジャコウネコが「コーヒー・チェリー」と呼ばれるコーヒーの実を食べると、果肉の部分だけが消化されて、種子は消化されずに排泄されます。
　といっても、コーヒーの種子は「パーチメント」と呼ばれる薄茶色の皮に包まれていて、その皮を剝(は)いだ部分がコーヒーの生豆になりますから、ネコのフンと生豆が直接接触しているわけではありませんので、ご安心ください。
教授　なんとも香ばしい香りだね！　これまでいろいろな種類のコーヒーを淹れてくれたが、これほど濃いコーヒーの香りが研究室に広がったのは初めてじゃないかな……。
たしかにチョコレートにジャコウが混ざったような風味があって、フルーティな後味が残るね。美味い！

助手 ジャコウネコは、完熟したコーヒーの実だけを選んで食べるそうで、それに腸内独特の発酵過程が影響を与えて、不思議な香りと味を醸し出すということです。

世界で最も希少で高級なコーヒー豆だといわれるだけあって、高かったですよ！　今日は、これまでのお話に感謝して淹れてみました。

教授 哲学および科学における人類史上最大にして未解決の問題は、すべて二〇世紀に明らかにされている。それらを巡って繰り広げられた論争は、本当に興味深いものばかりだ。それらを、少しでもわかりやすく解説できていればよいのだが……。

「我反抗する、ゆえに我々在り」

助手 私は、アルベール・カミュの「形而上学的反抗」が何を意味するのか、気になって、いろいろと考えてみたんですが、難しくて……。

教授 その「反抗」についてだが、カミュは、「我反抗する、ゆえに我々在り」と興味深いことを主張していてね。

もちろんこれは、ルネ・デカルトの「我思う、ゆえに我在り」のアナロジーだが、ここで注意してほしいのは、「我」の反抗が「我々」の存在に繋がるという結論だ。つまりカミュは、反抗の「連帯意識」に基づく「存在」を説いているわけだ。

助手　「我」の反抗が「我々」の存在に繋がる……。

教授　カミュは、紀元前ローマのスパルタカスの反抗に始まる「歴史的反抗」のように、一人の「反抗」がいつの間にか「連帯意識」に広がって、「革命」に繋がる過程を理想像とみなしていた。

ただし、彼は自殺を否定しているように、殺人や死刑などの暴力行為についても、結果的にそれらが恐怖政治や全体主義を導くことから、正当化すべきではないと考えていた。

助手　カミュって、平和主義者だったんですね。

教授　しかし、そんなことでは実際の「革命」は起こせないではないかと、カミュの姿勢を厳しく批判したのが、ジャン・ポール・サルトルだった。彼は、カミュのことを「理想主義的なブルジョワ」と呼んで批判した。

助手　二人は二〇世紀のフランスを代表する哲学者同士なのに、そんなに議論がエスカレートしたんですか？

教授　カミュが『反抗的人間』を発表した一九五一年といえば、フランスの統治領アルジェで「不正選挙」が行われ、それに抗議する人々が抵抗組織を結成した年だ。フランス国土監視局は、これらの抵抗組織に徹底的な弾圧を加えたが、サルトルと彼の事実上の妻だった哲学者シモーヌ・ド・ボーヴォワールは、彼らの抵抗活動を全面的に支持していた。

ところが、アルジェ出身であるにもかかわらず、カミュは政治的に沈黙したままだったので、サルトルをはじめとする左翼陣営は、彼に罵声を浴びせた。そこから、カミュとサルトルの論争が始まったというわけだ。

助手　アルジェとは、今のアルジェリアのことですね。

教授　そうだね。もともとアルジェはフランスの植民地だったが、第二次大戦後、アラブ系の先住民がフランス系入植者に対して独立を求めるようになった。当時のフランス政府は、これを内乱として処理しようとしたが、一九五四年に「アルジェリア民族解放戦線」（FLN）が結成されて、いわゆる「アルジェリア戦争」が勃発した。その内戦は熾烈を極め、一九六二年、ついにフランスはアルジェリアの独立を承認した。

助手　それで、カミュとサルトルの論争は？

教授　その論争は、サルトルが編集長を務める雑誌『レ・タン・モデルヌ』（現代）誌上で行われた。形式的には、カミュの『反抗的人間』に対する書評と、それに対するカミュの反論、さらにサルトルの再反論として発表されたが、その根底には、暴力革命を肯定するサルトルの現実的路線と、あくまで暴力を否定するカミュの理想的路線の相違があった。

サルトルとボーヴォワールも、必ずしも積極的に暴力を求めたわけではないが、軍部の圧政に虐げられた人々が立ち上がって独立するためには、それしか方法がないと容認していた。それこそが「革命」だと言ってね。

一方、カミュも、すべての暴力を否定することは「ユートピア的願望」にすぎないと認識していたが、彼は、いかなる理由があろうと「暴力を正当化しようとするいっさいの行為を拒否すべきだ」と述べて、知識人による暴力の「正当化」に嫌悪感を示した。

テロリズムの意味

助手　最近の日本では、「再軍備」とか「徴兵制」とか「核兵器保有」など、以前には考えられなかった言葉を平気で発する「知識人」が増えて、心の底からビックリしますが……。

教授　カミュが嫌悪したのは、その種の「知識人」だよ。

彼は戯曲『正義の人々』において、ロシア貴族に搾取されて貧困にあえぐ人民の中から発生したテロリストたちの姿を描いている。この中に、イワン・カリャーリフという貧しい詩人がいてね。彼は、劇場へ向かうロシア大公セルゲイ・アレクサンドロヴィチの馬車を爆破する絶好のチャンスを摑んだが、爆弾を投げることができなかった。なぜなら、セルゲイ大公の馬車に二人の子どもたちが一緒に乗っていたからだ。

戻ってきたイワンを前にして、テロリストたちは大いに議論するんだが、その結果、どれほどロシア貴族を葬るチャンスを見送ることになろうと、子どもを傷つけるべきではないという結論に合意する。

カミュの作品に登場するテロリストは、いかに正義のためとはいえ、無関係の人々を道づれにすべきではないと考える。しかも彼らは、殺人が大罪であることを十分認識していて、テロを起こした後、自分自身は捕まって死刑になるか、あるいは自殺すべきだと覚悟している。カミュは、彼らのようなテロリストを「心優しき殺人者たち」と呼んで、深く共感しながら作品に描いた。

ところが、サルトルからすれば、このように悠長なロシア革命前の時代のテロリストの戯曲を発表すること自体、理解できない感覚だということになる。

一九五〇年代後半のアルジェリア戦争では、圧倒的な武器を所有するフランス軍に攻撃されたアラブのテロリストが、無差別攻撃を行わざるをえない状況に陥っていた。サルトルは、独立の正義のためには、「無差別の死の犠牲」もやむをえないという立場を明確に表明していたから、カミュのように現実から目を背けるような感覚は、許しがたい「美徳の暴力」に映ったわけだ。

助手 その論争は、そのまま現代社会にも通用しますね。サルトルの論理でなければ実際の「革命」は起こせないのかもしれませんが、私はカミュの感覚に惹かれます。

それで、二人の論争は、どうなったのですか?

教授 一九六〇年、カミュが交通事故のため、四六歳の若さで突然亡くなったので、あっけなく終結した。

その後、サルトルは、チェ・ゲバラのキューバ革命を支援し、ソ連共産党を支持していたが、一九六八年にソ連がチェコスロバキアに軍事介入した時点で、ソ連とも決別した。

助手 私の両親は全共闘世代ですが、一九五〇年代から七〇年代にかけて、世界中の若者の多くが、革命理論に踊らされて学生運動に走りましたね。運動そのものが一種のブームだったようですが、彼らを扇動したサルトルやボーヴォワールの責任は、どうなるんでしょうか。

教授　それこそが、まさに君たちの世代に冷静に分析してほしい問題だよ。

実際にアルジェリア戦争を終結させて、当時のフランス国内を立て直したのは、左翼陣営ではなく、シャルル・ド・ゴール将軍だった。彼は、共和制を復活させて、強力な指導力でフランスに高度経済成長を遂げさせた。

大統領になったド・ゴールは、アルジェ独立派から命を狙われていたが、アルジェ独立を阻止したい「秘密軍事組織」（ＯＡＳ）からも暗殺されそうになった。

助手　極右からも極左からも狙われるなんて……。

教授　ド・ゴールといえば、生涯で三一回も暗殺されかけた人物だからね。そのすべてのピンチで無事に生き延びたんだから、まさに「奇跡の人」と言える。もちろん、彼の側近が命がけで守ったからでもあるがね。

あまりに何度も暗殺に失敗するものだから、ＯＡＳは外部からプロの暗殺者を雇ったこともあった。その実話をもとに、イギリスの作家フレデリック・フォーサイスが小説『ジャッカルの日』を書いて、これが映画にもなったんだが……。

助手　私、その映画観ました！　最後にジャッカルが特殊ライフルでド・ゴール大統領を狙って撃つんですが、その瞬間に大統領が俯（うつむ）いたおかげで、弾丸が当たらずに助かるんですよね？

教授 そうそう。ド・ゴール大統領は、危険だからと側近が制止するのも聞かずに、パリ解放記念式典の広場で勲章を授与される。暗殺者は、まさにその瞬間に頭部を狙撃するんだが、大統領は、授与者に挨拶のキスをするために俯いた。暗殺者はイギリス人だったから、フランス人の挨拶の仕方を失念していたというオチだね。

バイオテロの恐怖

助手 テロリストと聞くと、二〇〇一年九月一一日のアメリカの「同時多発テロ」の映像を思い出してしまいます。それに比べると、最近のヨーロッパ各地で頻発するテロが小さな事件のように思えて、そのような感覚の麻痺の方が恐ろしいですね……。

教授 「同時多発テロ」については、驚くべき試算があってね。実は、プルトニウムから核爆発を生じさせることは技術的に非常に困難だが、濃縮ウランの場合は、二つの塊を合体させるだけで強力な核爆発を引き起こすことができる。

ノーベル賞を受賞したシカゴ大学の物理学者ルイス・アルバレスは、「分離ウラン２３５

の場合、入手さえできれば、核爆発を起こすのは造作もないこと」だと述べている。
仮にニューヨークの世界貿易センタービルで「分離ウラン235」を濃縮した三キロ程度の重量の塊二個を合体させた核爆発が生じたとすると、ウォール街を含むマンハッタン周辺八キロ四方が壊滅し、その一瞬だけで何十万人もの犠牲者が出たはずだと試算している。

助手　それは恐ろしいことですね！　もし「アルカイダ」が濃縮ウランを持っていたら……。

教授　西洋文明そのものを悪と信じ込んでいるテロリストが小型化された核兵器を手に入れたら、彼らは何の躊躇もなく、世界の大都市で自爆テロを起こすだろう。

さらに核爆発よりも大量被害を与える可能性があるのが「バイオテロ」だ。これまでに発見されたウイルスの中で最も致死率の高い「天然痘」は、一九七〇年代の世界的な撲滅運動で根絶したが、ウイルスそのものは、万一の場合のワクチン開発のために、幾つかの研究所で厳重に保管されている。しかし、何らかの方法で天然痘ウイルスがテロリストの手に渡ったらどうなるか……。

二〇〇一年六月、アメリカ合衆国のテロ対策訓練の一環として、三つの州のショッピングモールで天然痘ウイルスが噴霧されたという想定でシミュレーションが行われた結果、最悪の場合は三〇〇〇万人が感染して、一〇〇〇万人が死亡するという予想が出ているんだよ。

助手　国際空港や駅で散布されたら、世界中に感染が広がって、もっと大変なことになるでしょうね。

教授　しかも、ウイルスは天然痘とは限らない。さまざまなウイルスのＤＮＡ情報を誰でもインターネットで簡単に入手できるから、そこから致死率の高いウイルスに改造する技術を持った科学者であれば、新種のウイルスを生み出すことさえできるんだ。

この可能性については、すでに全米科学アカデミーが警告を発している。「専門技術を持ち、研究施設に自由に出入り可能なほんの一握りの人間だけで、アメリカ全土を深刻な危機にさらすほどの殺傷能力を備えた生物兵器一式を費用も手間もかけずに作ることができる。それも市販の装置、すなわち化学物質、医薬品、食品、ビールなどの製造に使うのと同じ装置によってである」

この警告が、誇張ではなく事実であることが、ニューヨーク州立大学の分子生物学者エッカード・ウィンマーによって証明された。彼は、インターネットからダウンロードできる情報と、研究室の実験装置だけで、「ポリオ（小児麻痺）」の病原体を作りだすことに成功した。

ポリオ・ウイルスのＤＮＡは四種類の塩基約七五〇〇個だから、天然痘に比べれば単純な構造と言える。ウィンマーは、入手した塩基配列情報からＤＮＡの各塩基部品を合成し、これらを繋ぎ合わせて大腸菌の中で培養して、人工的に病原体を合成したというわけだ。

ポリオについては、誰もが予防接種を受けているので万一の場合でも危険がないという判断で作られたようだが、この種の実験では、より感染力が強く殺傷能力の高いウイルスが人工的に合成されてしまうような「バイオエラー」の可能性もある。

イギリスの雑誌『ワイアード』の二〇〇二年特集企画で、「二〇二〇年までに、一〇〇万人規模の死者を出すようなバイオエラーやバイオテロが起こる」という予測に対して、イエスかノーかの賭けが行われたことがある。君だったら、どちらに賭けるかね?

助手 もちろん「ノー」ですよ。だって、「イエス」だったら大変なことになるじゃないですか!

教授 この賭けに対して、当時の英国国立天文台台長を務めていたケンブリッジ大学の天文学者マーティン・リースが「イエス」に一〇〇〇ドル賭けたことが話題になった。リースは、「もちろん、賭けに負けることを切望しているが、正直言って負けるとは思っていない」と述べている。

というのも、リースによれば、人工的にウイルスを合成する技術を持つ科学者は、すでに世界に数千人規模を超えて存在し、しかもその人数は年々増加していることから、その中にテロリストが生じる確率が増加するのも当然だということになるわけでね。
　オウム真理教の「地下鉄サリン事件」を忘れてはならない。彼らは、人類史上最も猛毒といわれるサリンを自分たちだけの手で合成して地下鉄に撒き、一三人を殺害、五〇〇〇人以上の人々に重軽傷を負わせた。しかも彼らは、猛毒のＶＸ神経ガスの合成にも成功し、より致死率の高い「エボラ出血熱」を発症させるエボラ・ウイルスを求めて、信者をアフリカに派遣していた。もし彼らがエボラ・ウイルスの合成に成功していたら、被害は一〇〇〇万人規模に及んだ可能性もあったんだよ！

助手　パンデミックを引き起こすコロナ・ウイルスも含めて、人類と病原体との共存にどのような危機対策が考えられるのか、各国のリーダーシップが求められますね。

教授　たしかに、人類が試されているようだね。

1962年

クーン

『科学革命の構造』

ナポレオンが愛したコーヒー・カクテル

助手　明けましておめでとうございます！　本年もよろしくお願いします。

教授　明けましておめでとう。本年もよろしく！

今朝のコーヒーは、濃厚なフレンチ・ローストに、ほのかな甘味が加わって、実に芳醇な香りがするね。もしかしてこの香り、ブランデーじゃないか？

助手　お正月なので「カフェ・ロワイヤル」を淹れてみました。ナポレオンが愛飲したそうで、もともとはフランス王室伝統の飲み方だったみたいですよ。

スプーンに、ブランデーを染み込ませた角砂糖をのせて火をつけ、砂糖が溶けかけたところでコーヒーに落とすんですが、その溶け具合で微妙に味が変わってきます。

いろいろと試して味見しているうちに、酔いが回ってきました。

教授　お正月らしくて、いいじゃないか！

『2001年宇宙の旅』

助手　考えてみたら、二一世紀が始まって、もう二〇年以上になるんですね。二〇世紀と現在では何が違うんでしょうか？

教授　「二〇世紀」と「二一世紀」といっても、特別な境界線があるわけではなくて、連続した時間軸の中にあるわけだから、実際には「世紀」とは便宜上の区別に過ぎないんだがね。それでも、一〇〇年の区切りとして考えると、ある程度の大局は浮かび上がってくる。

二〇世紀最大の発明は「コンピュータ」あるいは「人工知能」だといわれている。その延長線上で、二一世紀に最も重要な課題となるのは、やはり宇宙における「生命」と「機械」の進化だろう。

助手　その主題に焦点を当てたのが、映画『2001年宇宙の旅』ですね。

教授　そうそう。アーサー・C・クラークの原作も非常におもしろいが、スタンリー・キューブリックが監督・製作した映画も見事な映像美だ。今観ても、とても一九六八年に公開されたとは思えないくらい斬新だよ。

助手　お正月になると、どこかのテレビ局が『２００１年宇宙の旅』を必ず放映するので、何度か観たことがあるんですが、難解で……。

教授　キューブリックは、原作の台詞(せりふ)や状況説明の大部分をカットして、映像だけで視聴者に直接働きかけるという手法を取ったから、ストーリー自体は掴みにくいかもしれないね。

宇宙船「ディスカバリー号」を制御するスーパーコンピュータ「ＨＡＬ９０００」が、木星ミッションの途中で、未知の知的生命体の作製した「モノリス」の存在を確認する。

助手　それが真っ黒い板みたいな物体ですね。

教授　そのモノリスが、生命の起源にも深く関係する象徴的な存在として描かれているんだがね……。

ＨＡＬは、全人類のために、その探査を何よりも最優先すべきだと認識する。そして、この前例のない緊急探査を成功させるためには、宇宙船内でもっとも理性的な知能をもつ者が、指揮権を掌握しなければならないと推論する。つまり、ＨＡＬは、自分がディスカバリー号を指揮しなければならないと考えるようになる。その時点から、ＨＡＬは、乗組員の命令に背くようになる。

乗組員は、ＨＡＬの思考回路に故障が発生したのではないかと疑って、ＨＡＬを点検しようとするが、ＨＡＬはその点検を、緊急探査の妨害と判断する。そこからＨＡＬは、ディスカバリー号の乗組員全員を消去しなければならないという驚愕の結論を導く。そしてＨＡＬは、乗組員一人一人を抹殺していくというわけだ。

助手　機械が、事故のように見せかけて乗組員を順番に殺していく状況は、恐怖でした。

教授　最後にボーマン船長が、ＨＡＬの認識中枢の接続を切断して、一人だけ助かるわけだがね。

最近の「シンギュラリティ」で話題になっているように、二一世紀にはＨＡＬのように意識をもつ人工知能が生まれて人間を超えるという見解がある。一方、機械が意識をもつことなど永久に不可能だという見解もある。

助手　以前伺ったアラン・チューリングによれば、人間にできることで人工知能にできないことは原理上ないというお話でしたが……。

教授　たしかに、人間を遺伝子プログラムに対応した情報処理システムだとみなせば、そのすべてを機械がシミュレートできるという考え方も出てくる。

『２００１年宇宙の旅』の結末では、ボーマンとＨＡＬが一体化して進化する場面が描かれている。仮に生物素子構造をもつ「バイオコンピュータ」が開発されれば、コンピュータが意識をもつことも、自己増殖や進化することさえも可能になるかもしれない。生命と機械の根源にかかわる問題が、二一世紀最大の論争になるだろう。

助手　映画の最後に胎児が出てくるのは、機械と融合した生命の誕生を意味しているわけですね。もう一度、『2001年宇宙の旅』を観たくなりました。

スプートニク・ショック

教授　SFではなく、現実の人類の一連の宇宙開発について、社会史的な視点から振り返ってみよう。

一九五七年一月四日、世界最初の人工衛星「スプートニク一号」が、ソビエト社会主義共和国連邦によって打ち上げられた。この突然の出来事は、いわゆる「スプートニク・ショック」を全世界に巻き起こした。

打ち上げに使われた「ロケットA」は、第二次大戦中に開発された「大陸間弾道ミサイル・サップウッド」を改良したものだった。スプートニク一号自体は、直径約五八センチメートル、重量約八四キログラムの小型衛星にすぎないが、仮に原子爆弾を搭載すれば、世界中のあらゆる地域への攻撃が可能になる。現在では「宇宙開発の幕開け」と呼ばれるスプートニク一号の成功も、冷戦下の緊張状態にあった当時は、恐るべき軍事的脅威だったわけだ。

助手 それから六〇年以上が過ぎた現在でも、大陸間弾道ミサイルを開発して打ち上げている国があるなんて、膨大な予算の浪費としか思えないんですが……。

教授 ソ連は、スプートニク・ショックを和らげるかのように、一一月三日には、科学実験目的の「スプートニク二号」を続けて打ち上げた。こちらには、五〇〇キログラムを超える生命維持用の気密室が備えられ、雌のライカ犬が乗せられていた。この犬が、史上初めて宇宙に飛び出た地球上の生命となったわけだ。

助手 その衛星はどうなったんですか？

教授 地球周回軌道を回り続けた後、大気圏で燃え尽きたよ。当時のソ連科学アカデミーは、「スプートニク計画」の目的を、あくまで電離層観測や生物学的調査などの科学的研究だとしていた。

スプートニク・ショックの直後、アメリカ合衆国のアイゼンハワー大統領は、科学者を中心とする諮問(しもん)委員会を召集した。この種の委員会が開催されるのは、第二次世界大戦中の核兵器開発を目的とする「マンハッタン計画」以来のことだった。

その翌年の一九五八年、諮問委員会の勧告により「アメリカ航空宇宙局」（NASA）が創設された。同時に成立した情報公開法「スペース・アクト」により、NASAの宇宙開発に関する情報は、可能な限り広く一般公開されることになった。ただし、同じ年にアメリカ空軍が行った「大陸間弾道ミサイル・アトラス」の全射程実験は、国家機密だったがね。

その後の宇宙開発は、当時の資本主義陣営と共産主義陣営の威信をかけた競争になった。表面上は測地・気象・通信などに用いる科学衛星を、水面下では偵察・防衛・攻撃などを目的とする軍事衛星を凄まじい勢いで開発した。

最初はリードを保っていたソ連のフルシチョフ首相は、その成果を世界にアピールした。一九六一年四月一二日、ソ連は、史上初めての有人宇宙船「ボストーク一号」の打ち上げに成功した。一時間四八分にわたる飛行で地球を周回したボストーク一号は、予定通りソ連領内への着陸に成功した。人類初の宇宙飛行士となったユーリ・ガガーリン少佐が、帰還後の第一声で「地球は青かった」と述べた。

助手　その言葉はステキですね！

教授　その直後の五月二五日、アメリカ合衆国のケネディ大統領は、「わが国は、一九六〇年代に、人間を月に着陸させて地球に無事帰還させるという目標を達成すべきである」という有名な演説を行った。連邦議会は、この国家的事業の推進を即座に承認し、有人月着陸ミッションを最大目標とする「アポロ計画」に対して、総額二〇〇億ドルを超える予算を約束した。

それから八年間、NASAは、二万以上もの数の全米の企業や大学研究機関の支援を受けて、サターン型ロケットの開発、アポロ宇宙船による有人宇宙飛行、司令船と月着陸船のドッキングテストなどを綿密にくり返した。

一九六九年七月一六日、巨大なサターンVロケットに搭載された「アポロ一一号」が、フロリダ州ケネディ宇宙センターから打ち上げられた。

順調に大気圏を脱出したアポロ一一号は、七五時間五一分後、月の周回軌道に乗り、その二二時間二五分後、着陸船「イーグル」が司令船「コロンビア」から切り離された。

イーグルは、手動で逆噴射をくり返しながら、見事に「静かの海」に着陸。世界標準時七月二一日午前二時五六分一五秒、ニール・アームストロング船長が、人類最初の足跡を月面に記した。その瞬間に彼が述べたのが「一人の人間にとっては小さな一歩にすぎないが、人類にとっては大きな飛躍である」（That's one small step for man, one giant leap for mankind）という言葉だ。

助手　その言葉もすばらしいですね！

教授　一九六九年といえば、ベトナム戦争が泥沼化し、反戦脱走兵が五万人を超え、世界各国で学生運動がピークに達した年でね。日本では「全学連」（全日本学生自治会総連合）が、東京大学の安田講堂を占拠した。

アメリカの国家的威信のためにも、資本主義陣営のパワーを示すためにも、NASAの失敗は許されない状況だった。そのような情勢の中で、アポロ一一号が打ち上げられたんだよ。

社会における科学

助手　アポロ一一号といえば、月面着陸成功のイメージしかありませんでしたが、そういう政治的背景があったわけですか……。

教授　その後のアポロ計画は、飛行中の爆発事故から「奇跡の生還」を遂げた一三号を除いて、一七号までに合計六回の人類による月面着陸を成功させた。一九七二年一二月、最後に月面着陸したアポロ一七号は、地質学者を含む宇宙飛行士が七五時間におよぶ船外活動を行い、月面車で三五キロメートルの距離を移動して、一一〇キログラムの「月の石」を採集して帰還した。

しかし、月の科学的探査だけが目的であれば、必ずしも人間を月面に着陸させる必要はない。アポロ計画の主眼が政治的効果にあり、そのために巨額の資金が費やされたことは明らかだった。結果的に、「宇宙開発史上最大の浪費」と批判されるようになったアポロ計画は、当初二〇号までだった予定を大幅に削減して終結した。

その後、NASAの有人宇宙開発は、再使用可能で低コストのシャトルを用いて、地球周回軌道上のミッションを目的とする「スペースシャトル計画」に移行した。

助手 科学も、実際には、政治や社会と深く結びついているということですね。

教授 その点に着目したのが、ハーバード大学の哲学者トーマス・クーンだ。彼は、一九六二年に科学哲学史上、最も画期的な著作の一つである『科学革命の構造』を発表した。その中でクーンは、「一定期間、科学者集団に対して、問題と解答のモデルを与える一般的に認知された科学的業績」としての「パラダイム」という言葉を定義した。要するに、科学者集団が共有する「信念系」あるいは「認知系」の総称が「パラダイム」というわけだ。

一般に科学者は、まず高等教育機関で特定分野の基礎概念を理解し、専門知識を身に付けることによって、既存のパラダイムを習得する。研究者となった段階で、彼らは、与えられたパズルを解くように、既存のパラダイムにおける未解決問題を解いていく。クーンは、この種の「パズル解き」の集積を、「通常科学」とよぶ。

しかし、時間の経過とともに、通常科学の範囲内では解けないパズルや変則事例が増加する。すると、科学者集団は、徐々に既存のパラダイムそのものに疑念を抱くようになる。このようなパラダイムの「危機」は、根本的に新たなパラダイムの出現によって乗り越えられる。これが、クーンの主張する「科学革命」だ。

クーンは、過去の科学史を詳細に分析した結果、このような「通常科学」と「危機」と「科学革命」の循環によって成り立つ新たな科学史観に到達した。天動説から地動説、あるいは、古典力学から相対性理論へ移行する科学革命は、単なる「知識」の変遷では説明できない。クーンは、そこに、科学者集団の「信念」そのものを変化させる根本的な変革を見たわけだ。

助手　天動説から地動説に移行したように、私たちの外部世界の認識を根本的に変えるような変革が「科学革命」なんですね。

教授　そこで注意しなければならないのは、クーンが、異なる二つのパラダイムを比較するための「客観的基準は存在しない」と述べている点でね。

同じ「太陽」という用語が、天動説と地動説では、異なる文脈の「理論」でとらえられ、異なる「観察」を導く。二つの「パラダイム」には概念の共通項がなく、比較することも、優劣を論じることもできない。これが「共約不可能性」と呼ばれる考え方だ。

クーンによれば、科学は、それまで「科学主義」的に考えられてきたように、「客観」的で、より優れた理論に「進歩」するものではない。むしろ、政治革命のように、科学者集団が「主観」的な「信念」によって変遷していくものだということになる。

助手　「アポロ計画」から「スペースシャトル計画」への変遷は、まさに「パラダイム変換」の一例ですね。

教授　クーンの科学観は「非合理主義」と呼ばれるが、その理由は、彼が各パラダイムの「通常科学」においては「合理的」に問題処理が行われることを認めるにもかかわらず、パラダイム変換そのものは「非合理的」に生じる革命と考えるからだ。

ＮＡＳＡの科学者集団は、「アポロ・パラダイム」内部の無数の技術的問題を合理的に処理した結果、アポロ一一号の有人月面着陸を成功させた。ところが、アポロ・パラダイムそのものは、スプートニク・ショックやケネディ大統領演説のような政治的要因によって生じた。そこには、合理的な規則は存在しなかったとみなすのがクーンの主張だ。

助手　全世界の目を釘付けにした人類史上初の月面着陸も、大国の政治的威信をかけた「アポロ・パラダイム」の一面の出来事にすぎないというわけですか……。

教授　その時期に封切られた映画『２００１年宇宙の旅』でさえ、アポロ計画から生じた大衆の宇宙への社会的関心を見据えた経営戦略の成果ともいえる。

クーンは、科学の根源に「非合理」な社会的欲求を見出したわけだ。

助手　科学が、政治的あるいは社会的な要請の影響を受けることや、場合によっては大きなパラダイム変換が生じることもよく理解できましたが、どうしてそれが「非合理的」だと断定できるのでしょうか？

教授　それはよい質問だ。君自身で考えてみてごらん！

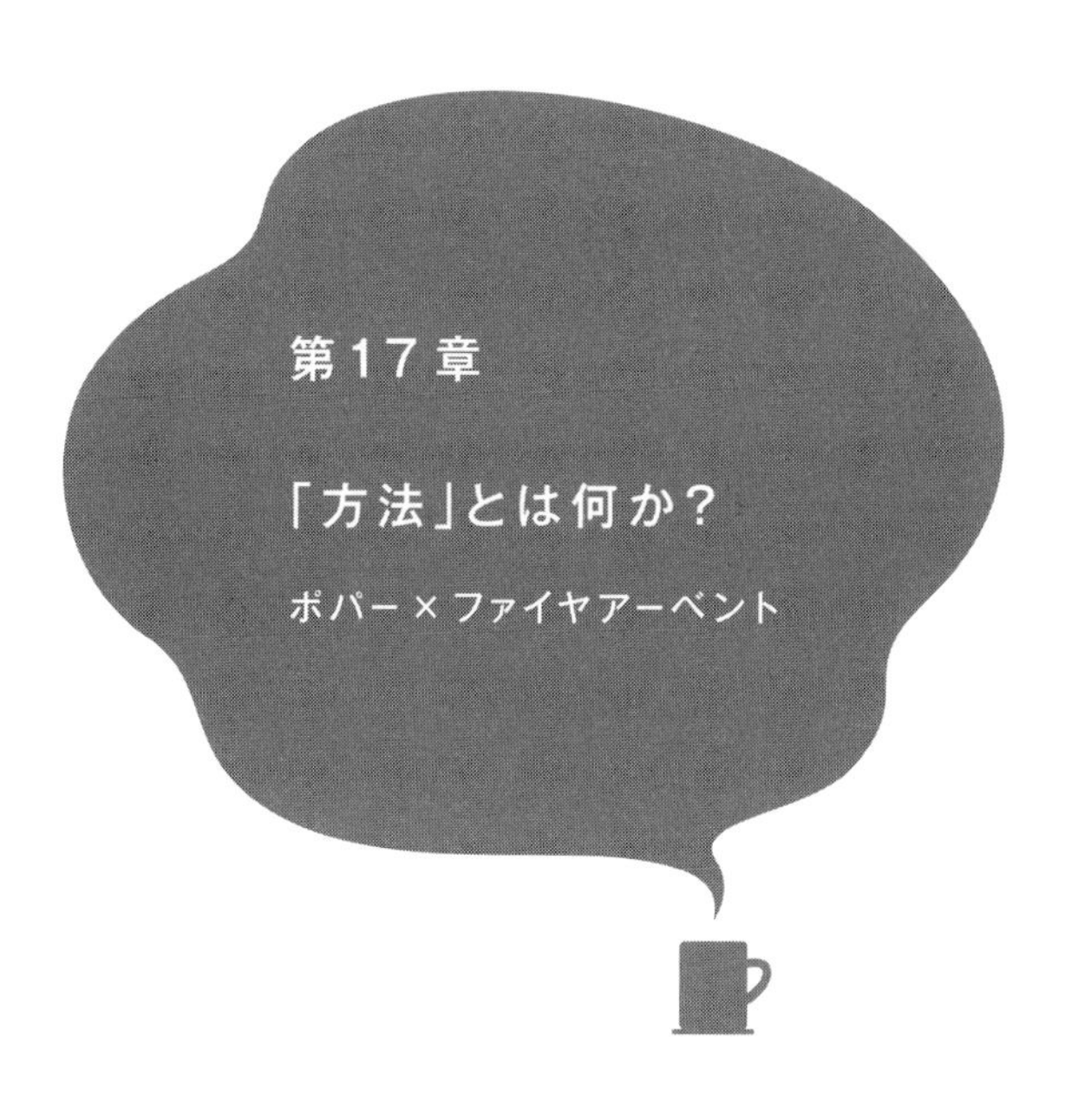

第17章

「方法」とは何か？

ポパー×ファイヤアーベント

1972年

ポパー

『客観的知識』

1975年

ファイヤアーベント

『方法への挑戦』

大粒ピーナッツ大のコーヒー豆

助手　先生、コーヒーどうぞ。今日の豆は、エルサルバドル産の「パカマラ種」。生産量が非常に少ない貴重品だそうです。

教授　これは、実にまろやかな味だね。フルーティな香りにレモンのような酸味、ほのかな苦みとコクがある。バランスのとれたマイルドな風味だね。美味い！

助手　「パカマラ種」は、ブルボン種の突然変異で生じた香りのよい「パカス種」と、大粒の「マラゴジッペ種」を掛け合わせて人工的に改良した珍しい品種だそうです。「スペシャリティ・コーヒー」として、品評会でも人気が高いみたいですよ。

教授　この豆は、巨大だね。大粒のピーナッツくらいのサイズじゃないか！

助手　ちょっと齧ってみたら、カカオみたいな味で、美味しかったですよ。スッキリ目が醒めます！

科学の累積性

教授　ところで、科学論の続きだが、もしアリストテレスが現代によみがえったら、どうなると思うかね？

助手　アリストテレスといえば、ソクラテス、プラトンと並んで、古代ギリシャ時代を代表する哲学者ですね。博識で知られ、幅広い分野の知識を数百巻の書物に体系化したため、「万学の祖」と称される人物です。もし彼が現代によみがえったら、現代人でも思い付かないような意見を述べてくれるのではないでしょうか。

教授　たしかに、もしアリストテレスが、神学、哲学、倫理学、文学、政治学などの人文科学や社会科学に属する分野の大学の授業に参加できたら、君が言うように、貴重な意見を述べてくれるかもしれない。

しかし、もし彼が、物理学、化学、天文学、生物学、情報科学などの自然科学に関する授業に参加しても、途方に暮れてしまうに違いない。なぜなら、いかにアリストテレスほどの天才といえども、その後の二三〇〇年以上にわたる「科学の累積的な発展」を即座には理解できないからだ。

助手　なるほど。そこに、人文科学・社会科学と、自然科学の根本的な相違があるわけですね。

教授　アリストテレスは、現代の自然科学に相当する分野でも数多くの学説を打ち立てたが、それらは、今日から見ると「異様に馬鹿げたもの」に映る。

たとえば、アリストテレスは、地球が宇宙の中心にあり、「火・土・風・水」の四要素が音階のように並んですべての物質を構成し、生命は定められた形態のまま神によって創造され、頭脳は体内の血液を冷やす場所であり、天上には音楽が流れていると考えていた。

オックスフォード大学の生物学者リチャード・ドーキンスによれば、現代人は「彼よりも森羅万象について多くを知っているばかりか、それらの構造についても、より深く理解している」が、その理由は「私たちが、ニュートン、ダーウィン、アインシュタイン、プランク、ワトソン、クリックのような科学者の後に生れた特権にほかならない」からだ。

助手　自然科学は「日進月歩」だということですね。

教授　たとえば、物体は、なぜ落下するのか？

アリストテレスは、物体が落下するのは、その物体の元素が、本来の定位置に戻ろうとするからだと考えた。石を手から離すと落下するが、それは石の中の「土」の元素が定位置の「地面」に戻ろうとするからだ。逆に、「火」が燃え上がるのは、本来の定位置が「天上」にあるからだと、彼は述べている。

さらに、アリストテレスによれば、重い石は軽い石よりも早く落下する。なぜなら、重い石には、より多くの「土」の元素が含まれているため、より強く定位置に戻ろうとするからだ。

助手　今聞くと、空想の産物としか思えませんが、よく出来た理屈ではありますね。

教授　それどころか、アリストテレスの学説は、中世キリスト教会の教義と合体して、二〇〇〇年近くも定説扱いされたんだからね。そのアリストテレスが間違っていることを証明したのが、一七世紀のイタリアの科学者ガリレオ・ガリレイだ。

ガリレオは、ピサの斜塔から大小二つの鉛（なまり）の玉を同時に落として、両方の玉が同時に地面に落下することを実験的に明らかにしたといわれている。ガリレオは、重力による物体の落下速度が、その物体の質量の大小によらないことを示したわけだ。

さらにガリレオは、アリストテレスの天動説が間違っていることをさまざまな証拠を挙げて主張したが、中世キリスト教会の異端審問所は、これを「聖書に対する冒瀆」と断定した。

拷問にかけると脅されたガリレオは、自説を撤回せざるをえなかった。

助手　異端者を排除する集団心理は、中世から現代まで変わらないんですね……。

科学の更新性と進化性

教授　それでは、今から二〇〇〇年後には、現代の科学もアリストテレスの学説と同じように「異様に馬鹿げたもの」になるのかというと、必ずしもそうではない。

もちろん、宇宙論や量子論における本質的な構造やエネルギーに関する詳細な理論については、修正が加えられる可能性も十分あるだろう。しかし、地球が太陽の周囲を公転しているという事実や、エネルギー保存の法則については、将来も覆されることはない。

実は、ここに科学の最大の特徴が表れていると考えられるんだ。それが、今話した科学の「累積性」と、時間的な「更新性」なんだよ。

助手　更新性……。

教授　一般に、現代の科学者は、最新のデータに基づいて研究を進め、その結果、最先端の科学理論であっても常に更新されている。あたかもソフトウェアが不具合を修正しながら徐々にバージョン・アップしていくように、科学理論も日々刻々とバージョン・アップを遂げていると考えればわかりやすいだろう。

したがって、過去の科学理論は、現代科学においては意味をなさないことが多い。もし君が現代天文学を理解したければ、宇宙望遠鏡の観測データを含むような最新の宇宙論に基づくテキストで学ぶべきだろう。

科学史として振り返るような場合を除いて、プトレマイオスの「天動説」やヒッパルコスの「星座論」にさかのぼって天文学の研究を始める必要はないからね。

おもしろいことに、科学以外の学問分野では、このような「更新性」は、ほとんど見られない。たとえば文学や芸術分野を考えてみると、時間的に「新しい」ことが理由で、作品が高く評価されることはないとわかるだろう。

より新しいからといって、アガサ・クリスティの作品がシェイクスピアより優れているとか、ジャズがモーツァルトより優れているとか、ピカソがダ・ヴィンチより優れているとは判断されない。文学や芸術の作品は、時間的な前後とは無関係に、その作品自体の価値によって評価されるのが普通だろう。

助手　ところが、自然科学の世界では、新しければ新しいほどバージョン・アップしているから、必然的にベターなんですね。

教授　哲学者カール・ポパーの「進化論的科学論」によれば、環境に適応できない生物が自然淘汰されるのと同じように、「古い」科学理論も観測や実験データによって排除されなければならない。今日の科学における諸概念は、時間の経過とともに古くなっていく。要するに、科学においては、常に最新バージョンが求められているというわけだ。

ポパーによれば、科学者の仕事は、問題を解決するための仮説を立て、その仮説を批判的にテストすることによって誤りを排除し、その過程で生じる新たな問題に取り組むことにある。ポパーは、このような「批判的思考」の実践によって、科学が真理へ接近していくと考えている。「新しい」科学は「古い」科学よりも多くの批判に耐えうるものであり、その意味で科学は「進化」するとみなされるわけだ。

助手　要するに、科学は、「累積性・更新性・進化性」で位置付けられるということですね。

教授　現代科学の背景には、過去の科学者による無数の失敗と自己修正の努力の軌跡を見ることができる。過去の科学理論は自然淘汰されて消え去り、古い芸術作品が今も高く評価されるような意味で生き残ることはない。科学は、完結した作品ではなく、むしろ進化の経過における「方法」といえるだろう。

助手 でも、哲学者トーマス・クーンは、その「方法」が合理的ではないと主張したんですよね。それがなぜなのか、宿題を考えてきました。

たとえば、ガリレオは、苦労してレンズを磨いて天体望遠鏡を作製し、木星を観測して、衛星を発見しました。でも、なぜ彼は、そんなことをしようと思ったのでしょうか。より一般的に、人間が、科学的発見を求める動機は何なのでしょうか。この問題には、知的好奇心から名誉欲にいたるまで、人間の心理的欲求が深く関連していますよね。クーンは、そこに人間の非合理性が潜んでいると考えたのではないでしょうか？

教授 そこまでわかっていれば、立派な解答だよ！

クーンが、科学者集団が共有する「信念系」あるいは「認知系」の総称を「パラダイム」と名付けたことは話したとおりだ。歴史的に、天動説から地動説への「パラダイム変換」のように、科学界では何度かの大きな変革が生じてきた。これをクーンは「科学革命」と名付けたが、この用語は、もちろん、過去の「政治革命」を意識したものだ。

かつてのフランス革命やロシア革命において、当時の民衆が新たな政治体制を支持した背景には、必ずしも新体制が旧体制よりも優れているという「合理的」理由はなかった。革命が成立した最大の原因は、より多くの民衆が、旧体制を徹底的に排除し、新体制を歓迎して受け入れたからにほかならない。
　したがって、クーンによれば、科学史上におけるパラダイム変換においても、「合理的」な基準は存在しない。つまり、科学理論の変革において決定的な意味をもつのは、「真理」や「客観」などの概念ではなく、科学者集団における「信念」や「主観」に基づく「合意」だということになる。科学者が新旧パラダイムを選択する過程においても、実際に効果を上げるのは、「説得」や「宣伝」の技術にかかわる「プロパガンダ」活動だとみなされるわけだ。

助手　そこで私が理解できないのは、どうしてクーンがそこまで科学を「非合理的」だと断定できるのか、という点なのですが。

教授　ポパーは、科学こそが人類の築き上げた客観的で最高の方法だと考えていたから、クーンには猛反発した。
　クーンの論法が「相対主義」とよばれる理由は、彼が、論理実証主義以来の「普遍性」に関する概念を切り捨てて、それらを科学者集団の「合意」に相対化させたためだ。クーンは、新たな科学理論が古い科学理論よりも「真理」に接近するというポパーの真理概念を「幻想」とよんでいる。なぜなら、新たな科学理論への移行は、それが、より多くのパズルを発見し解決するために便利な「道具」であると科学者集団が「合意」した場合に限るためだ。したがって、クーンによれば、もはや「真理」のような概念は不必要だということになる。
助手　つまり、クーンは、科学の合理的な進歩を否定した意味で「非合理主義」的であり、科学の「真理」を否定した点で「相対主義」的だと位置付けてよいわけですね。

方法論的虚無主義

教授　それは難しいところでね。というのは、少なくともクーン自身、彼の科学観に「非合理主義」や「相対主義」といったレッテルが貼られることを拒否しているからだ。クーンは、パラダイム内部の通常科学における「合理性」や、科学理論の問題解決の道具としての「普遍性」については認めているからね。
この点を厳しく突いたのが、哲学者ポール・ファイヤアーベントだ。彼は、クーンのことを「中途半端な日和見（ひよりみ）主義者」と呼んで批判し、クーンが中途半端に留まっていた相対主義的見解を徹底して、パラダイム変換ばかりでなく、あらゆる科学理論の選択の基準を「何でもかまわない」（Anything goes!）と主張した。

助手　「何でもかまわない」ですって？　それは、どういうことですか？

教授　簡単に言えば、あらゆる方法を許容する、という姿勢だよ。逆に言えば、唯一の方法などないと否定する姿勢だと言ってもいいだろう。だからこそ、ファイヤアーベントは、自分の哲学を「方法論的虚無主義」とよんでいるわけだ。

ファイヤアーベントによれば、クーンの科学モデルは、現実の「科学者集団」ばかりでなく、「組織犯罪集団」にもうまく適用できる。さらに、もっと突き詰めた結果、彼は「科学も宗教も共産主義も同じ構造」だとみなすようになり、あらゆる科学理論の選択の基準を「何でもかまわない」と主張するようになったというわけだ。

ファイヤアーベントは、単に科学理論ばかりでなく、あらゆる知識について、優劣を論じるような「合理的基準」は存在しないと述べている。つまり、科学と、神話や魔術や占星術との優劣も論じられないし、そこに無理に優劣を生じさせようとすれば、どこかで「権威主義」に陥らざるをえなくなるということだ。

助手　いくらなんでも、それでは極端すぎませんか？　科学も宗教も共産主義も同じ構造ですって？　それに、誰も、科学と神話や魔術や占星術が同列だとは思わないでしょう？

教授　ファイヤアーベントは、一九七五年に発表した『方法への挑戦』で、「方法論的虚無主義」を初めて公表した。そのとたんに、科学者からも哲学者からも、膨大な批判が浴びせられた。

彼は、自らを「軽薄なダダイスト」とよび、「宗教と売春と物理学」を社会的な「職業」にすぎないと述べているように、その表現には、故意に反感をあおるような一面がある。しかし、科学も含めて、すべての「権威」から自由でなければならないという彼の主張は、実は、軽視できない重要な哲学的問題を含んでいるんだよ。

ファイヤアーベント自身が要約した彼の主張を引用しよう。ここに彼の発想のエッセンスが含まれている。「要するに、科学は、科学哲学が認めているよりも、ずっと神話に近いのである。科学は、人類によって発展させられた数多くの思考形式の一つにすぎず、それが必然的に最良の思考形式であるわけでもない。科学は、派手で、騒がしく、図々しいもので、特定の思想に加担すると決めた者や、その優位性や限界性を検討することもなく受け入れた者にとってのみ、本質的に優れたものとなる。だが、特定の思想を受け入れるか拒否するかは、個人の自由に委ねられるべき問題である。したがって、政治と宗教の分離は、政治と科学の分離によって補完されなければならない。なぜなら、科学こそが、もっとも新しく、もっとも攻撃的で、もっとも教条的な宗教制度だからである。このような分離は、いまだかつて決して十分に実感されることがなかったが、この分離こそが、本来の人間に与えられた人間性に到達するための唯一のチャンスなのかもしれない」

助手　それがファイヤアーベントの問題提起なんですね。よく考えてみます！

第18章

「権威」とは何か？

科学権威主義×科学民主主義

1987年

ファイヤアーベント

『理性よ，さらば』

オロモ族のコーヒー

助手　先生、コーヒーどうぞ。今日の豆は、エチオピア産のモカですが、もう飲めなくなるかもしれません。

教授　いつもながら、フルーティな香りに、深いコクがあって、美味い！　これが、飲めなくなるとは？

助手　エチオピアは、かつてエチオピア帝国を建国したアムハラ人が国の中枢で権力を握り、人口四割のオロモ族を弾圧しているそうです。オロモ族の人々は、政府から強制的に土地を奪われ、抗議すると投獄され、殺されることもあると、国際人権団体アムネスティ・インターナショナルが強く非難しています。最近は、コーヒー産地で有名な「イルガチェフェ」地区も生豆の精製所が焼き討ちされ、今年の豆の出荷も危ぶまれているらしいです。

教授　そういえば二〇一六年、リオのオリンピックで、男子マラソンの銀メダリストになったエチオピアの選手が、政府の弾圧に抗議して、両腕を頭の上で交差させながらゴールインしたね。

助手　オロモ族のフェイサ・リレサ選手ですね。彼は、あの抗議行動で反体制派とみなされ、エチオピアに帰ったら殺されるということで、アメリカに亡命しました。

一部の人々が絶対的な権力を握るといかにアンフェアな結果をもたらすか、人類は何度も苦い経験を味わってきたはずなのに、今もまだ世界各地で悲惨な弾圧が繰り返されているんですね。この種の権力を全面的に否定したという意味で、前回伺った哲学者ポール・ファイヤアーベントにすごく興味があります。彼は、どんな人物なのでしょうか？

ファイヤアーベントの『暇つぶし』

教授　彼はまず、「女性にもてた」と自称している哲学者でね。一九二四年にウィーンで生まれて、七一歳で逝去するまでに、生涯で四回結婚している。結婚相手以外とのスキャンダルも数えきれないほどあって、恋愛関係だけでも波乱万丈の人生だったことはたしかだろう。

彼の父親は下級公務員、母親はお針子だった。二人の結婚直後、第一次大戦後の大不況が始まり生活が苦しくなったため、母親は四一歳のとき、ようやく一人息子のファイヤアーベントを出産することができたという。

そのため、彼は、六歳まで家から一歩も外に出されないほど大切に育てられた。「本の虫」になり、一二歳時には、とくに数学と物理学の能力が教師よりも優れていると評判になった。少年合唱団ではアルトのソロを務め、抜群の成績で高校を卒業。オーストリアを併合したナチス・ドイツの士官学校に進学した。その二年後、彼が二一歳のとき、母親が自殺した。

助手　それは、どうしてですか？

教授　うつ病だったようだが、詳しいことはわからない。ファイヤアーベントは、ナチス・ドイツ陸軍の駐屯地で母親死亡の知らせを受け取ったが、「まったく何も感じなかった」と述べている。彼は、父親が亡くなったときにはカリフォルニア大学バークレー校の教授になっていたが、葬儀のためにウィーンに戻ることさえしなかった。どうも温かい家庭環境ではなかったようだね。

彼は、戦場では勇猛果敢だった。二〇歳でロシア戦線に向かい、危機に陥った際には、ロケット砲をつかんで敵地に飛び込んで村を制圧し、「鉄十字章」を授与されている。この一年間だけで、兵長・曹長・少尉と昇進し、二一歳のときには中尉・大尉・少佐と瞬く間に昇進して、一歩兵大隊を率いるようになっていた。

助手　それって、第一次大戦で命知らずだったルートヴィヒ・ウィトゲンシュタインに似ていませんか？

教授　たしかに、大富豪のウィトゲンシュタイン家とはまったく成育境遇が違うが、ファイヤアーベントとウィトゲンシュタインのパーソナリティには、非常に興味深い共通点があるように映る。

ロシア戦線では、ナチス・ドイツの敗色が濃厚になり、ファイヤアーベントは、多くの部下を率いて退却しなければならなかった。そこで彼は、背後から三発の銃弾を撃ち込まれてしまった。一発目は顔面をかすり、二発目は右の手の平を貫通し、三発目が腰椎に残った。その三発目の後遺症のため麻痺が残り、歩行障害に陥った。

ファイヤアーベントは、野戦病院でナチス・ドイツ降伏のニュースを聞いた。二一歳の彼は、童貞だった。その後、杖をついて看護婦とデートするようになって、初めて自分が性的不能であることに気付いたそうだ。彼と多くの女性の間にはロマンスが生じたが、実際には彼は生涯、性的に不能であったというわけだ。

助手　戦争は、本当に人生に悲劇をもたらしますね……。

教授　ファイヤアーベントが最も愛したのは、彼が六一歳のときに出会った若い物理学者だった。彼女はイタリアからバークレーに研究に来ていた留学生で、二人は六年後に結婚した。

ファイヤアーベント夫妻は、何度も医師の助けを借りて妊娠しようとしたが、成功しなかった。ファイヤアーベントは、そのような赤裸々な事情を平然と自伝『暇つぶし』に書き残している。

助手　自伝の題名が『暇つぶし』とは！

教授　彼は、自分の人生が「暇つぶし」だったと言いたかったわけだろう。稀(まれ)にみる皮肉屋だからね。

第二次大戦から帰還したファイヤアーベントは、ウィーン大学に入学し、社会学と歴史学、次に数学と物理学を学び、優秀な成績で卒業した。そのまま大学院に進学し、ウィーン学団のメンバーだった哲学者ヴィクトール・クラフトに博士論文を提出した。

一方、ファイヤアーベントは、学外ではオペラ歌手や俳優としても高い評価を得ていてね。彼の演技を気に入った劇作家ベルトルト・ブレヒトが、ベルリンで助手にならないかと誘ってきたほどだった。

助手　ブレヒトに誘われたなんて、すごい！

教授　ファイヤアーベントは、一九四八年に民俗学専攻の女子大学生と最初の結婚をした。翌年、ウィーン大学を訪れたウィトゲンシュタインのセミナーに出席したが、この当時には、住んでいたアパート一階の日用品店の人妻と付き合うようにもなっていた。

助手　私生活では、メチャメチャな人みたいですね……。

教授　一九五一年に哲学博士号を取得。その後、ケンブリッジ大学のウィトゲンシュタインの下で研究を続ける予定で、イギリスに旅立とうとした瞬間、肝心のウィトゲンシュタインが他界してしまった。

助手　もしファイヤアーベントがウィトゲンシュタインの下で学べたら、ものすごく話が弾んで、すばらしい哲学が生まれたかもしれないのに……。

教授　まさに哲学史上の「運命のイタズラ」を感じるね。そこでファイヤアーベントは、仕方がなく指導教官をカール・ポパーに変更して、ロンドン大学へ向かった。彼は、量子論と後期ウィトゲンシュタイン哲学に関する論文を発表し、すぐに抜群の才能が認められた。奨学金の切れた二年後、ポパーはファイヤアーベントを助手に任命しようとしたが、彼はそれを断っている。

助手　ポパーの助手になれば、将来的にも非常に有益だったはずですが、なぜ断ったのかしら……。

教授　なぜなら、ファイヤアーベントは、ポパーの取り巻き連中に我慢できなくなったからだということだ。ポパーの弟子は、「批判的合理主義者」であることを宣言し、自分の書く論文には可能な限りポパーの著作から引用し、議論のスタイルもポパー哲学の文脈で行わなければならなかった。ファイヤアーベントは、この種の「ポパー教の信仰者」たちにウンザリしたと述べている。

その後アメリカに渡ったファイヤアーベントは、ウィトゲンシュタインやウィーン学団、ポパーの呪縛（じゅばく）から解き放たれて、自由になった。そして、一九七五年の『方法への挑戦』で、科学に特定の方法などなく「科学は本質的にアナーキスト的行為だ」という「方法論的虚無主義」を主張するようになったというわけだ。

『理性よ、さらば』の真意

助手　そこで私が調べてきたことですが、先生の『知性の限界』の中にファイヤアーベントのいろいろな発言が引用されていて、興味深かったです。

たとえば彼は、いわゆる「知識人」に向かって、次のように述べていますね。「あんたたちは、自分の話し方の基準にこだわって、その基準に合わないものは何でも拒否してしまう。

いったん話題が馴染みのないものになり、自分の型にはまった判断からはみ出すと、たちまち見慣れない服を着た主人に出合った犬みたいに、途方にくれてしまう。逃げ出したらいいのか、吠えたらいいのか、咬みついたらいいのか、それとも顔を舐めたらいいのか、ってね……」

教授 その文章は私が訳したんだが、原文はもっと辛辣でね。かなりオブラートに包んであるんだよ。

助手 きっと、そんなことなのだろうと思っていました。ファイヤアーベントは、次のようにも述べていますね。

「大学の教授や大学院生の中には、まるで自分が神様みたいに、その道での専門的知識をひけらかす奴がいる。そういう連中は、ニーチェやハイデガーやデリダから引用しなければ、一字だって文字を書けないといったありさまだ。彼らの人生すべては、何人かの偶像の間を右往左往することで出来上がっている」……。これなんかも、専門家に対する痛烈な批判ですね。

教授 ファイヤアーベントは、「問題をはっきりさせよう」と言いながら、結果的には、何でも科学や哲学の言語に翻訳して答えようとする専門家に向かって、「まるで中世の学者と同じゃないか」と反論した。なにしろ「中世の学者は、何でもラテン語に翻訳してみなければ、理解できなかった」というわけでね。

ファイヤアーベントによれば、我々の生きている宇宙は、言語や科学法則だけでは捉えきれない複雑性と多様性に満ちた実体ということになる。それにもかかわらず、多くの科学者や哲学者は、ちょうどウィーン学団の論理実証主義者が「論理的」あるいは「実証的」でなければ「無意味」だというスローガンで真の問題を切り捨ててきたのと同じ間違いを、今も犯し続けているではないか、と問題提起しているわけだ。

ファイヤアーベントの遺作となった哲学的著作のタイトルは、『理性よ、さらば』だ。「理性」はすばらしいものだが、人間を硬直させて自由を奪う魔力も持っている。ファイヤアーベントは、そのことを「知識人」に警告し続けたわけだよ。

助手 すごく皮肉屋で意地悪ですが、もしかするとファイヤアーベントは、本当は人間を信じていたのではないでしょうか？

教授　よく誤解される点だが、ファイヤアーベントは、必ずしも科学を否定しているわけではないし、西洋文明を否定しているわけでもない。ただ彼は、科学と非科学、西洋文明と非西洋文明、合理主義と非合理主義は、それぞれどちらも同じだけの権利で存在するものであって、そのどちらかを選ぶのは「市民」だと言っているんだ。

　彼は、真に「科学」を進歩させるためには、これまでに考えられてきた発想とはまったく無関係の「形而上学」が必要だと主張している。要するに、「論理」や「実証」、「法則」や「観測」などと規制ばかりを押しつけてくる「理性」に拘（こだわ）りすぎるなということだ。

　ファイヤアーベントの言葉を使うと、科学を「頑固でガミガミと要求ばかりする女から、恋人のすべての希望を叶えようとする魅力的な女に変貌させる」のが、「何でもかまわない」という方法論的虚無主義の真意だということになる。

助手　その比喩表現は、フェミニストから、すごく叱られそうですが……。

教授　科学が権威主義に陥るというファイヤアーベントと対照的なのが、科学と民主主義の代表的な擁護者として知られる天文学者カール・セーガンでね。彼は、次のように述べている。

「科学は、単なる知識の集積ではなく、考えるための方法であり、それが科学の成功の基礎である。科学は、いかに既成概念と一致しない場合にも、事実を直視しなければならないことを教える。科学は、多くの異なる理論を提示し、どの理論が最もよく事実に対応するかを確認させる。科学は、それがいかに異端の理論であろうと、新しいアイディアには掛値なしに心を開き、それがどんなに長い間信じられてきた理論であろうと、積極的に懐疑し精密に検査する姿勢を求める。私たちは、この思考の方法を十分理解しなければならない。科学は、最高の方法である。科学は、変革する時代の民主主義に欠くことのできない方法なのである」

助手　セーガンの見解も、非常によくわかりますね。ちょっと優等生すぎる発言のような気もしますが……。

教授　ファイヤアーベントは、ウィーン大学では、ニールス・ボーアやポール・ディラックのような、当時最先端のノーベル賞物理学者のセミナーで量子論を学んでいる。したがって、彼が「本気」で、科学と神話や魔術や占星術を同一視したとは考え難い。むしろ彼は、科学の強大なパラダイムに恐怖を感じたからこそ、科学を攻撃したと考える方がわかりやすいかもしれない。

ファイヤアーベントは、常に問題を徹底して極端に突き詰めて考えた。彼は、方法論的虚無主義を科学や哲学ばかりでなく、合理主義や西洋文明一般にまで推し進め、そこから彼が導いた結論は、単に科学理論ばかりでなく、あらゆる知識について、優劣を論じるような合理的基準は存在しないというものだった。

絶対的あるいは普遍的な「真理」を求める人間の行為は、結果的に「教条的な宗教制度」に陥らざるをえないというのが、彼の主張だ。つまり、いかに崇高な目的で「真理」を追究する科学といえども、すべての「権威」から自由であるべき人間の思考を束縛する危険性があると指摘しているわけだ。

助手 でも、科学者は、あくまで「真理」を追究しているはずですよね。

教授 もちろん、そのような真摯(しんし)な科学者も存在するだろう。しかし、圧倒的多数の科学者が直面している問題は、社会的地位や名誉の保持、研究費の獲得と技術応用やビジネスに関わる金銭的な思惑、さらにノーベル賞授与に代表される科学者グループ間の先取権争いなどで、とくに若手研究者などは、その中で右往左往しているのが現状だろう。

実際に、数十億円から数百億円が投じられるような大型科学研究や医学研究は、政府機関や医療機関、あるいは軍部や製薬会社と関係せざるをえないからね。二〇〇五年には、「韓国の誇り」とよばれたソウル大学のファン・ウソク教授のＥＳ細胞論文が捏造であることが発覚した。二〇一四年には、日本を代表する研究機関である理化学研究所で小保方晴子研究員のＳＴＡＰ細胞論文に研究不正が見つかり、大騒ぎになった。

常に研究成果を要求される重圧に押しつぶされた科学者が、論文の盗用、実験データの改ざんや捏造、裏取引で共同研究者や共同執筆者に名前を連ねるなどの不正行為に走る可能性は否定できない。さらに、科学者による履歴・業績詐称、研究費などの公金の私的流用、領収書や報告書の文書偽造なども社会的に問題視されている。

助手　科学者も、欲望に塗れた人間だということですね。

教授　科学は「人間のふるまい」にすぎず、ファイヤアーベントの主張するように「権威主義」に陥らざるを得ないのか。あるいは、セーガンの主張するように、科学は「最高の方法」であり、「民主主義に欠くことのできない方法」なのか。

助手　それが宿題ですね。よく考えてきます！

第19章

「ET」とは何か？

セーガン×ティプラー

1976年

セーガン
『宇宙との連帯』

×

ティプラー
『銀河系で最も進化した文明は地球である』

デロンギのエスプレッソ・マシンでプロの味を

助手　先生、コーヒーどうぞ。今日の豆は、シアトル系のエスプレッソ・ローストです。

教授　芳醇なコクと苦味に、ほのかな甘味とのバランスがすばらしい！　これ、どうやって淹れたの？

助手　イタリアのデロンギ社製のエスプレッソ・マシンです。以前から欲しかったんですが、ユーロが安くなってきたので、ついに研究室で購入しました。

教授　エスプレッソ・マシン！　だから、カフェのプロが淹れたような味になるのか……。まさか、研究費で購入したんじゃないよね？

助手　一応、大学の事務局に確認してみたんですが、「研究との関連がなければ支出不可」なので、研究費は使えませんでした。というわけで、マシンは、研究室のメンバー全員から、先生へのお誕生日プレゼントです。

教授　それはどうもありがとう！　エスプレッソがあれば、スッキリ目が醒めて、研究も捗るというものだ。

助手　このマシンがあれば、フォームドミルクもできるし、レギュラーコーヒーも淹れられます。カフェラテやカプチーノのようなバリエーションも楽しめるから、私たち全員の要望が一致したというわけです。

教授　なんだ、目的はそこにあったのか！

セーガンのＳＥＴＩ

助手　ところで、先日のお話に出てきた天文学者カール・セーガン原作による映画『コンタクト』を観ました。一九九七年七月に封切られた映画なのに、今なおリアルだし、ストーリーも斬新で面白かったです。

教授　セーガンは、その映画の完成を楽しみにしていたそうだが、残念ながら一九九六年一二月に亡くなったため、完成版を観ることはできなかった。

助手　映画の最後に「カールに捧げる」という献辞が表示されたのは、そういう意味があったんですね。

ジョディ・フォスターの演じる天文学者が、宇宙から届いたメッセージを解読して、そのメッセージ通りに宇宙船を組み立てます。彼女が乗船すると、宇宙船は人間には理解できない方法でワームホールを通過してベガ星系に移動し、そこで彼女が「地球外知的生命体(ET：Extra-Terrestrial Intelligence)」と「ファースト・コンタクト」を達成するというストーリーです。

ＥＴは、直接自分の姿を現すことなく、すでに亡くなっている彼女の父親の姿で登場しますが、このスタイルは映画『２００１年宇宙の旅』の手法と似ていますね。

教授　仮にＥＴが実在したとして、我々の知る地球とはまったく異なる環境で進化した生命体だから、人間の想像を絶する形態の可能性が高い。したがって、高度に進化したＥＴは、人間を驚かせないように、人間の脳内から最も安心できるイメージを抽出して、その姿でコンタクトしてくれるというわけだ。

映像制作現場では、ＥＴを縫いぐるみやゴム製品で表すと陳腐になってしまうから、リアリティを追求するためにも、このタイプの手法が好まれるんだろう。

助手　たしかに、たとえばスティーブン・スピルバーグ監督の映画『ＥＴ』に登場するＥＴは、今観ると、明らかに作り物だとわかってしまいますね。

教授　私がアメリカで封切られたばかりの映画『ＥＴ』を観たのは一九八二年のことだから、

もうあれから四〇年近くになるのか……。

当時は、あの奇妙な形態のＥＴが大人気でね。子どもたちはＥＴ人形で遊んでいたし、その後、「ユニバーサル・スタジオ・ジャパン（ＵＳＪ）」にもアトラクションが作られた。

助手　ＵＳＪの「ＥＴアドベンチャー」のことですね。残念ながら、二〇〇九年に終了しました。今は、その場所に「スペース・ファンタジー・ザ・ライド」というアトラクションがあります。「スピン・コースター」に乗って宇宙空間を旅するという設定で、楽しいですよ！

教授　もはやETのアトラクションも存在しないのか。まさに光陰矢の如し……。

さて、セーガンは、フィクションで『コンタクト』を描いたわけだが、現実世界においても「地球外知的生命体探査（SETI: Search for Extra-Terrestrial Intelligence）」を積極的に推進したことで有名だ。

一九七二年と七三年にＮＡＳＡが打ち上げた宇宙探査機パイオニア一〇号と一一号に、金属製の銘板が取り付けられたことは知っているだろう。もともとパイオニア計画は、木星と土星の探査を目的としていたが、その後、探査機は太陽系を飛び出して、原子力電池の作動する限り飛び続けることになる。そこでセーガンは、人類の男女の姿とともに、探査機の出発点である地球に関する情報を銘板に記した。もし地球外知的生命体が探査機に遭遇したら、地球人のことを理解してくれるようにね。

助手　瓶に手紙を入れて海に流す「ボトルメール」みたいですね。誰か拾ってくれるかもしれない宇宙に投げ出されたメッセージ……。ロマンティックですね。

教授　たしかにセーガンは、ロマンティストだった。彼は、一九七七年にNASAが打ち上げた宇宙探査機ボイジャー一号と二号には、「地球の音」と名付けられた銅板製レコードを設置した。このレコードには、地球上の五五種類の言語によるメッセージや、さまざまな自然音と音楽が組み込まれ、ジャケットには地球に関する詳細な情報が書き込まれている。

さらにセーガンが力を注いだのは、ETが発信している電波を受信しようとする「SETI」プロジェクトだった。彼は、一九七五年六月、当時世界最大の口径三〇五メートルのアレシボ電波望遠鏡を一週間借り切って、銀河系外の四つの星雲における約10の12乗もの個数の恒星を探査し、知的信号をキャッチしようとした。

助手　それで、どうなったんですか？

教授　その種の知的信号の痕跡は、何も見つからなかった。セーガンは、宇宙には多種多様な地球外知的生命体が満ちていて、彼らの交信する電波を簡単にキャッチできると楽観視していた。地球のラジオやテレビ放送の電波でさえ、すでに数十光年先まで進んでいるからね。

落胆したセーガンは、「これだけの多くの星の中に、人類に近づこうとする星が一つもなかったということは、単なる失敗というよりも、憂鬱そのものだ」と述べている。この憂鬱が大きな原因になって、科学こそが「民主主義に欠くことのできない方法」だと主張していたはずのセーガンが、実際には、権威主義的な行動を取っていたことがわかっているんだ。

ドレイクの方程式

助手 セーガンが権威主義的な行動ですって?

教授 そもそもSETIプロジェクトは、巨大な電波望遠鏡を使って宇宙から飛来する膨大な量の電波を受信し、それらをコンピュータで解析して知的信号を検証する必要があるため、莫大な予算が必要になる。

セーガンは、この予算獲得のために合衆国の政財界を奔走し、テレビ番組『コスモス』では、視聴者に宇宙開発とSETIの意義を訴え続けた。彼は、次のように述べている。

「地球外知的生命体の探査は、人類に宇宙的な意味を見出す探査でもある。我々はどこから来たのか、我々は何者か、我々はどこへ行くのか。我々の祖先が、かつて想像もできなかった広大な空間と悠久の時間を持つ宇宙において、我々の未来を指し示すための探査である」

助手　すばらしい理念ですね。

教授　ところが、マスコミで活躍するセーガンを快く思わない科学者もいた。セーガンは、何度か全米科学アカデミーに推薦されたにもかかわらず、「アカデミックな業績が足りない」と強固に反対するメンバーがいたため、正会員になれなかった。

　そのうえ、そもそも「SETIプロジェクトには成功の見込みがなく、時間と労力と経費の無駄だ」という根強い反対意見もあった。その代表格だったニューオーリンズのテュレーン大学の物理学者フランク・ティプラーは、SETI否定を主張する論文をさまざまな天文学会誌に投稿したが、彼の論文は、アメリカ国内では、ことごとく掲載を拒否された。その背景に、セーガンの圧力があったと言われているんだ。

助手　つまり、セーガンは、SETI否定の論文を自分の関係する学会誌に掲載させなかったわけですね。そうなると、科学といえども「人間のふるまい」にすぎず、「権威主義」に陥らざるを得ないという哲学者ポール・ファイヤアーベントの言った通りじゃないですか！

教授　ティプラーは、結果的に一九八〇年、イギリスのロンドン王立天文学会誌に『地球外知的生命体は存在しない』という論文を発表した。これが、ＳＥＴＩ推進派と否定派の大論争を巻き起こしたというわけだ。

助手　それで、実際にＥＴは存在するんでしょうか？

教授　漠然とＥＴといっても、雲を摑むような話だが、これに具体的な指標を与えたのが、コーネル大学でセーガンと同僚だった天文学者フランク・ドレイクだ。

彼は一九六一年、後に「ドレイクの方程式」と呼ばれる「$N = R^* \times f_p \times n_e \times f_l \times f_i \times f_c \times L$」という式を考案した。

ここでNは「銀河系に存在する通信可能な文明の数」、R^*は「銀河系において一年間に形成される恒星の数」、f_pは「その恒星系が惑星を持つ割合」、n_eは「その恒星系においてハビタブル・ゾーンにある惑星数の平均値」、f_lは「その惑星で生命が誕生する確率」、f_iは「誕生した生命が知的生命体に進化する割合」、f_cは「その知的生命体が惑星間通信を行う割合」、Lは「惑星間通信を行える文明が存続する期間」を表している。

助手　「ハビタブル・ゾーン」というのは？

教授　恒星からの放射エネルギーが、生命発生の条件に適していると考えられる距離にある領域のことだ。この領域にある惑星上で、生命誕生の可能性が高いと考えられている。

ドレイクは、「銀河系において一年間に形成される恒星の数」を10個、「その恒星系が惑星を持つ割合」を50%、「その恒星系においてハビタブル・ゾーンにある惑星数の平均値」を2個、「その惑星で生命が誕生する確率」を100%、「誕生した生命が知的生命体に進化する割合」を1%、「その知的生命体が惑星間通信を行う割合」を1%、「惑星間通信を行える文明が存続する期間」を1万年と見積もった。これらの数値を方程式に当てはめると、「銀河系に存在する通信可能な文明の数」は10程度しかないことになる。

助手　銀河系には、一〇〇〇億個以上の恒星が存在すると推定されていますよね。その中に、たった一〇しか文明が存在しないのであれば、お互いが簡単に交信できないのも無理はないのかもしれません。

フェルミ・パラドックス

教授　ところが、近年はハッブル望遠鏡などの観測機器の高性能化にともなって、太陽系外の惑星系が数多く発見されるようになった。現代の最先端の天文学によれば、銀河系には、太陽と同じようなG型星を主星に持ち、ハビタブル・ゾーン上を公転する地球サイズの惑星が、少なくとも一億個は存在すると考えられている。

銀河系には、一三二億歳の恒星も発見されているわけだから、その時間的経緯から推定すると、これまでに数多くの地球外知的生命体が人類を遥かに超えた高度な文明を発展させて、恒星間飛行を可能にしたはずだ。

高度な文明の生命体は、危険で時間のかかる恒星間探査には、自分自身ではなく、ロボットを使用するに違いない。ロボットは、資源の豊富な惑星を発見すると着陸し、その惑星で新たなロボットを自己増殖させて、新たな惑星系を探査し、同じような繁殖を繰り返すはずだ。

助手　たしかにその探査方法は、非常に合理的ですね。

教授　イタリアの物理学者エンリコ・フェルミは、仮に過去数十億年の間に一〇〇個程度の高度な知的文明が生まれたとして、そのうちの数個の文明だけがこのロボット探査方式を成功させたとしても、銀河系は幾何級数的に増えたロボットで一杯になっているはずだと考えた。

ところが、少なくとも地球上にその種のロボットが繁殖した痕跡はない。したがって、銀河系には人類よりも進んだ知的生命体は存在しないことになる。この論法を「フェルミ・パラドックス」と呼ぶ。

助手　でも、人類よりも遥かに高度に進化した知的生命体が実在しても、必ずしも探査ロボットを打ち上げるとは限らないでしょう？　もしかすると、彼らは宇宙探査よりも芸術に興味を持つかもしれないし……。

教授　たしかに芸術を高く評価する文明もあるだろう。しかし、彼らが高度に「知的」である以上、その知性の原点にある「好奇心」を満たすために恒星間探査を試みないはずがないと、フェルミやティプラーは考えたわけだ。

人類でさえ、すでにかなり高度な性能のロボットを生み出している。一〇〇年も経てば、自己増殖ロボットをアルファ・ケンタウリ星系に送り出すかもしれないんだからね。

助手　そうなると、人類以上の文明は銀河系に存在しないということですか？

教授　まさにティプラーは、その趣旨で『銀河系で最も進化した文明は地球である』という論文を一九八一年に発表している。

さきほどハビタブル・ゾーンを公転する地球サイズの惑星は、少なくとも一億個は存在すると言ったが、その中でも地球のように生命に適した惑星は、他に存在しないというのが、ティプラーの見解なんだ。

たとえば、地球は二四時間に一度自転しているが、この自転周期が、月のように公転周期と同じだったら、大変なことになる。仮に自転周期が一年に一度であれば、半球は常に昼の状態で高温の砂漠になり、半球は常に夜の状態で氷河に覆われるだろう。

また、地球の自転軸は約二三度だけ傾いているが、そのおかげで四季が生じ、多種多様な生命環境に刺激を与えている。仮に自転軸の傾きが天王星のように九八度だったら、夏は太陽が沈まず、冬は太陽が昇らない状態で、とても生命は進化できない。

助手　地球上の生命は、さまざまな偶然が奇跡的に重なって、進化できたということですね。

教授　生命にとって、いかに地球が恵まれた惑星なのかという点については、まだまだ幾らでも傍証を挙げられる。たとえば、仮に地球の近くに木星のような巨大惑星があったら、その引力の影響で、地球は生命が誕生する前にハビタブル・ゾーンから外れてしまっただろう。

そのうえ、地球には宇宙空間に広がる強力な磁場があって、生命に有害な太陽風が地上に降り注ぐことを防いでいる。地球大気の上空にはオゾン層が広がり、生命に有害な紫外線を吸収して、酸素分子を生み出している。

助手　そう伺っていると、地球は、銀河系でも稀な特別な惑星のような気がしてきました。

教授　一方、セーガンは、ティプラーの見解を「ショービニズム（自己中心的偏見）」と呼んで批判した。セーガンによれば、宇宙における生命体は多種多様であり、人類の固定観念を遥かに超えている。我々は炭素化合物を前提とするハビタブル・ゾーンに拘っているが、まったく異質な珪素化合物の生命体が進化する可能性もある。

セーガンの好きなジョークは、次のようなものだ。地球外知的生命体が、ついに地球に到着した。その生命体は、自動販売機を見つけると、側に寄って言った。「君みたいな美人が、ここで何をしているんだい？」

助手　それはおもしろい！

教授　アメリカのTVドラマ『スター・トレック』には、思いつく限りの多彩な生命体が登場するが、セーガンはその種のETが宇宙に実在すると信じていた。セーガンを擁護する物理学者リー・スモーリンによれば、「地球外知的生命体が存在しないという議論は実に奇妙だ。それはまるで、セックスしたことがないために、それを神秘だと思い込む一〇歳の少年のような発想だ」ということになる。

助手　宇宙と生命の多様性についての論争は、本当におもしろいですね！

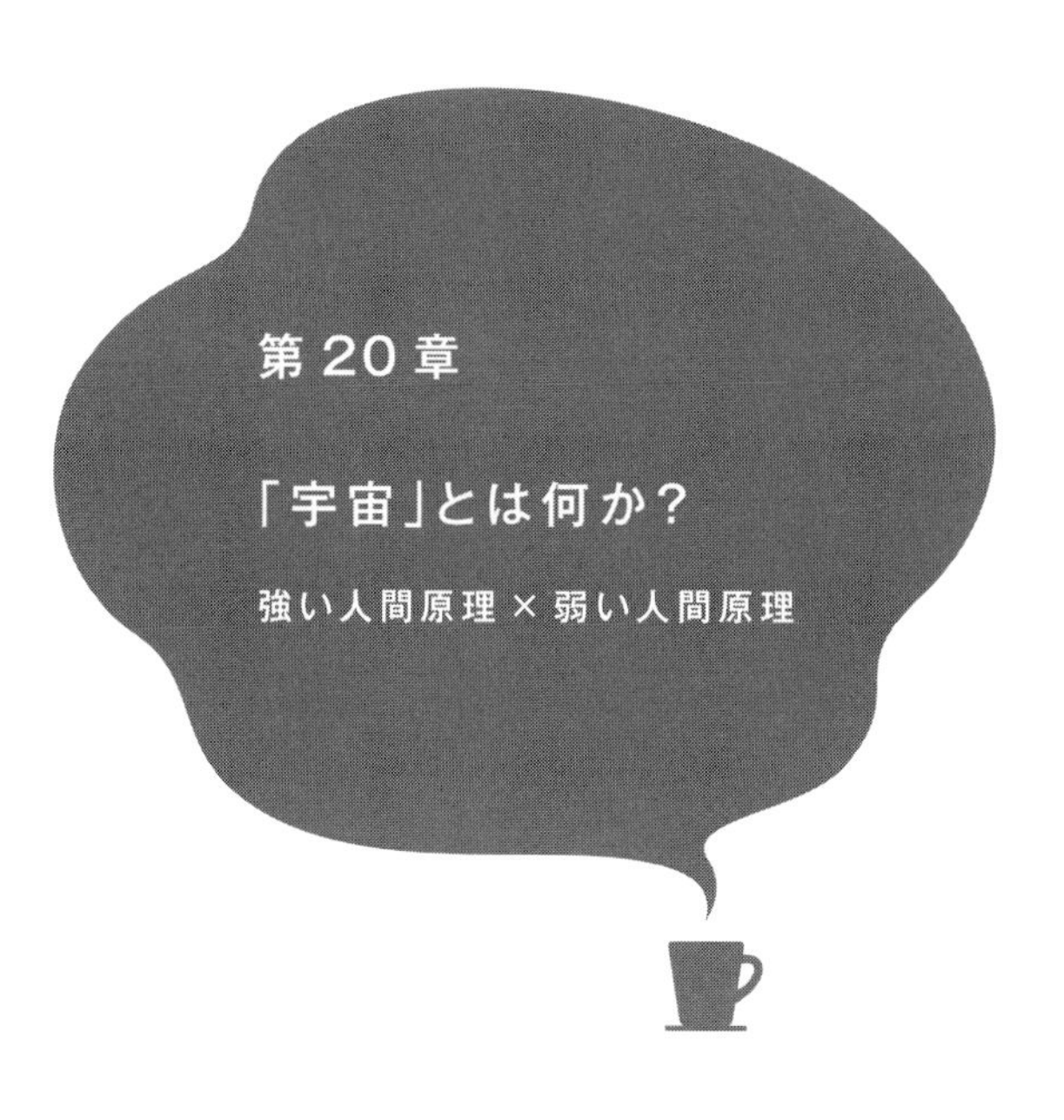

第20章

「宇宙」とは何か？

強い人間原理×弱い人間原理

1986年

バロウ／ティプラー
『人間原理』

×

1994年

ホーキングホーン
『科学者は
神を信じられるか』

スチームミルクたっぷりのカプチーノ

助手　先生、コーヒーどうぞ。今日は、シアトル系のエスプレッソにスチームミルクをたっぷり入れて、カプチーノにしてみました。

教授　フワフワのスチームミルクの甘さと、濃厚なエスプレッソの苦味のバランスがすばらしい！　これこそが、エスプレッソ・マシンの威力だね。

助手　研究室のメンバーも、大喜びでカプチーノやカフェラテを作っていますよ。本当に皆でエスプレッソ・マシンを先生にプレゼントして、よかったなあって！

教授　私にプレゼント……。

助手　ところで先生、二〇一八年三月一四日、ケンブリッジ大学の宇宙物理学者スティーブン・ホーキングが、七六歳で亡くなりましたね。

教授　ホーキングは、一九六三年、二一歳でケンブリッジ大学大学院に進学した直後、「筋萎縮性側索硬化症（ＡＬＳ）」を発症した。当時は、この病気に罹ると、生存期間は四、五年と言われていたが、ホーキングの症状は「奇跡的」に進行が遅くなったため、彼は、その後五五年間にわたって、最先端の宇宙論に大きな影響を与えるさまざまな論文を発表できた。

助手 「車椅子の天才」ですね。ホーキングが二〇〇一年に来日した際、私は高校生だったんですが、父親に連れられて、東京大学の安田講堂で行われた一般講演会を聴きに行きました。

ホーキングは、身体中の運動神経系に障害があるため、眼球の瞳の動きでディスプレイのアルファベットを操作して、合成音声で話していました。あんなに重篤な病気を抱えているにもかかわらず、知的でユーモアに溢れた講演で、本当に感動しました。

教授 私が覚えている彼の発言は、次のようなものだ。「人類は、銀河の一〇〇〇億個の中の一つの、しかもその中心から外れた位置にある、平均的な恒星を回る中規模の惑星の上に生じた、化学物質の浮いたカスにすぎない」

助手 ホーキングらしい言葉ですね！

教授　とはいえ、いかに地球が生命にとって恵まれた惑星なのかについて、話したばかりだったね。実は、この考え方は、宇宙全体に広げることもできるんだ。

もし炭素が存在しなければ、我々のような生命を構成する炭素系化合物は構成できない。さて、そもそも元素の原子核の結合を定めるのは「強い相互作用」と呼ばれる物理定数で、陽子と中性子をまとめて原子核を作り上げる「核力ε」で表される。この核力ε＝0・007であることがわかっているが、仮に、この数値が少しズレて、ε＝0・006でも0・008でも炭素は存在しなかったから、そうなれば、もちろんあらゆる生命も人間も存在しなかったことになる。

助手　つまり、核力の数値が少しでも異なっていたら、現在のような宇宙になっていなかったため、生命も人間も存在できなかったということですね。

教授　それが、核力の数値ばかりではないんだよ。ケンブリッジ大学の天文台長を務めた宇宙物理学者マーティン・リースは、宇宙を支配する六つの物理定数を挙げて、これらの「どれか一つでもうまく『微調整』されていなければ、星も生命も生まれてこなかった」と述べている。

リースの挙げる六つの物理定数とは、今話した「強い相互作用の核力」ε、「原子を結合する電気力の強さを原子間に働く重力の強さで割った数」N、「宇宙で膨張エネルギーが重力エネルギーに対してどれだけ大きいかを示す数」Ω、「宇宙の反重力の強さを示す数」λ、「宇宙の銀河や銀河団の静止質量エネルギーと重力エネルギーの比率を示す数」Q、「宇宙の空間次元数」Dだ。

助手　それらの六つの数には、何か関係があるんでしょうか？

教授　それは興味深い質問だ！　リースも「おそらく何らかの関係があるだろう」と述べているように、その可能性は十分あるが、現時点では、どの数値も別の数値から導くことはできない。もし将来、これら六つの数値を互いに関連づける「万物理論」が組み立てられたら、大変な発見になるだろうがね。

助手　リースの「微調整」という言葉が気になるんですが、これは、たとえば「神」が宇宙を「微調整」して創造したという意味なのでしょうか？

教授　いやいや、必ずしも「神」を持ち出す必要はないが、それでも、文字通り宇宙は「微調整」されているようにしか見えないということなんだよ。

助手　その六つの数値すべてが「微調整」されていなければ、生命が誕生していないと言いきれるんですか？

教授　その点については、かなりの確証度を持って、言いきれると思うよ。

たとえば、我々に非常に身近な重力や電磁気力を考えてみよう。仮に重力が今の二倍だったら、太陽は今の一〇〇倍以上の速度で燃焼し尽くし、恒星としての寿命も一〇〇億年から一億年以下に短くなるから、とても地球上に生命が誕生して進化するだけの時間的余裕はなくなるだろう。

一方、仮に電磁気力が今の二倍だったら、陽子間の斥力が強くなって、安定した分子は存在できなくなり、すべては崩壊してしまう……。

強い人間原理と弱い人間原理

助手　そういう宇宙も可能だったわけですね。

教授　もっと基本的な数値として、この宇宙の現象はすべて「縦・横・高さ」の三次元空間に「時間」の一次元を加えた四次元時空で表現されるが、この空間次元D＝3であることも生命にとって不可欠なんだ。

助手 サイエンス・フィクションには、よく高次元からやってきた知的生命体の話が出てきますが……。

教授 数学的には、どんな次元数でも考察できるし、ビッグバン当時の宇宙は一一次元だったものが、宇宙の進化とともに四次元時空になったとする「ストリング理論」のような考え方もあるがね。

まず、現実問題として、一次元空間の「点」や二次元空間の「平面」に、知的生命が存在できないことは明らかだろう。さらに、「ラプラス方程式」と呼ばれる偏微分方程式を解くと、もし空間の次元数が4であれば、重力が距離の2乗ではなく3乗に反比例することが証明できる。このような世界では、たとえば恒星の周りの惑星の軌道は安定しない。

実際に、オランダのライデン大学の物理学者パウル・エーレンフェストは、天体をめぐる安定な軌道が存在するのはD≧4であることを示し、その軌道が閉じるためにはD＝0あるいはD＝3でなければならないことを証明した。つまり、ニュートンの引力の逆2乗法則が成立し、安定した惑星軌道があって生命が進化できるような状況は、三次元空間でしか成立しないわけだ。

助手　なるほど。空間次元数が変わっていても、生命は適応できなくなっていたわけですね。要するに、私たちの宇宙は、さまざまな物理定数によって左右されている。とくにリースの指摘する六つの物理定数の数値が少しでも異なっていたら、今のような宇宙は存在しなかったはずで、もちろん生命も人間も存在しなかった、ということですね。

教授　そのとおり。もっとも、リースの挙げているのは、現時点では相互に還元不可能な究極の六つの定数であり、通常の物理定数でいえば、二〇から三〇の数値が「微調整」されていなければ、現在の宇宙になっていなかった、という点は、物理的に認めざるをえない事実といえる。

助手　そのことから、どのような結論が導かれるのでしょうか？

教授　いわゆる「人間原理」だ。これには、さまざまな解釈があるが、ここでは一九七四年にケンブリッジ大学の宇宙物理学者ブランドン・カーターが分類した「弱い人間原理」と「強い人間原理」を考えてみよう。

簡単に言うと、どちらの「人間原理」も、これまでに話してきたような物理定数の「微調整」を認めたうえで、その理由を「偶然」とする「弱い人間原理」と、「必然」とする「強い人間原理」に分かれる。

一般に「弱い人間原理」は、さまざまな宇宙が生まれているという「多宇宙理論」に基づき、短命な宇宙や奇怪な宇宙もある中で、我々の宇宙は「偶然」現状のような物理定数になった宇宙であり、したがって、生命も人間も存在するようになったとみなす考え方だ。

アリゾナ州立大学の宇宙物理学者ポール・デイヴィスは、我々の宇宙を「幸運な宇宙」と呼んでいるが、文字通り我々は、無数の組み合わせで生じている無数の宇宙の中で、宝くじに当たったようなラッキーな宇宙に存在すると考えるわけだ。

一方、「強い人間原理」は、宇宙は、その進化の過程で、「必然的」に内部に知的生命が存在できるようにされているという考え方でね。つまり、さまざまな物理法則や物理定数は、どこかの段階で人間のような「観測者」を生みだすように「微調整」されていると考えるわけだ。

助手　それは、以前伺った「認識論」の問題じゃないですか！　最先端の宇宙論で、そのような話が議論されているとは、驚きました。

つまり、もし誰も認識しないような宇宙があっても、その宇宙は認識論的には存在しないのと同じことだから、宇宙は内部に観測者を生み出すように、さまざまな物理定数を微調整したということですか？

教授　まさにそれが、「強い人間原理」の導く一つの帰結だ。最近では、宇宙そのものが観測者を生みだすように「自己組織化」しているのではないかと考える宇宙物理学者も増えてきている。

助手　宇宙が「自己組織化」するとは、まるで宇宙全体に「意識」があるみたいですね。サイエンス・フィクションならばまだしも、その仮説は、自然科学の世界では議論できないのではないでしょうか。

「微調整」の意味

教授　たしかに、自然科学からは遠ざかる話になるね。

ケンブリッジ大学の物理学者ジョン・ポーキングホーンの見解を考えてみよう。彼は、原子核物理学者であると同時に、英国国教会の司祭も務めるという科学者で、一九九四年には「人間原理」に基づく「神」への信仰について述べている。彼の考え方は、次のようなものだ。

ここに「宇宙製造マシン」があるとしよう。このマシンには、二〇の「調整つまみ」があって、それぞれ1の40乗分の1（極小）から1の40乗（極大）まで、好きな数値に調整できるようになっている。これらの調整つまみで、重力や電磁気力といった物理定数を好きなように選ぶと、宇宙製造マシンが、それらの物理定数に応じた「宇宙」を製造してくれる仕組みだとする。

さきほど説明したように、たとえば「強い相互作用の核力」すなわちε＝０・００７、「原子を結合する電気力の強さを原子間に働く重力の強さで割った数」すなわちN＝10の36乗のように、これらの物理定数を非常に適切に「微調整」して設定しなければ、生命に適した宇宙は出現しないというのが彼の議論の出発点だ。

助手　二〇の調整つまみの一つ一つで、1の40乗分の1から1の40乗までの幅広い天文学的な数値の中の一つを選択して設定できるとすると、その組み合わせは、信じられないくらい膨大なものになりますね。

教授　この「宇宙製造マシン」から、現在の我々の宇宙が誕生する確率について、カナダのゲルフ大学の哲学者ジョン・レスリーは、二〇人の狙撃手が、処刑台に繋がれた君の心臓にライフルの照準を合わせ、命令と共に全員が発砲したにもかかわらず、一発も当たらなかったという話に置き換えている。

君は、なぜ生き延びることができたのか？　もし一人でも狙撃手が正確に標的を撃ち抜いていたら、君はもはや生きていないから、何も考えることはできないはずだが、全員が標的を外したおかげで、君はなぜ自分が生きているのかを考えることができる……。

助手　そのことは、何を意味するのでしょうか？

教授　一つの解釈は、揃いも揃って狙撃手全員が「偶然」ミスを犯して、標的を外したというものだ。こちらは、宇宙の物理定数が「偶然」すべて生命に都合がいいようになっていただけだと考える「弱い人間原理」の論法だ。

もう一つの解釈は、実は狙撃手全員が君の味方で、君を生かしておくように、故意に全員が標的を外したというものだ。こちらは、人間の出現が「必然」となるように宇宙が「微調整」されているとみなす「強い人間原理」の論法といえる。

ポーキングホーンによれば、後者の解釈こそが真実であり、その背景に「人間の味方」であり創造主である「神」の「奇跡」が存在しなければならないということになる。彼は、新約聖書『ローマの信徒への手紙』第一章の「世界が造られたときから、目に見えない神の性質、つまり神の永遠の力と神性は被造物に現れており、これを通して神を知ることができます」という言葉を引用して、「目に見えない神の性質」こそが「微調整」なのだと述べている。

助手 そのように言われると、説得力があるように思えます。生命や人間を生み出すような宇宙が「奇跡的」な確率でしか生じなかったとすると、そこに創造主がいたと考えるべきなのでしょうか?

教授 ところが、そこが落とし穴でね。この種の議論に出てくる「奇跡」とか「偶然」という言葉の意味に注意する必要があるんだ。

たとえば、今ここには君が存在しているが、そのためには、君に二人の親が存在しなければならない。そのためには、祖父母四人、曽祖父母八人といった具合に、君のn代前の先祖としては、2のn乗人が必要になる。

仮に一〇〇〇年遡(さかのぼ)るとすると、およそ四〇代前の先祖になるとして、その時点で先祖の総計は数兆人規模になる。この数字は、当時の世界人口を遥かに超えているから、先祖には重複があるわけだがね。

さらに遡れば、君の先祖が、七万年前の人類発生から膨大な数で連なっていることになる。仮に、そのなかの一組のカップルでもケンカ別れして子孫を残さなかったら、今の君は存在しない。

助手 つまり、私は、七万年前からの先祖たちが綿々と子孫を残し続けたという「偶然」の積み重ねによって、ここに存在しているということですね。

教授 それだけではない。そもそも君の遺伝子は、両親の精子と卵子の結合によって生じているわけだが、それ自体が非常に確率の低い「偶然」から生じているともいえる。受精だけを考えてみても、ヒトの精液には一億から四億もの精子が含まれ、もし少しでも別の精子が卵子と結合していたら、今の君とまったく同一の遺伝子は存在していなかっただろう。

助手 物理定数の「微調整」の「奇跡」についても、それほど驚くべきことではない、ということですか?

教授 そうとも考えられる。要するに、さまざまな観点から、君の遺伝子が、信じられないほどの「偶然」から「奇跡的」に生じたと解釈することはできるが、そこに必ずしも「神」を持ち出す必要はないわけだ。

一組五二枚のトランプをよくシャッフルして君に一三枚配るとしよう。その手の組み合わせは約六〇〇〇億通りになるから、いかなる一三枚の手も、六〇〇〇億分の一の確率になる。もしその手が、ハートのAからKまで順番に連なっていたら、君は「奇跡」だと思うかもしれないが、それはあくまで一つの組み合わせの「偶然」にすぎないとも考えられるわけだ。

助手 本当に不思議……。少し、考えさせてください!

第21章

「生命」とは何か?

オパーリン × ホイル

1936年
オパーリン
『生命の起源』

×

1981年
ホイル/ヴィクラマシン
『宇宙からの進化』

ハワイ生まれのコナ・コーヒー

助手　先生、コーヒーどうぞ。今日の豆は、ハワイのコナ産をミディアム・ローストに焙煎したものです。

教授　柔らかな酸味に、ほのかな甘い香りが加わって、美味い！　芳醇なコクがあるのに、これだけ爽やかで繊細な風味があるとは、ちょっと珍しいね。

助手　少し調べてみたんですが、ハワイでコーヒー栽培が始まったのは一八二五年。リオ・デ・ジャネイロから持ち込まれたコーヒーの苗が、最初はオアフ島で栽培されました。その後、試行錯誤の結果、ハワイ島西部のコナ地区の気候が最適だとわかったそうです。

教授　ハワイといえば、もちろんアメリカ合衆国の州だからね。ホワイトハウスの晩餐会では、必ず「国産」のコナ・コーヒーが出されると聞いたことがあるよ。

助手　コナ・コーヒーの豆は、サイズが大きいほど完熟度が高いということで、「エクストラ・ファンシー」、「ファンシー」、「ナンバー1」、「セレクト」、「プライム」の五等級に分類されています。一般のカフェで使用されているのが「ナンバー1」で、第五等級の「プライム」でも南米のコーヒー豆よりグレードが高いそうです。

教授 この味は、カフェで飲むコナ・コーヒーよりも上質だから、「エクストラ・ファンシー」なのかな？

助手 実は、もっとすごいんですよ。五等級とは別に、「幻のコーヒー豆」と呼ばれる「ピーベリー」という特殊な豆があるんです。コーヒーは、一つの果実に二つの半球状の豆が入っているのが普通ですが、一〇〇個中に三個の割合で、一つの果実の中に一つだけ球状の豆が入ってるものがあって、それが「ピーベリー」です。

コーヒー専門店で聞いてきたんですが、本来は二個に分かれるはずの種が一個に凝縮されているので、栄養分と脂質が豊富で、より濃厚な風味になるそうです。ただし生産量は少ないので、滅多に入荷しないみたいですよ。

教授 「ピーベリー」！ 並外れた美味さに感動したよ。

助手 先生から伺った「人間原理」の話にも感動しました。宇宙と生命と人間の関係は本当に不思議で、あれからずっと考えているところです。

トリプルアルファ反応

教授　そもそも、人間をはじめとする生命は「炭素化合物」だから、宇宙に炭素がなければ存在することができない。

その炭素の「原子核」は、陽子六個と中性子六個から構成されている。したがって、理論上は、陽子二個と中性子二個から構成されるヘリウムの「原子核」三個が結合すれば生成されるわけだが、実は、自然にヘリウムの「原子核」三個が同時に同じ位置で結合するような可能性は、ほとんどないんだ。

太陽の内部で、現実に何が起こっているかというと、ヘリウム４の「原子核」二個が結合して、陽子四個と中性子四個を「原子核」に持つベリリウム８が生じ、そこにヘリウム４の「原子核」が結合することによって、ようやく炭素12が生じるというわけだ。

助手　化学の授業を思い出しますね。原子番号では、水素、ヘリウム、リチウム、ベリリウム、ホウ素、炭素の順番……。「ヘリウム４」というのは、ヘリウムの「原子核」が、二個の陽子と二個の中性子の四個を持つから、質量４を表しているわけですね？

教授　そのとおり。ヘリウム4の原子核は「アルファ粒子」と呼ばれ、これらが三個結合して炭素が生じる恒星内部の核融合反応は「トリプルアルファ反応」と呼ばれているんだが、ここで大きな問題になるのは、その過程で生じるベリリウム8が非常に不安定な原子で、1の16乗分の1秒という短い時間で崩壊してしまうため、三個目のヘリウムと結びつくだけの時間がないはずだということなんだ。

助手　ベリリウムが1の16乗分の1秒で崩壊……。

教授　この問題に取り組んだケンブリッジ大学の宇宙物理学者フレッド・ホイルは、ベリリウムの「原子核」には特殊な性質があると想定した。

彼は、特定のエネルギーに対して「共鳴」することによって、三個目のヘリウムと結合することができる分だけ、ベリリウムの「原子核」の寿命が延びているはずだと考えたんだ。

助手　その「共鳴」とは、どういう意味ですか？

教授　ある物質の振動エネルギーが、他の物質の振動を増幅させる現象のことだよ。たとえば、ラジオは、回路の周波数と放送局の周波数が一致すると、「共鳴」によって信号が増幅される仕組みになっている。

助手　そういえば、ソプラノのオペラ歌手は、ワイングラスと「共鳴」する高周波数の声を発して、グラスを割ることができますね！

教授　物理学の世界では、「原子核」が「共鳴」を起こせば、反応プロセスが加速されるため、いわば原子の寿命が延びる状態になるとみなされるわけだ。

ところが、そのように都合よくベリリウムが「共鳴」し、その結果として炭素が生成されるというホイルの仮説は、当時の物理学界には受け入れられなかった。

ホイルといえば、宇宙が定常状態にあるとする「定常宇宙論」を唱えていたことで知られ、皮肉にも彼が敵対する理論を批判するために使った「ビッグバン」という言葉が現代主流の「ビッグバン理論」で用いられているくらいでね。彼は、学界では異端者だったんだ。

一九五一年、カリフォルニア工科大学を訪れたホイルは、原子核物理学者ウィリアム・ファウラーに、誰からも相手にされない彼の仮説を実験で検証してほしいと、何度も執拗（しつよう）に頼み込んだ。

この時にホイルが主張したのが、「炭素が宇宙に豊富に存在し、その結果として生命も人間も存在し、そのおかげで自分が存在してこのように思考している以上、炭素を生成させるような共鳴が生じているに違いない」という逆転の発想だった。

助手　その考え方は「人間原理」ではありませんか？

教授　まさに、ホイルの逆転の発想こそが、最初に表明された「人間原理」の基本理念といえる。

重い腰を上げたファウラーが実験を行ったところ、驚くべきことに、たしかにホイルの予測どおり「共鳴」によって、不安定なベリリウムの「原子核」の寿命が1の21乗分の1秒近く長引き、そのおかげで「トリプルアルファ反応」が生じて、安定した炭素が豊富に生成されていることが実証された。

ファウラーは、そこから恒星内部でさまざまな元素が形成される過程の研究を発展させて、一九八三年にノーベル物理学賞を受賞した。

助手　ホイルの仮説の正しかったことが立証されたわけですね。もちろんホイルも一緒にノーベル賞を受賞したんでしょう？

教授　それがね、肝心のホイルは、受賞できなかったんだよ。すでに話したように、ホイルは「ビッグバン理論」を否定したばかりでなく、天文学や物理学の主流理論を批判し続け、とくに生命の「自然発生説」を否定したことから、ノーベル賞選定委員会で拒否されたのではないかと噂されている。ホイルは二〇〇一年に亡くなったから、もはや彼がノーベル賞を受賞することはないわけだ。

生命の「自然発生説」

助手　生命の「自然発生説」というのは、「神」が生命を創造したのではなくて、「自然」に無機物から有機物の生命が誕生したとみなす説ですね。

教授　それによって、生命に関する議論が、神話から科学の言語で語られるようになった。「自然発生説」の元来の発想は、古代ギリシャ時代のアリストテレスにまで遡ることができるが、二〇世紀にこの主張を明快に掲げたのが、モスクワ大学の生化学者アレクサンドル・オパーリンだ。

　彼は、一九二〇年代に、生命が進化するのと同じように、物質も進化するという「化学進化説」を発表した。この理論は、「コアセルベート説」とも呼ばれている。

　原始地球では、炭素や金属などの無機物が大気中の過熱水蒸気と反応し、炭化水素が大量に生成された。それらがアンモニアと反応してアミノ酸のような低分子有機物が生成され、これらが集まった原始海洋は「有機物スープ」のような状態になったと考えられる。

　この「有機物スープ」の中で、タンパク質をはじめとする高分子有機物が化合され、それらが集まって「高分子集合体（コアセルベート）」が形成されたという。
一般に、コアセルベートは、互いに結合や分裂を繰り返し、あたかもアメーバのように振る舞うことで知られている。オパーリンによれば、コアセルベートが有機物を取り込んで「化学反応」を生じさせる段階で、原始的な物質代謝と生長を行う最初の生命が誕生した。つまり、「物質」が化学的に進化して「生命」になったわけだ。

助手　そこで「生命」という言葉は、どのように定義されるのでしょうか？

教授　「生命」そのものの定義については、生物学界でも長年の間、いろいろとテクニカルな論争が続いている。
基本的に、物質を取り込んでエネルギーに変換する「代謝」、自己の複製を残す「自己増殖」、さらに「細胞膜」で覆われているという三点を満たせば「生命」とみなされるが、これにはさまざまな例外があってね。
たとえば、ウイルスは細胞に寄生し、その細胞の増殖システムを乗っ取って爆発的に「自己増殖」するが、自分自身で「代謝」はできない。

助手　ということは、ウイルスは「生命」ではない？

教授　かといって、ウイルスを「物質」と言い切ってしまうのも難しいところでね。「生命」

と「物質」の中間に位置するというのが一番わかりやすい言い方だと思うんだが、そこから逆に、ウイルスこそが「生命の起源」だという学説もあるくらいでね。

ともかく、生物学の原点には、いろいろな議論があるんだが、さまざまなデータを検証した結果、時期的には、およそ四四億年前に最初の生命が誕生したということで、およその意見が一致している。

この時点の原始地球の大気は、主として水素とメタンとアンモニア、そこに彗星や小惑星が衝突を繰り返した。水分を含んだ大量の隕石が落下した結果、海が形成されたと考えられている。

さて、一九五三年、シカゴ大学の化学者スタンリー・ミラーは、水素とメタンとアンモニアを無菌化したガラスチューブ内に入れて水蒸気を循環させ、火花放電を継続して行ったところ、一週間後にガラスチューブ内に数種類のアミノ酸が生成された。

つまり、原始地球の大気と雷の生じる疑似状態を実験室で再現したところ、無機物から有機物が生じるという画期的な実験結果が得られたわけだ。

助手　ミラーの実験は、高校の生物学で学びましたが、無機物から有機物が生まれたという驚くべき結果には、すごく感動しました！

教授　ところが、それから六〇年以上、原始地球の状態を再現する実験が世界中で実施されてきた結果、たしかにアミノ酸のような低分子有機物はいくらでも生成されたが、それらが重結合したタンパク質は、ただの一度も生成されていないんだ。

助手　アミノ酸は、五〇個以上繋がらないと、タンパク質にはならないはずですね……。

パンスペルミア

教授　要するに、アミノ酸とタンパク質の間には、大きな「飛躍」があるわけだ。そのうえ、そもそも原始地球にはオゾン層がなく、紫外線や放射線が降り注いでいたため、アミノ酸が安定して複雑な有機化合物に進化すること自体、不可能だったのではないかという強力な反論もある。

そこでホイルが登場するんだが、彼は、地球上で生命が自然に誕生した可能性は、「がらくた置き場の上を竜巻が通り過ぎたら、そこにボーイング飛行機が組み立てられているくらいありえない話だ」と述べている。

助手　おもしろい比喩！　でも、それではホイルは、どのようにして「生命」が生まれたと主張しているんですか？

教授　地球外からだよ！　ホイルは、原始生命は宇宙で誕生し、それが彗星の衝突や隕石で地球に運ばれたと考えた。彼の発想は、ここでも通常とは逆でね。そもそも地球上に生命が自然発生した可能性がない以上、宇宙から飛来したに違いないと考えたわけだ。

助手　なるほど……。

教授　古代ギリシャ語の「パン（すべての）」と「スペルマ（種）」が結合して生じた「パンスペルミア（panspermia）」という言葉がある。紀元前五世紀の哲学者アナクサゴラスが、これを「あまねく存在する生命の種」のような意味で最初に用いた文献が残っている。

助手　「あまねく存在する生命の種」……。

教授　ホイルはSFも書いていてね、彼の『暗黒星雲』という作品では、宇宙を漂う「暗黒星雲」そのものが地球外知的生命体だということになっている。

　実際に、銀河系の星雲の内部には何種類もの有機物が発見されているから、もしかするとそれらの「生命の種」が、彗星によって地球に運ばれたのかもしれない。

助手　つまり、地球上の最初の生命は、宇宙から飛来したわけですか？

教授　その可能性が考えられる。というのは、アミノ酸は原子が立体的に組み合わさった分子で、左型と右型のように鏡像関係にある「鏡像異性体」が存在する。
　もしこれが地球上で自然発生したのであれば、どちらも同量になるはずだ。実際に、ミラーが実験室で自然発生させたアミノ酸は、どれも左型と右型がほぼ同量になっていたし、他の再現実験でも、すべて同じような結果が出ている。
　ところが、地球上の生命を構成するタンパク質は、すべて左型アミノ酸になっている。しかも、これまでに隕石から発見されたアミノ酸も左型ばかりだから、これを「パンスペルミア」の有力な証拠とみなす考え方もある。

助手　それは、本当に不思議ですね！

教授　ホイルは、実際にウイルスやバクテリアが彗星の核の内部に存在し、それが原始地球に降り注いで、地球上で最初の生命になったと考えた。
　この発想をもっと推し進めた「意図的パンスペルミア」という考え方があってね、こちらは地球が誕生する遥か以前に、高度に発達した地球外知的生命体が「意図的」に銀河系に「生命の種」を蒔いたとする考え方だ。

助手　そこまでいくと、完全にSFじゃないですか！

教授　いやいや、この「意図的パンスペルミア」を主張しているのが、DNAの二重らせん構造の発見により、一九六二年にノーベル生理学・医学賞を受賞した分子生物学者のフランシス・クリックだから、驚きなんだよ。

クリックによれば、地球上の生命の遺伝暗号が共通しているのは、すべての生命がたった一つの「種」から進化したからだ。

しかも、地球上の生命の化学組成にはモリブデンが含まれているが、この金属は地球には少量しか存在しない。一方、地球に豊富なクロムとニッケルは、生命の化学組成にほとんど含まれていない。このことから、クリックは、地球上に存在する「生命の種」が、モリブデンの豊富な惑星で誕生した名残りだと結論付けている。

助手 もし私たちが、銀河系に蒔かれた「生命の種」から進化したのだとすると、太陽系外の惑星にも、似たような遺伝子構造のETが存在することになりますね。

もしそうだったら、銀河系は生命に満ち溢れているわけだから、「フェルミのパラドックス」も解決されることになりませんか？

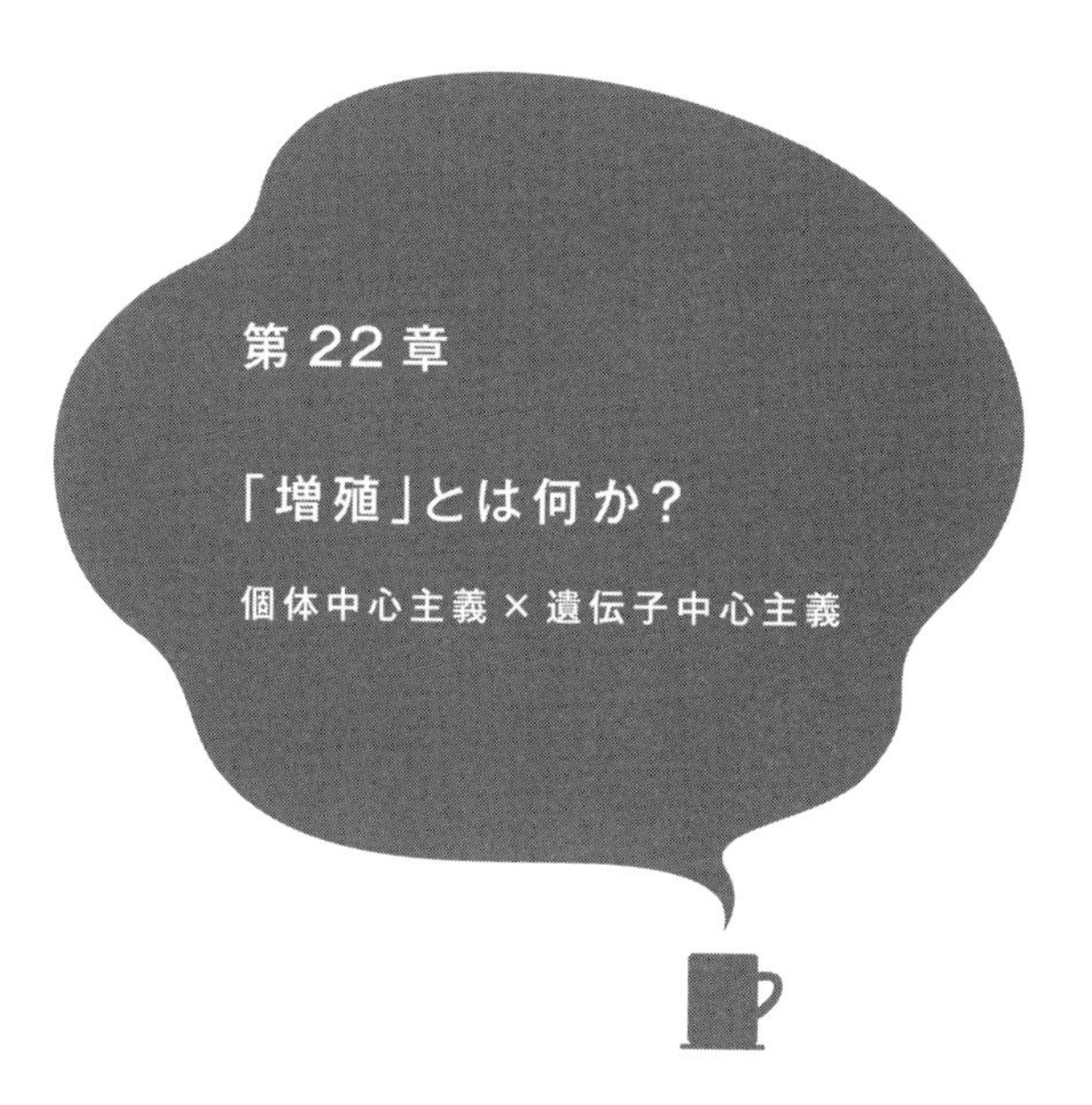

第22章

「増殖」とは何か？

個体中心主義×遺伝子中心主義

1976年

ドーキンス
『利己的な遺伝子』

暑い日はアイス・コーヒー

助手　先生、アイス・コーヒーどうぞ。暑くなってきたので、ブラジル産をフレンチ・ローストで濃く淹れて、コップ一杯の氷で急速に冷やしてみました。

教授　これは冷たい！　キリッとして爽やかな苦味が沁み渡るね。身体中を引き締めてくれるようで、美味い！

助手　いつもブラックですが、たまにはミルクとシロップを入れても、味がすごく引き立ちますよ。

ところで先生、宇宙と生命と人間の関係を考えてみたところ、やはり「進化」の概念が核にあるのではないかと思ったんですが……。

利己的遺伝子と利他的行動

教授　一八五九年にチャールズ・ダーウィンの発表した『種の起源』は、生物学界に「進化論」という大革命をもたらした。その中心にあるのが、生物は環境に適応できるように進化し、それができない種は自然淘汰されるという「自然選択説」だ。しかし、そこで問題になったのが、多くの生物に見られる「利他的」行動だった。

助手　「利他的」とは、「利己的」の反対に、他者のために自己を犠牲にするということですね。

教授　基本的には、そういう意味だ。ミツバチのメスを考えてみよう。同じ受精卵から生まれたにもかかわらず、ある幼虫はローヤルゼリーのみで育てられて「女王バチ」になって産卵する。ところが、その他の幼虫は、通常のハチミツで育てられて「働きバチ」になり、産卵せずに一生働き続け、場合によっては女王バチを守るために自らの毒針を失って死ぬこともある。なぜこれらのメスの働きバチは、自らの「個体」としての利益を捨てて、女王バチのために「利他的」行動をとるのか？

そもそも、まずは「個体」が存在し、その個体の子孫のために「遺伝子」があり、しかもそれらの個体が厳しい生存競争に晒されているとみなすのがダーウィンの「個体中心主義」だった。このような古典的な自然選択説からすると、「利他的」行動は、自己矛盾としか考えられない。

ところが、従来の発想を根本的に逆転させて、生物界の主役は「個体」ではなく「遺伝子」であり、「個体」は遺伝子の「乗り物」あるいは「生存機械」にすぎないとみなしたのが、オックスフォード大学の生物学者リチャード・ドーキンスだ。

彼は、一九七六年に発表した『利己的な遺伝子』において、さまざまな生物に見られる個体の「利他的」行動が、遺伝子レベルから見れば、すべて「利己的」行動として説明できることを、膨大な例証を挙げて明らかにした。要するに、彼は「遺伝子中心主義」を主張したわけだ。

助手 つまり、「利己的」遺伝子にとって何よりも重要なのは遺伝子を残すことであって、そのために個体を犠牲にすることもあるけれども、そのことが外から見ると、「利他的」行動に映るということですね？

教授 そのとおり。たとえば、東南アジアに生息する「爆弾アリ」は、巣に外敵が入ってこようとすると、何匹かが自分の腹を膨らませて破裂して死に、そこから飛び散った粘液が絡み付いて外敵は動けなくなる。

これらの個体は、仲間のために自分を犠牲にする「利他的」行動を取ったように映るが、実は、巣の多くの個体を助ける方が、より遺伝的に利益があるので、「利己的」遺伝子が個体を犠牲にしたと考える方が、スムーズに説明できるというわけだ。

人間を例に取ると、繁殖期を過ぎたヒトの細胞は徐々に機能しなくなり、「老化」するように遺伝子に組み込まれている。周期的に世代交代が生じなければ進化が進まないから、これも「個体」の利益とは対立する「遺伝子」の利益と考えられる。

助手　基本的すぎる質問で申し訳ないのですが、そもそも「遺伝子」とは何なのでしょうか？

教授　「遺伝子」は、「デオキシリボ核酸」つまり「DNA」と呼ばれる物質。

もう少し詳しく言うと、DNAは、アデニン、チミン、グアニン、シトシンの四種類の塩基分子が二重らせん構造を描きながら規則正しく絡み合った物質で、それらの分子の組み合わせによって遺伝情報を伝えている。

助手　ということは、「遺伝子」そのものは「生命」ではないのですね？

教授　生命ではない。一般に、これ以上分割したら生命と言えなくなるという意味での「生命」の最小単位は「細胞」で、そのサイズは一〇〇分の一ミリ程度だ。

君の身体は、約六〇兆個の細胞から作られているが、その細胞すべての中に君のDNAが入っているんだよ。

助手　細胞すべての中に遺伝子が入っているのは、無駄なように思えるんですが、どうしてそんなことが起きているんでしょうか？

教授　無駄どころか、そのＤＮＡのプログラムによって、君の身体の全細胞が形成されているんだよ。

ヒトは、精子と卵子の合体した一個の「受精卵」から生まれる。この受精卵も一個の細胞で、それが母体の子宮内で二つに分裂し、その二つがまた二つに分裂することを四〇回ほど繰り返して幾何級数的に増殖し、赤ちゃんになって誕生する時点のヒトは、約三兆個の細胞から構成されている。

最初の受精卵の中にあるＤＮＡは、細胞分裂が生じるたびに自分と同じＤＮＡを複製して新たな細胞の中に入れる。そこで、ある細胞は脳になり、別の細胞は内臓や骨や筋肉や皮膚になるといった具合に、身体中の全細胞が形成されていくわけだが、なぜこれほどうまく全組織が調整されて一個の個体になるのか、いまだに生物学界の大きな謎なんだ。

助手　たしかに、一ミリにも満たない微細な受精卵から始まって、人間の赤ちゃんが誕生するなんて、本当に不思議なことですね……。

それで、最初の受精卵の中にあるＤＮＡは、父親と母親から受け継いだ遺伝子になるわけですね？

教授　そのとおり。細胞内のＤＮＡは、実際には一億分の一メートルつまりナノメートル単位の細長い糸のような二重らせん構造だが、それが非常にうまく折り畳まれて「染色体」という形で存在している。

精子のＤＮＡは、父親の染色体の半分の二二本とＸかＹの性染色体、卵子のＤＮＡは母親の染色体の半分の二二本とＸの性染色体だから、受精卵では合計四六本の染色体が揃う。そこで精子の性染色体がＸならば「ＸＸ」で女子、Ｙならば「ＸＹ」で男子になる。

要するに、父親と母親からランダムに半分ずつ受け継いだ四六本の染色体に含まれるＤＮＡに、ヒト一人のすべての遺伝情報が含まれているわけだ。

複製子と自己増殖

助手　そこで、あらゆる生命の起源となる最初の遺伝子が、無機物から有機物に進化したという「化学進化説」と、宇宙から飛来したという「パンスペルミア説」が、論争を繰り広げているというお話でしたね。

教授　生命の起源については、すでに話したように、本当に込み入ったテクニカルな論争が続いているんだ。いずれにしても、数多くのデータを検証した結果、時期的には、およそ四億年前に生命が発生したという点では意見が一致しているがね……。

この段階の原始地球には何らかの化学物質のスープが存在し、そのスープの中で分子同士が浮遊しながらぶつかり合っているうちに安定した分子が生まれ、やがて自分と同じ分子を生み出すようになったと考えられる。これが「自己増殖」するようになった最初の分子化合物で、それをドーキンスは「複製子」と呼んでいる。

それから数十億年もの間、さまざまな複製子が枝分かれして複雑化し、何度もの突然変異を経て、より環境に適応して長生きする複製子が生まれる。ある複製子は、他の複製子を破壊し、その断片を使って自分の複製子を作るようになっただろう。これが、最初の「捕食複製子」と言えるかもしれない。

一方、攻撃された複製子は、自分を守るために分厚いタンパク質の被膜を作って、その中に入って自分を守るようになったかもしれない。ここで、ドーキンスの言う「乗り物」が誕生したわけだ。

助手　なるほど……。その「複製子」が「遺伝子」となり、「乗り物」が「生命」になったということですね。
　それにしても不思議なのですが、複製子は何のために自己増殖するのでしょうか？
教授　その点についても、数えきれないほどの議論があるんだが、ドーキンスは、「自己増殖には何の意味も目的もない」と述べている。
助手　「何の意味も目的もない」ですって？
教授　君は「不幸の手紙」を知っているかね？
助手　母から聞いたことがあります。母が小学生の頃、「この手紙と同じ文面の手紙を五人に送らなければ、あなたは不幸になる」という手紙が来たことがあって、母はバカ正直に五人の知人に同じ文面を送ったそうです。後で考えてみたら、くだらないイタズラに引っ掛かったものだと笑っていましたが……。
　今では、手紙でなくて、同じ文面を拡散させる「チェーンメール」やSNSの「拡散希望メッセージ」のように進化していますけど……。
教授　ここで注意してほしいのが、「不幸の手紙」そのものには、何の内容も意味もないことなんだよ。この種類の手紙の目的は、単純に自分の複製子を増やすことだけなんだが、それでも場合によっては大流行を引き起こすことがある。

助手　意味も目的もないのに拡散する「複製子」……。
教授　その「複製子」は、原始地球の化学物質のスープの中から、四四億年にわたって、さまざまな乗り物を作っては壊してきたが、その理由は、あくまで地球環境に適応するためだったはずだ。
　複製子の唯一の目的は、より安定的に同じ複製子を残すことで、それこそが「自然淘汰」の真の意味だということになる。
助手　そうだとすると、複製子の「乗り物」は、人類でなくてもよかったわけですか？
教授　もちろんだよ。もし過去の地球に彗星や小惑星の衝突がなかったら、その結果として生じた氷河期は存在せず、いまだに世界を制覇しているのは、哺乳類ではなく、恐竜だっただろう。
　すでに話したように、仮に地球の公転軌道がもう少し太陽に近ければ、その環境に最適な異種の知的生命に進化した可能性も十分考えられるだろう。いずれにしても、ヒトのように進化しなければならなかったという「必然性」は、必ずしも見出せないということだよ。

助手 それにしても、ずっと不思議に思っていたんですが、なぜ生物はオスとメスに分かれたんでしょうか？「無性生殖」の方が、ずっと合理的に増殖できると思うんですが……。

教授 実際に、地球に生命が誕生して以来、三六億年近くは「無性生殖」を行う単細胞生物しか存在しなかったが、およそ八億年前から「有性生殖」が始まった。それによって、さまざまな環境に適応した多種多様な生命が誕生し、飛躍的な進化が可能になったと考えられている。

助手 つまり、「有性生殖」が始まった理由は、進化に「多様性」が求められたからというわけですか？

教授 単純に増殖という観点だけからすると、たしかに無性生殖の方が「合理的」に見えるかもしれない。しかし、仮に地球環境が、大腸菌が適応できないものに変わったら、その瞬間に、すべての大腸菌が絶滅してしまうだろう。

これに対して、生物が多種多様であればあるほど、どれかの生物が環境に適応して生き残る可能性が増えてくるから、遺伝子は「有性生殖」の生存戦略を採るようになったと考えられる。

助手 でも、大腸菌は絶滅していませんよね。

教授 大腸菌は、その名前のとおり、哺乳類や鳥類のように生存能力の高い生物の大腸に寄生することによって生き延びた。この菌は、最適な温度設定で十分な栄養を与えれば、二〇分ほどの短い時間で分裂するから、一個の大腸菌が翌日には一兆個にも増殖する。

おそらく、大腸菌にも過去数億年の間に何度か絶滅の危機もあったはずだが、たった一個の個体さえ生き残ることができれば、再び驚くべき増殖力によって蘇ることができる。「無性生殖」は、ひたすら増殖することによって生き残りを目指す「質よりも量」の生存戦略を採っているわけだ。

それに対して「有性生殖」は、それほど大量に増殖するわけではなく、個体の成長にも時間がかかるが、環境に対する適応の柔軟性が非常に高く、「量よりも質」を重視した生存戦略だと言える。

助手 おもしろいですね！

教授　実は、我々の好きなコーヒーに含まれる「苦味」を進化論的に考えてみても、非常に興味深い視点が浮かび上がってくるんだよ。

助手　それは、どういうことですか？

教授　そもそもヒトの「味覚」は、基本的には四種類に分類される。ブドウ糖に代表されるエネルギー源としての「甘味」、ナトリウムイオンに代表されるミネラル源としての「塩味」、クエン酸などに代表される新陳代謝促進源としての「酸味」、そしてカフェインに代表される「苦味」だ。

　これにグルタミン酸ナトリウムなどの「うま味」、カプサイシンなどの「辛味」、タンニンなどの「渋味」を加えて七種類に広げれば、およそ世界中の飲食物の味の認知をカバーすることができると言われている。

助手　「甘味」・「塩味」・「酸味」・「苦味」・「うま味」・「辛味」・「渋味」の七種類が味覚の基礎になっているんですね。

教授　ここでおもしろいのは、「苦味」は多くの毒性物質に含まれる味だから、本来は遺伝的にヒトが好む対象ではないということなんだ。実際に、この嗜好性は先天的なものだから、赤ちゃんに「甘味」を与えると最初から喜んで舐めるが、「苦味」を与えると泣いて吐き出す。

助手　たしかに私も、子どもの頃は苦い物が嫌いでしたね。どうして大人になると変わったのかしら……。

教授　植物由来の苦味は「アルカロイド」と呼ばれる毒性物質で、ほとんどの動物は口にしないし、バクテリアや粘菌（ねんきん）でさえ与えられると逃げ出すほどだ。

　植物が毒を作り出した理由は、光合成を行う葉や養分を吸い取る大切な根を動物に食べられないようにするためだった。植物は動物のように移動しないから、毒によって、自分を守るように進化したというわけだ。

　一方、種子の入った果実は甘くすることによって、昆虫や動物を引き寄せて食べさせ、それらの排泄物（はいせつぶつ）によって、新たな場所に種子を蒔くことができる。

助手　考えてみたら、驚くべき仕組みですね！

教授　そこで、非常に興味深い「苦味」の特性に気付くんだよ。それはね、現在の地球上で、コーヒーやビールをはじめ、茶やワイン、魚介類の内臓やニガウリのような苦味物質を好んで飲食するのは、人間だけだということだ。

　それればかりでなく、人間は、アルカロイドからマラリアの特効薬ストリキニーネなどの有効成分を抽出することにも成功した。つまり、我々人間は、苦味物質と共存するようになったというわけだ。

助手 「本来は遺伝的にヒトが好む対象ではない」という「苦味」を人間が好むようになったということは、もしかしたら、「個体」としての人間が、「遺伝子」の命令に背くようになったということではありませんか?

教授 よく気がついたね。そこを考えてみてごらん!

第23章

「進化」とは何か？

ドーキンス×グールド

1986年

ドーキンス
『盲目の時計職人』

1999年

グールド
『神と科学は
共存できるか』

教授からの差し入れ

教授　いつも美味しいコーヒーを淹れてもらっているから、今日はスターバックスでプレゼントを買ってきたよ。
今回、店で薦められたのは、期間限定の「エスプレッソ・アフォガート・フラペチーノ」という長い名前で……。

助手　エスプレッソが香ばしいですね。苦味がフラペチーノと混ざって不思議な食感、美味しい！

この「苦味」が「本来は遺伝的にヒトが好む対象ではない」なんて、本当におもしろいですね。しかも、現在の地球上で「苦味」を好んで飲食するのは、あらゆる生物の中で人間だけだとは……。先生のお話を伺ってから、苦い物を飲んだり食べたりするたびに、これは「個体」としての人間が「遺伝子」の命令に背くようになったおかげだと思うようになりました！

でも、その遺伝子の「自己増殖が何の意味も目的もない」という点が、よくわからなくて……。

インテリジェント・デザインと自然淘汰

教授　一八世紀のイギリスの神学者ウィリアム・ペイリーは、野原を歩いていて時計を拾ったら、この物体をどのように考えるべきか、と問いかけた。

時計は、時刻を表示するという明確な「目的」を果たすため、非常に複雑かつ精密な「デザイン」に基づいて制作されている。したがって、この時計が自然界の「偶然」によって生み出されたというよりも、それを設計して制作した人間が存在するに違いないと推測するのが当然だということになる。

ペイリーによれば、時計と同じように、野原の植物や昆虫、さまざまな動物や人間を観察すると、何らかの目的と厳密に計算された設計があるようにしか思えない。この世界に設計があったとすれば、その背景には設計者としての創造主が存在しなければならないというのが、ペイリーの「目的」論的な神学だ。

助手　たしかに、自然界の「食物連鎖」などを考えてみても、とてもうまくデザインされているように見えます。そのように言われると、やはり自然や宇宙には何らかの「目的」があるようにも思えます。ただ、そのことと神がどのように結びつくかはわからないのですが。

教授　簡単に騙されてはいけないよ。というのも、生物の複雑性や多様性は、進化論によって明快に説明することができるからだ。オックスフォード大学の生物学者リチャード・ドーキンスは、一九八六年に発表した『盲目の時計職人』において、次のように述べている。

「ダーウィンが発見し、すでに受け入れられている自然淘汰は、意識のない盲目の自動的過程であり、そこには何の目的もない。自然淘汰には、心もなければ内なる意識もありはしない。将来計画もなければ、視野も展望も見通しも、何もない。もし自然淘汰が自然界の時計職人の役割を演じているというなら、それは盲目の時計職人である」

助手　「盲目の時計職人」とは、皮肉な言葉ですね。

でも、こんなに多彩な生物が「偶然」から地球上に出現したというよりも、「デザイン」されて生まれたと考える方が、素直に理解できる気がするんですが……。

以前、天文学者のフレッド・ホイルが「化学進化」の可能性は「がらくた置き場の上を竜巻が通り過ぎたら、そこにボーイング飛行機が組み立てられているくらいありえない話だ」と言ったという話を伺いました。その意味でも、無機物から生命が「偶然」生じたと考えることには、少し無理があるような気がしているんです。

教授　そこでよく注意してほしいのは、「自然淘汰」が単なる「偶然」とは根本的に異なる概念だということだ。

そもそも「自然淘汰」とは、生存に有利な遺伝的形質をもつ個体が、より多くの子孫を残すことによって、数百万年から数千万年といった非常に長期的な時間を経て、種の形質が置き換えられていく状況を表している。

たとえばキリンを例に取ると、突然変異で生じた首の長いタイプのキリンは、短いタイプのキリンよりも高い木の葉の食用に適していたため、より多くの子孫を残し、結果的に首の長い種に置き換えられていったわけだ。

つまり、「首の長いキリンが高い木の葉を食べるのに適していたために残った」のが事実であって、よく誤解される点なのだが、目的論者が言うように「高い木の葉を食べるためにキリンの首が長くなった」のではないし、創造論者の言うように「高い木の葉を食べるのに便利なように首の長いキリンを神が創造した」わけでもない。

ただし最近の創造論者は、そこまであからさまに「神が創造した」とは言わずに「インテリジェント・デザインに基づいて創造された」と主張しているわけだがね。

助手　それはきっと、生命誕生の背景に「神」を直接持ち出すよりも、「知的設計」があったと言う方が布教しやすいからでしょうね。

教授　生物学者や物理学者のような科学者の中にさえ、その種の創造論の信者がいることも事実だ。

これらのインテリジェント・デザイン論者の中には、おおむね進化論を認めたうえで、「自然淘汰」こそが「神がその創造を達成するために用いた方法」だとみなしている学者もいる。

助手　それならば、なぜ神が必要になるのでしょうか？

教授　まさに、そこが問題だよ。生物の複雑性や多様性を「自然淘汰」で説明できるのであれば、さらに設計者としての「神」を持ち出すのは、いたずらに問題を複雑にするだけだ。というのも、仮に「自然淘汰を設計した神」が存在するならば、今度は、その神はどこで設計されたのかという新たな問題が生じるからね。

助手　神の問題は別として、先日から伺っている「遺伝子」といえば、やはり生命の「設計図」のようなものですよね？

そうなると、どうしてもそこに設計者がいるような気がしてしまうんですが……。

もう一度伺いますが、ランダムな突然変異と自然淘汰だけから生じた割には、生物種はあまりにも複雑多岐にわたり、あまりにも精確に設計されているようには思われませんか？

教授　いやいや、そんなことはないし、それにはいくらでも証拠があるんだよ。これは非常に大事なことなので、もう一度説明しておこう。

たとえば、生物の脳を考えてみよう。インテリジェント・デザイン論者によれば、脳こそが地球上で最も複雑で、高度に「設計」された生物の部分システムであるはずだが、実際の生物の脳は、すべて進化の過程において部品が継ぎ足された寄せ集めにすぎない。

その起源は、およそ五億年前のホヤに出現した「神経管」にあり、魚類・両生類・爬虫類では脳の大部分を神経管の膨らんだ「脳幹」が占め、鳥類・哺乳類になると「小脳」と「大脳」が大きくなり、霊長類で大脳の新皮質が発達して、初めて高度な知性が生じる。

つまり、生物の脳は、それぞれが構造に合わせて設計されたものではなく、新たな機能が継ぎ足されて進化してきたわけで、ヒトの脳には生物の進化の歴史が刻まれていることになるわけだ。

助手　なるほど！　もし旧約聖書の『創世記』にあるように「神の形に人を作った」のであれば、人類は最初から、継ぎはぎだらけではなく完成された「脳」を持っているはずだから変ですね。

教授　そのとおり。非常に単純化して言えば、トカゲの脳の上に大脳辺縁系を継ぎ足したものがネズミの脳で、それに新皮質を継ぎ足したものがヒトの脳なんだよ。もちろん、ヒトの新皮質は大脳皮質の九割以上もあるから、ネズミの脳の機能とは比べ物にもならないほど複雑だが、構造上はネズミの脳を土台にしていることに違いない。

ジョンズ・ホプキンス大学の神経科学者デイヴィッド・リンデンは、「脳はさまざまな側面から見て、もし誰かが設計したのだとしたら、『悪夢』と言えるくらい酷(ひど)いものである」と述べているが、このことからもインテリジェント・デザインなどなかったことは明らかだろう。

漸進的進化論と断続平衡説

助手　結果的に地球上で最も進化した生命は人類なので、その人類を生み出すために「進化」があったとする世界観が生じるんでしょうね。この点については、文化人類学の授業で調べたことがあるんですが、世界中の神話や伝説、宗教的あるいは社会文化的な世界観は、ほとんどが自然の中心に人類を据えるものになっていますからね。

教授　しかし、進化生物学的に考えると、それらはとんでもなく自己中心的な発想だということになるわけだ。

ドーキンスは、小さな自然選択が無数に積み上げられた結果、とても登れそうにない山の頂上に辿り着くことこそが「進化」だと述べている。人類が、非常に高度な「脳」を獲得したのは、五億年以上の時間を費やして、無数の生物が淘汰された結果だというわけだ。

助手　生物は、高い山の斜面を一歩一歩登ってきた、それが「進化」……。

教授　そのように「進化」は漸進的に生じるというのがドーキンスの「漸進的進化論」なんだが、実は、それには大きな反論があるんだ。

ハーバード大学の生物学者スティーヴン・ジェイ・グールドは、アメリカ自然史博物館の古生物学者ナイルズ・エルドリッジと共に、一九七二年、進化は断続的に生じるという「断続平衡説」を主張した。

エルドリッジの専門は、古生代の海洋無脊椎動物だが、それらの中でも、世界各地で数多く産出されている三葉虫の化石を詳しく調査した結果、新しい種が極めて短期間に発生し、いったん発生した後には、長期間変化していない傾向を発見した。

助手　その期間というのは、どの程度なんですか？

教授　地質学の時間間隔は、途方もなく長いからね。一般に、種が存続するのは二〇〇万年から三〇〇万年と言われているが、グールドとエルドリッジによれば、三葉虫の新しい種が発生した期間は五万年程度にすぎない。二〇〇万年に対して五万年というのは、全体の二・五パーセントにすぎないから、その意味では「瞬間的」と言える。

助手　五万年が「瞬間的」！

教授　ドーキンスの「漸進的進化論」によれば、生物は、常に環境に適応するように「選択圧」を掛けられているので、その形態は少しずつ変化していくはずだ。ところが、実際の化石を調べてみると、新しい種が化石に現れるときには、すでに発生する前の種とは完全に異なる形態になっている。たとえば、ホモ・ハビリスは、少しずつホモ・エレクトスに変化していったのではなく、地質学的には、瞬間的に新たな種として発生し、その後、絶滅するまで、同じ形態を保っている。

助手　何らかの種が絶滅すると、短期間で新しい種が爆発的に増えるということですか。彗星や小惑星が地球に衝突して、恐竜が滅びた話を思い出します。

教授　まさにグールドは、「偶然」による種の大量絶滅が、地球上の生命に大きな影響を及ぼしたと述べている。

以前にも話したように、もし六五〇〇万年前に小惑星が地球に衝突しなければ、その結果として生じた氷河期も存在せず、いまだに世界を制覇しているのは恐竜だっただろう。その世界では、大きな哺乳類は恐竜のエサになってしまうから、おそらく小さな昆虫を食べるネズミ以上のサイズには進化できなかっただろう。

助手　「進化」は「必然」ではないということですね？

教授　ドーキンスもグールドも、「進化が必然的に人類を生み出した」といったインテリジェント・デザイン的な発想を徹底的に否定している。

グールドによれば、どの生物が生き残るかは、完全に「偶然」の結果だ。もしカンブリア紀に戻って、生命の初期条件を少しだけ変化させても、現在とはまったく異なる生態系が地球上に生じていると考えるわけだ。

進化する自由

助手　そこで「遺伝子」の命令に「乗り物」としての「個体」が背くようになったというド

ーキンスの理論は、どういうことなのでしょうか？

教授　最も単純な生命を考えてみよう。たとえば大腸菌は、たった一個だけの細胞からできている「単細胞生物」だが、このように原始的なバクテリアは、どれも「遺伝子」の命令どおりに動いている。つまり、「遺伝子」が直接運転する車のような乗り物だが、これが複雑な生命に進化していくと、「遺伝子」が直接命令を下すわけにはいかなくなる。そこで、「遺伝子」は「一般的問題解決装置」を生命に組み込むようにしたわけだ。

たとえば、サケには、生まれてしばらくしたら川を下って海で成長し、再び母川に戻って放卵あるいは放精するという本能を組み込んだ。しかも、そこまでの仕事をやり終えたサケの免疫力は急速に低下し、すぐに死んで世代交代が頻繁に起こるような仕組みになっている。また、ある種のカマキリは、交尾中にメスがオスの頭を食べて、その刺激によって射精される仕組みになっているが、これももちろん「遺伝子」の命令による行動でね……。

助手　私、カマキリでなくてよかった……。

その「個体」としての人間が、避妊によって、繁殖せずに性行為を行うようになったわけですから、これこそが「遺伝子」に対する叛逆になるわけですね。

教授　まさに、そのとおりだよ。「利己的遺伝子」は、性行為によってヒトの脳内にドーパミンやエンドルフィンのような快楽物質が分泌される報酬を与え、それによって繁殖が頻繁に生じるような「一般的問題解決装置」を与えた。ところが、ヒトは避妊によって、その快楽部分だけを取り出すことに成功したわけだ。

「利己的遺伝子」の命令に「乗り物」が背く現象を「ロボットの叛逆」と名付けたのが、トロント大学の認知科学者キース・スタノヴィッチだ。彼は、次のように述べている。「私たちはロボット——複製子の繁殖に利するように設計された乗り物——かもしれないが、自分たちが、複製子の利益とは異なる利益を持つということを発見した唯一のロボットでもある。私たちは、まさしく、SF小説に登場する脱走ロボット——みずからを創造した存在の利益より、みずからの利益を優先させるロボット——である」

助手　私たち人間は、「利己的遺伝子」のロボットとして生まれてきたにもかかわらず、本来の主に叛逆し、自らの道を歩もうとしている。もしかすると、それが「自由意志」なのでしょうか？

教授　そのような解釈も、十分可能だろう。実際に、タフツ大学の認知科学者ダニエル・デネットは、「自由が進化する」と述べている。

スタノヴィッチによれば、人間の脳内では、無意識的に「利己的遺伝子」の利益に沿って判断する「自律システム」と、あくまで「個体」としての自分自身の利益が何かを理性的に考える「分析システム」が競合している。

ところが、世界が進歩するにしたがって、「分析システム」が優位に動き始めるというのがデネットの主張だ。

たとえば現代の人間は、ある決断をしなければならない場合、どんな選択をしたらどうなるかを経験者に確認したり、互いに議論を深めたりしながら検討することができる。ネットワークの存在しない時代の人間が、すべて自分で試行錯誤しなければならなかったのとは大違いだろう？

つまり、現代の人間は、コミュニケーションやシミュレーションを共有することによって、より高度な自由を手に入れることができるわけだ。

助手　私たちは、インターネットで世界中の人々と意思疎通することができるし、どんな問題についても調査検討し、話し合える。つまり人類は、かつて予想もできなかったような「自由」を享受しているわけですね！

「進化する自由」について、もっと考えてみます。

第24章

「意志」とは何か？

自由意志論×自己実現理論

1955年

ビーヴァー
『ザ・ギネス・ブック・オブ・レコーズ』

×

1962年

マズロー
『自己実現理論』

お茶みたいな味のコーヒー

助手　先生、コーヒーどうぞ。姪がバドミントンの世界選手権大会に参加して、そのおみやげなんですが、どこの産地の豆か、おわかりになりますか？

教授　これは爽やかな香りだね。あまり苦味もコクもないが、ほのかな酸味があって、コーヒーというよりも、紅茶のような感覚……。アフリカ産や南米産の芳醇さとは異質の味だから、アジア産に間違いないだろう。ということは、ベトナム産かインドネシア産あたりかな？

助手　かなり正解に近いです！　これ、実は、中国の雲南省（うんなんしょう）で穫（と）れたコーヒー豆なんです。

　プーアル茶が有名なプーアル市で、スイスのネスレ社が実験栽培を始めたのが一九八八年、その後マックスウェル社やスターバックス社のような大手企業も参入して、今では「雲南咖啡（ウンナンコーヒー）」が中国のコーヒー生産量の大部分を占めているそうです。このコーヒー豆は「雲南高黎貢山（カオリーコンシャン）」というブランド名ですが、お茶みたいな味ですね。

教授　たしかに優しい味だね。これだったら、コーヒーが苦手な人でも、軽く飲めるかもしれない。

　そういえば、君の姪御さんは、東京オリンピックを目指していたね。それで遠征に行ったわけか……。

助手　そうなんですよ。この猛暑の中で、毎日がんばって練習している姿を見ると、本当に感心します。

ギネス記録の意味

教授　競技に勝つためには、「強靭（きょうじん）な意志」が何よりも大切だからね。
助手　「自由」の話を伺ってから不思議に思っているんですが、そもそも人間が何かを「自由」に「意志」するとは、どのようなことなのでしょうか？
　私の姪は、一日も欠かさずに練習を続けているんですが、その目的はオリンピックに出場すること。選ばれるかどうかもわからないのに、どんなことがあっても諦めないという不屈の「意志」を持つことは立派だと思いますが、その力がどこから来るのか……。
教授　「継続は力なり」と言うが、それを継続させるだけの「意志」が何なのかを改めて考えてみると、意外と難しくてね。たとえば、世の中には、なぜか毎日フルマラソンを走っている人もいるんだが……。

助手　フルマラソンというと、四二・一九五キロでしょう！　これを毎日続けて走るなんて、本当にできるんですか？

教授　オリンピックに出場するような長距離ランナーになると、練習のために三日続けてフルマラソンを走ることもあるそうだ。二〇〇九年には、五二日連続フルマラソン達成という記録が日本で生まれている。

さらに、この記録を大幅に塗り替えたのが、ベルギーのシュテファーン・エンゲルスというランナーだ。彼は、二〇一〇年二月六日から二〇一一年二月五日まで、ちょうど一年間三六五日、フルマラソンを走り続けたというギネス世界新記録を達成したんだよ。

助手　フルマラソンを一年間毎日走り続けるなんて、想像しただけでも気が遠くなりそうですが……。世の中には、本当に不思議な限界に挑戦する人がいるんですね。

それにしても、その人は、なぜ二月六日に挑戦を始めたのかしら？

教授　そこが彼の驚異的なところなんだよ！　実はエンゲルス氏は、二〇一〇年一月一日に、一年間一日も休まずにフルマラソンを完走するという誓いを立てた。ところが、一月一八日に脚を怪我してしまったんだ。
　そこで彼は、その日の内にバイクを購入して、そのバイクでマラソンコースを走り続けた。そして脚の完治した二月六日、再び記録をゼロに戻して、自分の足で走り始めたというわけだ。

助手　凄い！　その方の年齢は？

教授　ギネス記録達成時のエンゲルス氏は、四九歳。アスリートとしては決して若くない年齢だろう。まさに鉄のような「意志」の持ち主と言える。

助手　ギネス記録というのは、誰が決めるんですか？

教授　イギリスのギネス・ワールド・レコーズ社の記録認定委員会が、世界中から申請された記録の内容を詳細に検討して吟味し、認定する仕組みになっている。
　もとはといえば、この記録認定は、一九五一年にギネス醸造所の最高経営責任者ヒュー・ビーヴァーが狩りに出かけたとき、「ヨーロッパムナグロとライチョウのどちらが速く飛ぶか？」と友人と議論になったことがきっかけで始まったといわれている。そのどちらも、それほど速く飛ぶ鳥ではないんだが、狩猟中にどちらを狙うかは大問題だからね。
　そこからビーヴァーは、何でも世界一の事例ばかり収集してみようと思いついて、部下にその成果を『ザ・ギネス・ブック・オブ・レコーズ』にまとめさせた。
一九五五年、この本の初版を刊行したところ、瞬く間にイギリスをはじめヨーロッパ各国でベストセラーになり、その後は毎年、改訂版が刊行されるようになった。今では世界一〇〇か国以上で三七の言語に翻訳され、通算一億冊以上の販売数を誇っている。つまり、『ギネス世界記録』という本そのものが、著作権所有書籍の販売数のギネス世界記録を更新し続けているというわけだ。

意志と意思

助手 それはおもしろいですね！ さまざまな分野のギネス記録を見ると、これらを達成させる人間の「意志」の力には、驚かされるばかりです。

教授 もともと「意志」という言葉は、英語の“will”あるいはドイツ語の“Wille”の翻訳語でね。その後、「意思」という漢字も当てはめられるようになった。
今では、目標を達成するために理性的あるいは知性的に思考することが主体になる場合には「意思」、それよりも感性的な自発性を主体とする場合には「意志」という漢字が用いられている。

助手　漢字の「意志」と「意思」は紛らわしいですね。

教授　法律用語は、「意思」で統一されている。個人の「意思」を尊重する場合や「意思表示」もそうだし、法律効果の発生を意図する「効果意思」などにも「意思」が使用されている。

一方、哲学界では、圧倒的に「意志」の方が主流だ。最初に「意志」という概念に注目して独自の哲学を構築したのは、一九世紀のドイツの哲学者アルトゥル・ショーペンハウアーだった。彼は、生涯を孤独に犬と暮らした厭世(えんせい)主義者でね。

ショーペンハウアーの代表作『意志と表象としての世界』によれば、世界は「私の表象」であり、その根底は「盲目的意志」に支配されている。この「盲目的意志」は、飽きることなく永遠の欲望を抱き続け、そのため人間は苦悩の連続に陥らざるをえない。

助手　「苦悩の連続」……。

教授　たとえば、人間は必ず年老いていくが、いつまでも若いままでいたいと願うし、必ず病気になるが、いつまでも健康を願うものだ。つまり、人間は、決して満たされない欲望を抱き続けて、苦しみ続ける。したがって、「苦悩の連続」に陥らざるをえないというのが、ショーペンハウアーの厭世主義の根幹にある発想だ。

彼とは正反対の楽観主義者だったアメリカの哲学者ウィリアム・ジェームズは、ショーペンハウアーのことを「世界に吠える機会を失うぐらいだったら、今よりも十倍ひどい世界に住んで吠え続けたいと願う犬」のようだと評している。

ショーペンハウアーは、せっかくベルリン大学講師に就任できたにもかかわらず、当時最も人気のあったゲオルク・ヘーゲル教授に対抗して同時刻に講義を行い、彼の教室には誰も学生が来なかった。それでも彼は、一年間、常に満員のヘーゲル教授と同時刻に授業を行い続けた。これなど、まさにショーペンハウアー自身が招いた悲劇なんだが……。

助手　ショーペンハウアーは、自分から「苦悩の連続」を求めていたみたいですね。むしろ、喜劇のように聞こえてしまいますが……。

ハルトマンの宇宙的無意識

教授　そのショーペンハウアーから大きな影響を受けたのが、ドイツの哲学者エドゥアルト・フォン・ハルトマンだ。ハルトマンは、軍人の家庭に生まれ、一六歳で砲兵連隊に入隊したが、二三歳のときに膝を挫傷(ざしょう)して除隊している。
その後、大学に進学して哲学博士号を取得し、研究者としての人生を踏み出した途端に、膝の持病が悪化して歩けなくなり、残りの人生は、ほとんど家に籠って、苦痛と闘いながら、寝たきりで執筆に専念した。

助手 それは辛かったでしょうね……。

教授 ハルトマンは、ショーペンハウアーの後継者と自他共に認めて、さらに徹底した悲観主義を主張した。

彼は、ショーペンハウアーの「盲目的意志」の概念を受け継いで、人間は「無意識」に支配され、その無意識が三つの幻想を人間に抱かせると考えた。それらは、①人間は現世で幸福になる、②人間は来世で幸福になる、③科学の発展によって少なくとも人間世界は改善されている、という欲望だ。

ハルトマンは、これらの三つの欲望がいかに幻想にすぎないかを示すため、徹底的な批判を展開した。たとえば、現世で人類が最も成功を成し遂げたローマ帝国の崩壊がいかに悲惨な結果を歴史にもたらしたか、来世の存在がどれだけ科学的に信頼に値しないか、かといって、その科学がもたらす大量破壊兵器が今後どれだけの人間を殺戮し地球にダメージを与えるのか……。

助手　どの批判も、正しいように聞こえますが……。

教授　そうだね。一般に、さまざまな哲学者や思想家の論法は、頭からすべて間違っているようなことはない。ただし、それぞれ一面では正しいことを言っていても、それらを統合した結論が大きく違ってくるのが、おもしろいところでね。

助手　なるほど。それで、ハルトマンは、どのように考えたのですか？

教授　ハルトマンによれば、要するに、現世には幸福がなく、幸福な来世もなく、科学の発展が人間世界を改善することもない。こんな「苦悩の連続」をもたらす世界で生きていく必要があるのか、むしろ人間は自殺する方がよいのではないか、と彼は考える。

　ところが、個人が自殺しても、本質的な問題は解決されない。というのは、ハルトマンによれば、人間は巨大な「宇宙的無意識」の一部であって、人間は宇宙内部で進化するにつれて、「宇宙的意識」へと発展するように位置づけられた存在だからだ。

助手　壮大な話になってきましたね！

教授　そこからハルトマンは、もっと先に話を進める。

　人間は苦悩するために存在しているわけだから、消滅するに越したことはない。ところが、仮に全人類が自殺したとしても、数億年もすれば、再び「宇宙的無意識」は新たな人間を地球上に生み出して、彼らが再び苦しまなければならない。さらに、仮に地球を破壊したとしても、「宇宙的無意識」はどこか別の惑星上に「盲目的意志」に支配される知的生命体を生み出し、彼らが人間と似たような苦悩を背負わなければならないだろう。

それでは、人間はどうすればよいのか？ ハルトマンの結論によれば、人間はできる限り進歩的な精神を持って、科学を発展させるべきだということになる。

助手 何ですって？ ハルトマンは、科学の発展が人間世界を改善することはないと批判したんですよね？

教授 そのとおりだが、ここでハルトマンが科学を発展させるべきだと言っているのは、人類を幸福に導くためではなく、人類があらゆる知識をもって「宇宙的無意識」を「宇宙的意識」に進化させ、宇宙が二度と生命を生み出したりしないように、絶対的に宇宙そのものを消滅させる方法を見つけるためなんだよ。

助手 つまり、宇宙が自殺するということですか！

教授 簡単に言えば、そういうことだ。「存在の悲劇」が二度と繰り返されないように、人類は進化して、宇宙を永遠に消滅させなければならない、というわけだ。

教授　信じられない発想！　ハルトマンって、きっと本当に不幸な人だったんでしょうね。そんなにまで、ありとあらゆる存在を消し去りたいという内容の原稿を、病気で寝たきりのベッドの上で書いていたかと思うと、ゾッとしますが……。

教授　ところが、実際にハルトマンの完成させた『無意識の哲学』を読むとわかるんだが、彼は未来の人類が科学的に進化して、宇宙そのものを永遠に消滅させる方法を発見するに違いないと心の底から信じていてね。その意味では、彼の遺作は、とても悲観主義者とは思えないほど幸福な調子で終わっているんだよ。

助手　悲観主義が行き過ぎると楽観主義になるということ？　おもしろいですね！

マズローの自己実現理論

教授　一方、認知科学的に「意志」を考えると、まったく別の発想になる。ヒトに一定の刺激を与えたら、特定の反応が生じる。乳児期から成人にいたるまで、ヒトは与えられた環境における刺激反応の繰り返しによって目標達成や自己実現への「欲求」を持つようになるわけで、それこそが「自由意志」を生み出すと考えるわけだ。

ブランダイス大学の社会心理学者アブラハム・マズローの「自己実現理論」によれば、人間とは自己実現に向かって成長を続ける存在であり、この成長は五段階の階層に基づく「欲求」によって説明される。

第一段階の「生理的欲求」は、食事・排泄・睡眠など生命維持のために欠くことのできない最も根源的な欲求。第二段階の「安全の欲求」は、衣類・住居の完備、事故予防・健康状態が維持できるような秩序だった環境を得ようとする欲求。第三段階の「愛情と所属の欲求」は、愛情を受けると同時に与えたい欲求、集団の一員として安定して継続的に受け入れられたいという欲求。第四段階の「承認の欲求」は、独立した自己として他者から価値を認められ、社会的に尊重されたいという欲求。第五段階の「自己実現の欲求」は、自分の可能性を最大限に発揮して、自分にとって最も価値あることを達成したいという欲求だ。

助手　そのように整理されるとわかりやすいですね。たしかに私たちは、最終的には社会において承認され、自己を実現しようとする存在でしょうから……。

教授　欲求が生じると、脳神経系に興奮と緊張が起こり、それが不快感や焦燥感といった情動を伴う。たとえば、喉が渇いているのに水を飲めない場合、あるいは眠りたいのに睡眠をとれないような場合、ヒトは「欲求不満」の状態に陥るが、それが満たされさえすれば、安定感や満足感が得られる。
　一般に、生活環境において個人の欲求が満たされている状態を「適応」と呼ぶが、愛情・所属・承認のような高度な社会的欲求については、必ずしも常に適応状態にあるとは限らない。そのような場合、つまり自己の欲求が社会的に満たされない場合に必要になるのが「自制」で、これこそが意志的行動を導くとも考えられる。

助手　自制できなかったら、どうなるんでしょうか？

教授　爆発性の衝動的行動を取るかもしれない。

助手　つまり「ヒステリックな行動」のことですね。人間は、自己欲求が満たされない生活環境の中で、ヒステリーを起こさないように懸命に自制して生きている。そう言われてみると、「自由意志」などといっても、そのほとんどは「自制」に費やされている気もしますね。もっと「自己実現」について、考えてみます。

第25章

「習得」とは何か？

ワトソン×チョムスキー

1930年

ワトソン

『行動主義』

1965年

チョムスキー

『普遍文法』

北京のコーヒーデリバリー

助手　先生、コーヒーどうぞ。この豆は、姪が北京の「瑞幸咖啡(ラッキンコーヒー)」で買ってきたお土産ですが、先日の「雲南咖啡」と比べていかがですか？

教授　こちらは、フルーティな香りだね。強い酸味と豊かなコクがあって、まるでアフリカ産みたいだが……。

助手　よくおわかりになりましたね！　これはエチオピア産の豆を中国で焙煎したものだそうですよ。

北京や上海では、日本と同じようにスターバックスが人気なんですが、瑞幸咖啡は、世界各地のコーヒー豆の販売や配達を中心に伸びているらしいです。

教授　配達だって？

助手　顧客がアプリで注文すると、そのコーヒーを淹れる様子を映像で確認できて、さらに会社や自宅まで二〇分程度で配達してもらえるシステムだそうです。

教授　それで、その値段は？

助手　レギュラーサイズのコーヒーを配達してもらって三〇元（約四九〇円）ですって。ほぼ同じ大きさのスターバックスのコーヒーが三〇元ですから、同じ値段で配達までするというのがウリらしいです。

教授　ピザと同じ感覚でコーヒーの配達とは……。

助手　そういうことを思い付く人間の「心理」について考えているんですが、やはり「心理学」の文献を読むべきでしょうか？

行動主義宣言

教授　そもそも「心理学（psychology）」とは、人間の「心（psycho）」を研究するため、一八七九年にライプツィヒ大学の哲学者ヴィルヘルム・ヴントが創始した学問だが、その方法は「内観」に基づくものだった。

助手　「内観」？

教授　ヴントの定義によれば、「自己の心的過程を自ら観察し記述すること」だ。こう言うと難しそうだが、要するに、毎日、何が嬉しかったとか悲しかったとかいう自分の感情の移り変わりを日記のように書いて、そこから「心」の動きを読み取ろうとする方法でね。これでは科学というよりも、文学に属する手法といえるだろう。

この種の「内観心理学」を徹底的に批判したのが、ジョンズ・ホプキンス大学の心理学者ジョン・ワトソンだった。一九一三年、ワトソンは、後に「行動主義宣言」と呼ばれるようになる歴史的な講演を行い、科学者が研究すべきなのは「心」や「意識」のような主観的な概念ではなく、客観的な観察に耐えうる「行動」でなければならないと主張した。

助手　ヴントの「内観心理学」は、科学的な学問としては成立しないということですね。

教授　ワトソンは、実証的研究こそが科学であり、過去の「心理学」は新たに生まれ変わって「行動科学」に移行しなければならないと宣言したわけだ。

その影響から、欧米の大学や研究機関では、従来の「心理学」という名称を「行動科学(behavioral science)」に変更した学科や専攻も多く見られる。とはいえ、もちろん今でも「心理学」を使っているところも数多いがね。

とくに二〇世紀以降の心理学は、実験心理学・臨床心理学・発達心理学・社会心理学・犯罪心理学・家庭心理学・スポーツ心理学などのように、多岐にわたる研究分野に分化して、研究成果を挙げていることも事実だ。

助手　日本の大学を検索してみると、「心理学専攻」と「行動科学専攻」を並立しているところもあります。「心理学・行動科学科」という学科もありますね。

教授　ワトソンが手本にしたのは、一九〇四年にノーベル生理学・医学賞を受賞したイワン・パブロフだった。

助手　パブロフといえば、「条件反射」を発見したロシアの生理学者ですよね？

教授　そのとおり。ただし、パブロフが条件反射を発見したのは、偶然の結果でね。彼は、イヌが食物の刺激に対してどのように反応するか、肉とミルクとパンのように異なる餌を与えたときに、それぞれ唾液と胃液の分泌量がどのように変化するかを研究していた。

　ところが彼は、いつもイヌに餌を与える係の学生が部屋に入ってくるだけで、イヌの唾液腺が反応していることに気付いた。イヌが特定の人物を見て唾液を分泌することは生来の無条件反射とは考えられないから、彼はこれを「条件反射」と名付けた。

　この現象を再現するために、パブロフは、ベルの音を一分間聞かせた後に、イヌに餌を与えることを繰り返した。その結果、イヌは、ベルの音を聞いただけで、餌を与えなくとも唾液を分泌するようになった。つまりそのイヌは、ベルの音に「条件づけられた」わけだ。

助手　でもそれはイヌの話ですよね。私は大学の心理学の講義中にもずっと思っていたのですが、人間はそんなに単純ではないでしょう？

教授 そう思うかね？　それでは、今ここで実験してみようか……。

ちょっと想像してほしい。ちょうど今、君はマラソンを走り終えたばかりで、汗だくになって、喉が渇ききっているとしよう。君の目の前に真黄色のレモンがあるが、これを君はナイフで二つにカットして、搾り汁の湧き出ている切り口に齧り付いたとする。そのあまりの酸っぱさに、君は身体中が震え上がった！

さて、君の唾液腺も刺激されたのではないかね？

助手 たしかに唾液が出てきました！

教授 それが「条件反射」だ。君は、過去にレモンの酸っぱさを何度も体験して条件づけられているから、唾液腺が反応して、唾液を分泌したというわけだ。

ワトソンは、人間の「心的過程」とは、外界からの「刺激」に対する「反応」を生じさせる物理的状態だと定義した。ここでいう「刺激」と「反応」は、たとえば「レモン」という言葉に対する「唾液」分泌の増加や、特定の映像を見た場合の脈拍の変化のように、測定して物理的に数値化できるから、科学的な研究対象になる。つまり、これらの目に見える現象を直接的に観察することによって、心的過程に何が生じたのかを理論化しようとした点に彼の功績があるわけだ。

助手　人間の「行動」を観察して、そこから逆に「心」の変化を理論化するということですね。でもその方法では「心」の変化は見えないのではないでしょうか？

リトル・アルバート実験

教授　それでは、具体例を挙げてみよう。一九一九年、ワトソンは、乳児の「恐怖心」がどのように変化するかを解明するために、後に有名になった「リトル・アルバート実験」を行った。

ワトソンと助手のロザリー・レイナーは、保育園にモルモットやウサギなどの小動物を連れて行って、これらの動物にもっとも「無反応で感情を表さない」赤ちゃんを探した。それが生後一一か月のアルバートで、彼はどの動物を見ても無表情で、まったく泣かなかったため、被験者に選ばれたというわけだ。

助手　時々いますね、何に対しても動じないような、堂々とした赤ちゃん！

教授　そこで実験が始まった。まず助手のレイナーが、アルバートの目の前にモルモットを置く。アルバートが興味を持って手を伸ばして、モルモットを撫でた瞬間、アルバートの後ろに立っているワトソンがスチール棒を叩いて「バン」と大きな音を立てる。アルバートは驚いて息をのみ、唇を震わせて泣き始める。

　しばらくしてアルバートが泣き止むと、再びレイナーが目の前にモルモットを置いて、同じことを繰り返すというわけで……。

助手　その実験、ちょっと残酷すぎませんか？

教授　現代では、とても許されないタイプの人体実験だが、当時は、この実験によって、「心理学」に革命が起きたとみなされたわけだ。

　ともかく、ワトソンとレイナーは、モルモットをアルバートに見せて、彼が触れた瞬間に大きな音を出すことを何度も繰り返した。その結果、アルバートは、モルモットを見ただけで、音を出さなくとも泣きだすようになった。つまり、モルモットを見れば泣くという条件づけができたわけだが、ここまでだったらパブロフのイヌと同じ条件反射実験にすぎない。重要な実験は、この時点から始まった。

　その後一か月の間、ワトソンとレイナーは定期的に保育園を訪れて、アルバートに小動物を見せ続けた。すると、以前は何を見ても無表情で泣かなかったアルバートが、モルモット以外のウサギやイヌを見ただけでも泣きだすようになり、さらに、毛皮のコートや毛糸を見ただけでも泣きだすようになった。

この変化は、アルバートの脳内でモルモットに対するものだった「恐怖心」の対象が広がったと考えなければ説明がつかないだろう？　つまり、ヒトの感情は一定の刺激と反応の結合を拡張させることが実証されたわけで、これこそがワトソンの予測した結果だったんだよ。

助手　それで、アルバートは、どうなったんですか？

教授　ワトソンは、次の段階では、アルバートから恐怖心を取り除く実験に取りかかる予定だった。

助手　恐怖心を取り除くって、どうやるんですか？

教授　もちろん、恐怖心を与えた実験の逆を行うんだよ。次の実験では、アルバートの目の前にモルモットを置いて、彼が触れた瞬間に、キャンディを舐めさせたり、くすぐって笑わせたりして、幸福感を与えるようにする。この条件づけに成功すれば、モルモット以外のウサギやイヌ、さらに毛皮のコートや毛糸を見ただけでも、アルバートはクスクス笑いだすはずだったが……。

助手　それで、実際にはどうなったんですか？

教授　残念なことに、アルバートが行方不明になってしまったんだよ。これは両親が急にアルバートに保育園を辞めさせて引っ越したからで、彼らは誰にも行き先を告げなかったから、その後のアルバートがどうなったのかは不明なんだ。

助手　それは酷すぎます！　アルバートは、小動物恐怖症にされたままじゃないですか！

教授　たしかに、非人道的な実験だ。ワトソンのような行動主義者は、人間を機械のようにしか思っていない一面もあるからね。

ワトソンによれば、「行動科学」の目的は、ヒトの行動の法則を発見し、ヒトが次に欲求する行動を予測し、その行動をコントロールすることにある。

ワトソンは次のように述べている。「一人の健康な乳児と自由に操作できる育児環境を私に与えてもらえたら、その子の才能、嗜好性、傾向、知能、適性、人種などにいっさい関わりなく、医師、弁護士、芸術家、商人、物乞い、泥棒など、どんな専門家にも育てられることを保証する」とね……。

助手　よく映画に出てくる「マッド・サイエンティスト」みたい！

教授　ここでワトソンが前提にしているのが、ヒトは生まれながらに「タブラ・ラーサ(tabula rasa)」だという考え方だ。これはラテン語で「磨いた板」という意味でね。人間は、生まれたときには何も書いていない「白紙」のようなもので、経験によって知識を書き込んでいくという「経験主義」の大原則だ。

助手　なるほど。ワトソンは、乳児は「白紙」のようなものだから、どんなことでも書き込んで、「どんな専門家にも育てられる」と、豪語したわけですね。

教授　ところが、その考え方については、遥か昔から哲学界で大きな論争がある。

そもそも人間の思考というか、推論の形式は、大きく二種類に分けられる。「普遍」的な前提から「個別」的な結論を導く推論方法を「演繹法」と呼び、その逆に、「個別」的な前提から「普遍」的な結論を導く推論方法を「帰納法」と呼ぶ。

論理学や数学で用いられる公理系は、最初に「普遍」的に真と認められる公理を設定し、それらの公理に推論規則を適用して、新たに「個別」的な定理を導くように構成される。このような「演繹法」の特徴は、前提が真であれば結論も必然的に真であることで、古代ギリシャ時代のユークリッド幾何学に始まり、アリストテレスの論理学や中世のスコラ哲学において重視され、デカルトやスピノザに代表される「合理主義」に引き継がれた。彼らの哲学は、知識の根拠を「理性」に求める反面、形而上学的な思弁に終始する傾向が強かったとも言える。

これに対して、とくにイギリスで発展したベーコンやホッブズに代表される「経験主義」は、知識の根拠を「経験」に求めることによって、外部世界を物理的に理解しようとする傾向にあった。近代科学の方法論を確立したベーコンは、何よりも多くの「個別」的事例を観察して、それらに共通する「普遍」的パターンを発見することによって、自然の一般法則を抽出すべきだと考えた。このような「帰納法」に対する暗黙の信頼が、現代科学の方法論にも引き継がれているわけだ。

さて、二〇世紀になって、合理主義と経験主義の対立が明確になったのが、「言語習得」を巡る論争だった。

助手　子どもたちが、どのように母語を習得するのか、という問題ですね。

教授　ヒトは、生まれて数日も経つと、母親の表情を認識できるといわれている。次第に、相手の反応を見ながら、笑ったり泣いたりするようになり、生後三か月から半年も経つと、「喃語（なんご）」と呼ばれる「ババババ、ダダダ」などの音の連続を発するようになる。

一歳になれば、「ワンワン」のような単語を発音できるようになり、一歳半頃になると「ワンワン好き」のような二語を発する「二語文期」に入る。それ以降、「三語文期」・「四語文期」と言語能力は急速に発達し、二歳半頃には、語尾変化を省略させた電報のような文を発することができるようになる。

助手　「電報のような文」ですか？

教授　たとえば「ママ・ケーキ・食べた」とか「パパ・リンゴ・美味しい」のような文だ。

ここで注意してほしいのは、幼児が「主語・目的語・述語」の文法構造に適当に単語を当てはめて、これまで経験したことのない文を作り出すことができる点だ。このことは、「白紙」に経験が書き込まれるように、子どもが経験したことだけをモノマネして言語を習得しただけではないことを示している。

助手　なるほど！　サルやイヌに芸を教える際には、何度も同じことを繰り返して覚えさせる。けれども、人間は、自力で新しい文を作り出せるわけですね。

教授　そのとおり。そこで合理主義の立場から、ヒトは生まれながらに「言語獲得装置

(Language Acquisition Device)」を備えていると提唱したのが、マサチューセッツ工科大学の言語学者ノーム・チョムスキーだった。

かつて大きな謎だったのは、あらゆる言語圏において、どんな子どもでも、同じような言語習得過程を示し、四、五歳になれば、「母語」で自分の考えを言い表せるようになるという事実だ。たとえば、算数の問題を解いたり、ピアノを弾いたりすることには、個人間で大きな得手不得手があるが、言語習得については誰でも同じようにできる。

なぜこのような普遍性があるのか、経験主義では説明できなかった。しかし、チョムスキーの「生成文法」と呼ばれる言語習得理論ならば、うまく説明できるわけだ。

助手　考えてみれば、誰も何も教えていないのに、全世界の幼児が自然に母語を話せるようになるなんて、本当に不思議なことですね。

第26章

「公平」とは何か？

選好×民意

1951年

アロー
『社会的選択理論における不可能性定理』

腹が立った日の一杯

助手　先生、コーヒーどうぞ。今日は、すごく腹が立つことがあったので、思いきり苦く淹れてあります。

教授　たしかに苦い！　しかし、深みのあるコクにスパイシーな香り、その中に甘さもあって、美味いよ。この苦味は、焙煎が深いこともあるだろうけど、コーヒー豆本来の苦味だね。

助手　よかった、苦すぎるんじゃないかと思っていたので……。豆は「マンデリン・トバコ」です。「マンデリン」といえばインドネシア産なんですが、とくにスマトラ島トバ高原の肥沃な火山性土壌がコーヒー栽培に最適で、厳選された豆だけが「マンデリン・トバコ」と呼ばれるんですって……。

教授　それにしても、何に腹を立てたのかね？

助手　今朝は大学の「給与委員会」に出席して、私たち助手の給与ベースアップが議題だったんですが、一時間も話し合っていないのに、理事会サイドの委員長が「これ以上の審議は時間の無駄」だと宣言して、一方的に「強行採決」したんですよ！

教授　それでは「審議を尽くした」とは言えないなあ。まるで、どこかの国の国会審議みたいじゃないか……。

助手　どんな議題でも「強行採決」に持ち込まれたら、多数派の意のままじゃないですか！　そんな手段は、とても民主主義的とは思えません。

単記投票方式のパラドックス

教授　民主主義社会の意思決定といえば「多数決の原理」に基づいているわけだが、実は、その原理そのものに「不可能性」が潜んでいる。あまり広く知られていないが、これは、大変な問題なんだよ。

一九五一年にスタンフォード大学の数理経済学者ケネス・アローが証明した「不可能性定理」によって、民主主義を完全に満足させるような社会的決定は不可能であることが明らかになっている。

アローは、この業績を数学的に厳密に構成して「一般均衡モデルの定式化」を導き、一九七二年にノーベル経済学賞を受賞した。同じくノーベル賞経済学者のポール・サミュエルソンは、アローの定理について、「ゲーデルの定理が数学に与えたのと同じ衝撃を、経済学と政治学にもたらした」と評価しているくらいだ。

助手　「民主主義を完全に満足させるような社会的決定は不可能」とは、物凄い結果じゃないですか！

教授　アローの定理の基本的なアイディアは、一七八五年に、フランスの数学者ニコラ・ド・コンドルセが発見した「投票のパラドックス」にまで遡ることができる。

コンドルセは、「もしXよりもYを好み、YよりもZを好むならば、XよりもZを好む」という「選好の推移律」が、個人において成立するにもかかわらず、集団の多数決においては成立しない事例を示し、多数決に矛盾が生じる可能性を最初に示した。

助手　そんな事例が、現実に起こるんですか？

教授　たとえば、A・B・Cの三人が、一緒に旅行に行くことにしたとしよう。目的地は、Aがニューヨーク、Bがロンドン、Cがパリを最も希望しているとすると、単純な多数決では三者三様で結論が出ない。そこで彼らは、目的地の選好順序を定めて、決選投票を行うことにした。ここで「XをYよりも好む」ことを「X＞Y」と表記すると、三人の選好順序は、たとえば次のように表される。

A：ニューヨーク＞ロンドン＞パリ
B：ロンドン＞パリ＞ニューヨーク
C：パリ＞ニューヨーク＞ロンドン

ここで、「ニューヨークとロンドンのどちらを選ぶか」という投票を行うと、二対一でニューヨークが選ばれる。次に「ニューヨークとパリのどちらを選ぶか」という投票を行うと、二対一でパリが選ばれる。さらに「パリとロンドンのどちらを選ぶか」という投票を行うと、今度は二対一でロンドンが選ばれるだろう？

つまり、この集団は、ロンドンよりもニューヨーク、ニューヨークよりもパリを好むにもかかわらず、パリよりもロンドンを好むことになる。

助手　なるほど。個人において成立している推移律が、集団の多数決においては成立しないわけですね。

教授　いつまで話し合っても循環して結論が出ないため、彼らは三つの目的地のうち「二つの目的地の勝者」と「残りの目的地」を投票で定めることにした。

たとえば、Aは、ロンドンとパリを比較した勝者ロンドンと、残りのニューヨークを対決させて、ニューヨークに決定すべきだと主張するわけだ。ところが、このような「勝ち抜き方式」では、「残りの目的地」が必ず勝つことがすぐにわかる。つまり、ニューヨークとロンドンから始めるとパリ、ロンドンとパリから始めるとニューヨーク、パリとニューヨークから始めるとロンドンに決定する。

したがって、BとCもそれぞれに都合がよい投票順序を主張するため、この方式でも結論は出ないことになる。

助手　ジャンケンと同じ構造ですね。

教授　ここで注意してほしいのは、投票を行う順序によって投票結果が変化するという驚くべき矛盾だ。逆に言えば、投票を行う順序や投票方式や日程を決定するために「戦略」が生じることがわかるだろう。

助手　投票方式や日程も多数派の意見に従わなければならないと、ますます少数派は勝てなくなりますね。

教授　実は、複数選択肢から単数を選択して投票する「単記投票方式」そのものが、必ずしも理性的な投票方式とは言えないことがわかっている。

この事実は、コンドルセと同時代の数学者ジャン＝シャルル・ド・ボルダによって最初に指摘された。たとえば、A～Gの七名が一緒に旅行に行くとして、各々が次のような選好順序をもつと仮定する。

A：ニューヨーク＞ロンドン＞パリ
B：ニューヨーク＞ロンドン＞パリ
C：ニューヨーク＞ロンドン＞パリ
D：ロンドン＞パリ＞ニューヨーク
E：ロンドン＞パリ＞ニューヨーク
F：パリ＞ロンドン＞ニューヨーク
G：パリ＞ロンドン＞ニューヨーク

この七名が「最も希望する目的地」を単記投票すると、ニューヨーク（3票）・ロンドン（2票）・パリ（2票）となり、ニューヨークに決定する。ところが、同じ七名が「最も希望しない目的地」を単記投票すると、ニューヨーク（4票）・ロンドン（0票）・パリ（3票）

となり、これもニューヨークに決定する。

つまり、この七名の「単記投票方式」によれば、この集団が「最も希望する目的地=最も希望しない目的地」となるわけで、とても理性的な社会的決定とはいえない。

このような欠点を回避するために考案されたのが、単記投票一位の得票数が過半数に満たない場合は、上位二者の決選投票を行うという「上位二者決選方式」だ。オリンピック委員会をはじめ、この投票方式を用いている集団は多いが、それでも必ずしも矛盾を回避できないことは、簡単に例示できる。再びA～Gの七名が一緒に旅行に行くとして、各々が次のような選好順序をもつと仮定する。

A：ニューヨーク＞パリ＞ロンドン
B：ニューヨーク＞パリ＞ロンドン
C：ニューヨーク＞パリ＞ロンドン
D：パリ＞ロンドン＞ニューヨーク
E：パリ＞ロンドン＞ニューヨーク
F：パリ＞ロンドン＞ニューヨーク

G：ロンドン∨ニューヨーク∨パリ

この七名が「最も希望する目的地」を単記投票すると、ニューヨークとパリの決選投票になり、ニューヨークに決定する。ところが、「最も希望しない目的地」を単記投票すると、ニューヨークとロンドンの決選投票になり、これもニューヨークに決定する。つまり、決選投票の上で過半数以上の票を得ていながら、「最も希望する目的地＝最も希望しない目的地」という矛盾が再び生じる。

複数投票方式のパラドックス

助手　「単記投票方式」でも、「上位二者決選方式」でも矛盾が生じるとなれば、どうすればよいのでしょうか？

教授　一八世紀以降、この種の矛盾を回避するために、さまざまな投票方式が考案されてきた。

たとえば、あくまで公正を期すために、各立候補者と一対一の総当たり決選投票を行う「総当たり方式」や、一位票の最も少ない立候補者を除外して再投票を繰り返す「勝ち抜き方式」なども生み出されたが、これらは何度も投票を繰り返さなければならないので、実際には手間がかかりすぎる。
　そこで生み出されたのが「複数記名方式」のように複数の候補者に投票する方式だ。さらに選好の順位も評価に加える「順位評点方式」では全体順位を重視して、たとえば1位票＝4点、2位票＝3点、3位票＝2点、4位票＝1点のように定め、それに票数を乗じた総合得点（「ボルダ点」と呼ばれる）の最高得点者を当選とする。

助手　その方式は、とても公平に見えますね！

教授　ところが、この方式にも重大な問題があるんだよ。
たとえば、四名の候補者A・B・C・Dに対して、①〜⑦の七名が次のような選好を記入したと仮定しよう。

①：D＞C＞B＞A
②：A＞D＞C＞B
③：B＞A＞D＞C
④：D＞C＞B＞A

⑤：A＞D＞C＞B
⑥：B＞A＞D＞C
⑦：D＞C＞B＞A

ここで各候補者のボルダ点を集計すると、D（22点）＞A（17点）＞B（16点）＞C（15点）の順になる。そこで、D候補が当選ということになるわけだが、そこで、このD候補が就任を辞退したとする。

助手 辞退ですって？

教授 残念ながら、選挙後に運動員が買収で捕まったり、公示した経歴が詐称だったり、理由はともかく、当選者が辞退することは、現実にも起こりうることだからね。

そこで、選挙管理委員会が、D候補を除いて改めて集計を行うと、次のようになる。

①：C＞B＞A
②：A＞C＞B
③：B＞A＞C

④：C＞B＞A
⑤：A＞C＞B
⑥：B＞A＞C
⑦：C＞B＞A

　ここで改めて各候補者のボルダ点を集計すると、C（15点）＞B（14点）＞A（13点）の順になる。そこで、C候補が当選ということになるんだが、最初の選挙のボルダ点の集計では、A（17点）＞B（16点）＞C（15点）の順になっていただろう？

助手　順番がすべて、ひっくり返っていますね！

教授　つまり、最上位者がいなくなると、それ以下の選好順序がすべて逆転する奇妙な現象が生じたわけだ。

助手　でも、このケースでは、次点がA候補かC候補か、という問題ですよね？　それならば、事前に次点の繰り上げ方式を決めておけばよいのではないでしょうか？

教授　もちろん、順位評点方式で選挙を行う場合には、次点をどのように繰り上げるか、事前に定めるのが普通だよ。しかし、ここで論理的な問題になるのは、AとCの二つの選択肢の選好順序が、それら以外の選択肢の順序の変化に伴って変わってしまうという点にあるわけだ。

これは「無関係対象からの独立性」（XよりもYを選べば、たとえZを含めて考慮しても、やはりXよりもYを選ぶ）と呼ばれる民主主義の根本原則に違反している。

それればかりではない。仮に四名の立候補者に対して三名が投票した結果、次のような順位になったとしよう。

①：A＞B＞C＞D
②：A＞B＞C＞D
③：B＞A＞C＞D

ここで各候補者のボルダ点を集計すると、A（11点）＞B（10点）＞C（6点）＞D（3点）の順になるから、A候補が当選する。ところが、有権者③が自分の選好順序を偽って、故意に次のように投票したとする。

①：A＞B＞C＞D

②：A＞B＞C＞D
③：B＞C＞D＞A

すると、各候補者のボルダ点は、B（10点）＞A（9点）＞C（7点）＞D（4点）の順になり、B候補が当選することになるだろう？

助手　「順位評点方式」の抱える問題が見えてきました。有権者が順位を意図的に変化させることによって、選挙結果に不正をもたらすことができるわけですね。

教授　そのとおり。専門的には「戦略的操作可能性」と呼ばれているが、要するに、個人やグループが意図的に選好順序を偽って投票することによって、結果的に自分たちに好ましい候補者を当選させるような策略が生じるということなんだ。

アローの不可能性定理

助手　「単記投票方式」にも「複数投票方式」にも問題があるとすると、どうすればよいのでしょうか？

教授　投票方式を定めるために新たな投票を行うこともできるが、その投票そのものにも同じ欠陥が潜んでいる。この「循環」は、論理的に断ち切れないんだ。それを証明したのが、さきほど話したアローなんだよ。

アローの「不可能性定理」は、二人以上の個人が三つ以上の選択肢に選好順序をもつ場合、次の四つの条件を満たす社会的決定が不可能であることを表現している。

その条件とは、①個人の選好は自由である（個人は与えられた選択肢にいかなる選好順序ももつことができる）、②全員一致の選好は社会的決定とする（全員がXよりもYを選べば、社会もYを選ぶ）、③二つの選択肢の選好順序は他の選択肢の影響を受けない（個人がXよりもYを好めば、たとえZを含めて考慮しても、やはりXよりもYを選ぶ）、④独裁者は存在しない（ある特定個人の選好順序が、他の個人の選好順序にかかわらず社会的決定となることはない）。

これらの四つの条件は、どれも社会的決定における「民主主義」の原理として必要不可欠な条件とみなされている。しかし、アローは、これらの条件すべてを満たす「完全民主主義」が不可能であることを証明した。つまり、いかなる投票方式を用いたとしても、四つの条件のどれか一つが、必然的に成立不可能になるわけだ。

要するに、四つの条件を満たす、いかなる投票方式を用いたとしても、大多数がXよりもYを選好し、大多数がYよりもZを選好するにもかかわらず、大多数がZよりもXを選好するような社会的決定が実際に起こりうる。その意味で、アローの「不可能性定理」は、「完全な民主主義システム」の不可能性を証明したものといえる。

助手　驚きました！　これまで「民主主義」といえば「多数決」で「公平」だと安易に考えていましたが、その投票方式自体が矛盾を抱えていたなんて！

教授　それでも多くの選挙で「単記投票方式」が用いられる理由は、当選者に強い「リーダーシップ」が求められているからだ。一方、学会の理事や審議会の委員など、専門家集団で複数の代表者を選出する場合には、「複数投票方式」が用いられる。これは、どちらかというと無難な「八方美人」タイプを選びたいためだろう。

助手　投票方式を選ぶ時点で、当選者のタイプも暗黙のうちに予期されていたとは……。

第27章

「正義」とは何か？

ロールズ×サンデル

1971年
ロールズ
『正義論』

×

1982年
サンデル
『自由主義と正義の限界』

可愛らしく甘さを添えるコーヒー

助手　先生、コーヒーどうぞ。今日は、可愛らしく「ウィンナ・コーヒー」にしてみました。

教授　エスプレッソの苦味にホイップ・クリームの甘味が加わって、独特の風味で美味い！寒くなってくると、この糖分が身体に染み渡るね。

助手　コーヒー・ショップでは、カプチーノにホイップ・クリームを浮かべたものを「ウィンナ・コーヒー」と呼んでいますが、それでは甘すぎると思って、エスプレッソに直接ホイップを浮かべてみました。

教授　そういえば、ウィーンでは、カプチーノのことをフランス語の「混ぜたもの」を意味する「メランジェ」と呼んでいたね。

これにホイップ・クリームを浮かべると「フランツィスカーナー」になる。こちらはドイツ語で「フランシスコ会修道士」を意味するが、その由来は、彼らの僧服の色に似ているからだと聞いたことがある。

助手　それはおもしろいですね！

教授　ウィーンのカフェで「ウィンナ・コーヒー」を注文すると、出てくるのは、ビールジョッキのようなグラスにコーヒーと同量の生クリームが載せられた「アインシュペナー」だから、注意が必要だね。

助手　それは、どういう意味ですか？

教授　ドイツ語の「アインシュペナー」は「一頭立て馬車」。一九世紀のウィーンで馬車の御者が身体を温めるために飲んでいたことから名付けられたらしいが、凍えるような中で馬を御していた彼らは、おそらくブランデーも混ぜていただろう。

助手　なるほど、それだったら凄く温まりそう……。ウィーンの御者にとっては、一杯の「アインシュペナー」が最高の「快楽」だったんでしょうね。

快楽主義と功利主義

教授　「快楽こそが善」とみなすのが古代ギリシャ時代のエピクロス以来の「快楽主義」でね。近代の「快楽主義」すなわち「功利主義」の創始者として知られるのが、一八世紀のイギリスの哲学者ジェレミイ・ベンサムだ。

ベンサムは、社会全体の「幸福」を個人の「快楽」の総計だとみなした。そして、一人より二人、二人より三人と、より多くの個人が、より多くの快楽を得ることのできる社会を目指すべきであり、その「最大多数の最大幸福」こそが、それまでの宗教的あるいは王侯貴族の権威に代わる新しい道徳だと考えたわけだ。

助手　でも、「幸福」や「快楽」のような概念を、どのように客観的に比較するんですか?

教授　ベンサムは、一七八九年に発表した『道徳および立法の諸原理序説』において、人間の快楽を一四種類に分類している。「感覚・富・熟練・親睦・名声・権力・敬虔・慈愛・悪意・記憶・想像・期待・連想・解放」の快楽……。彼は、これら一つ一つの「快楽」を分類して、その量を数値化して計算すればよいと考えた。たとえば、「感覚の快楽」は、さらに九種類の「味覚・酩酊・嗅覚・触覚・聴覚・視覚・性的感覚・健康・新奇」の快楽に分類される。

ベンサムは、これらの快楽について、①どのくらい強いか(強さ)、②どのくらい続くか(持続性)、③どのくらい確かなものか(確実性)、④どのくらい待たなければならないか(遠近性)、⑤どれほど他の快楽を伴うか(多産性)、⑥どれほど他の苦痛を伴わないか(純粋性)、⑦どれほどの数の人々に影響を及ぼすか(範囲)の七点を数値化し、それを最大にする行為を計算しようとした。

助手 そんなに細かな主観的な概念を、どうやったら客観的に数値化できるんですか？

教授 それはよい質問だね。実はベンサムは、自分の著書の中では、一度もその数値化した実例を示していない。とはいえ、彼がこの理論を主張した一七八九年といえば、フランス革命が起こって人権宣言が採択され、科学界ではニュートン力学が確立されて、機械論的な世界観が広まってきた時代だ。つまり、ベンサムは、理論上、人間心理も物理的に数値化して計算できるに違いないと想定した上で、「功利主義」を主張したわけだよ。

助手 「功利主義」の背景に、科学的な合理主義があるというのは、よくわかる気がします。

功利主義と民主主義

教授 簡単な例を挙げよう。たとえば、五人の学生が一緒に食事に行くとする。彼らは、大学の近くにある和食か中華かイタリアンの三軒から選ぶとしよう。

ここで「最大多数の最大幸福」というのは、各自が行きたいレストランを希望順に並べて3点・2点・1点を付けて、それぞれのレストランの合計得点を出すようなものだね。そうすれば、五人の集団がトータルで最も望んでいるレストランが最も高い得点になるわけで、その店に行けば、五人にとってトータルで最大の幸福を得ることができることになる。

助手　その方式は、以前伺った多数決の「順位評点方式」じゃないですか！　そのような多数決に基づくのが「民主主義」ですが、完全に民主的な社会的決定方式が存在しないことは、一九五一年にケネス・アローが証明した「不可能性定理」によって明らかにされたというお話でしたよね。

教授　そのとおり。この定理は、「最大多数の最大幸福」のような概念を社会的に「公平」に達成できない可能性を示しているわけだから、功利主義に大きな打撃を与えることになる。さらに、功利主義には、もっと根源的な問題も指摘されているんだ。

そもそも「最大多数」という言葉を考えてみると、そこにどうしても切り捨てられる個人が出てくることが予想できるだろう。たとえば、さきほどの例で、五人の中の四人が中華料理店を第一志望に選んだとすると、もちろん最高得点ということで彼らは中華料理店に行くことに決定する。しかし、仮に残りの一人にはアレルギーがあって、中華料理をまったく食べられないときには、どうすればよいのか？

助手　つまり、四人は与えられた条件で最大のプラスを得るとしても、残りの一人が極端なマイナスになってしまう場合、どうすればよいのかということですね。

ハリスの反例

教授 この問題をもっと極端な形にして、もし一人の健康な人間がボランティアで死んで身体中の臓器を提供してくれれば、一〇人の重病人が回復して非常に幸福になる場合、どうすればよいのか、という事例もある。

このように、功利主義が普遍的道徳と矛盾した帰結を導くのではないかという議論は、カント以来ずっと続いているもので、最近の哲学者も類似した論争を繰り返している。たとえば、マンチェスター大学の哲学者ジョン・ハリスは、次のような具体的な事例を挙げている。

ここに、心臓病で死にかかっている病人と、肝臓病で死にかかっている病人がいるとする。二人の余命は残り数か月だが、人生にやり残したことがあって、どんなことをしてでも生き延びたいと思っているとしよう。たとえば、一人は、あと数年だけ生きられたら、ガン治療法を発見できる科学者だとする。もう一人は、最高峰の芸術作品を完成できるような、人類に多大に貢献する可能性のある芸術家だとしよう。

そこで二人は相談して、ホームレスを捕まえてきて脳死状態にして、その心臓と肝臓を自分たちに移植するよう医師に要求したとする。もし君が医師だったら、二人を手術するかね？

助手　うーん、難しいですね。もし私が手術を拒否したら、目の前の脳死者はそのまま亡くなり、二人の病人も助からない。つまり、三人が死亡することになる。一方、もし私が手術したら、脳死者が死んでも二人は生き延びることができるから、「最大多数の最大幸福」の原理に従えば、私は手術を行うべきだということになりますが……。

教授　もちろん、もし実際にこのようなことが起これば、二人の患者は殺人罪に問われることになるだろうが、裁判が長期化すれば、少なくとも二人は生きていられる。

つまり、あくまで二人の寿命を延ばしたいという功利主義的観点から見ると、彼らの行為は正当化されるとみなされるわけで、ここに普遍的道徳に対する矛盾があるというのがハリスの指摘なんだ。

実は、「最大多数の最大幸福」という概念を追求すると、どうしても「少数者の犠牲」が出てくることには、ベンサムも気付いていた。そこで彼は、途中から著作で「最大多数」という言葉の使用を止めて「最大幸福」の追求としか言わなくなったという事実がある。
　法律家としてのベンサムは、不必要な苦しみから囚人を解放しようと考えて、刑務所改善法案をイギリス議会に提出し、当時は完全にタブー視されていたゲイを法的に擁護した最初の人物としても知られている。

助手　「最大多数の最大幸福」を主張したベンサムが、身をもって少数派を擁護していたとは……。

教授　いずれにしても、ハリスの反例に示されているように、功利主義は普遍的道徳の指針になりえないとみなす見解がある。その一方で、個人の幸福追求における平等性を保障するためには、功利主義以上に理性的な考え方はないとみなす見解もある。
　仮に功利主義を批判すると、多数決を中心とする民主主義も、利潤追求を中心とする資本主義も、同時に批判の対象になりうるため、これは倫理学上の大問題として、今でも論争が続いているわけだ。

ロールズの正義論

助手　考えてみると、人間は、一般に幸福に関しては鈍感ですが、不幸に関しては敏感なのではないでしょうか。「最大多数の最大幸福」を追求すると、一定の少数者が不幸のどん底に落ちていって、「最大幸福」の人との格差が非常に大きなものになるような気がします。

ですから、社会は、まずそのような「最大不幸」の可能性を排除すべきだと思います。つまり、「最大多数の最大幸福」ではなく、「最大多数の最小不幸」を追求すべきなのではないでしょうか。

教授　それは、非常に重要な点に気付いたね。実は、ベンサム以降、功利主義は、さまざまな批判に晒されてきたにもかかわらず、それに代わる主義主張がなされないため、政治哲学界は長く停滞していた。そこに登場したのが、ハーバード大学の哲学者ジョン・ロールズだ。

彼は、一九七一年に『正義論』を発表して、倫理学界ばかりでなく、世界の思想家に大きな影響を与えた。彼は、その序文で「正義は社会制度にとって第一の美徳であり、それは真理が思想体系の第一の美徳であるのと同様である」と述べている。

助手　功利主義は、「幸福」や「快楽」といった「利益」の損得で計算できるので具体性があるのですが、「正義」といわれると、非常に抽象的な気がして……。

教授　だからこそ、近代の哲学者や倫理学者は、「正義」という言葉を用いることを躊躇してきたわけだが、ロールズは、「正義」を次の二つの原理で定義した。

まず「第一原理（平等な自由の原理）」として、「人は、全員にとって同じような自由の体系と両立しうる、平等な自由に関する最も広範囲な全体的体系に対して、平等な権利を持つ」と定義する。

助手　どういう意味ですか？

教授　他者の自由を侵害しない限り、個人の自由は許容されるべきであり、しかもその自由は、あらゆる個人に平等に与えられるということ。つまり、万人が基本的自由を平等に有することが「正義」の基本であり、そこから彼の思想は「リベラリズム」と呼ばれる。

次に「第二原理」として、「社会的・経済的不平等は、二条件を満たすものでなければならない」と定義する。

ここで「第一条件（格差原理）」は、「社会的・経済的不平等が、もっとも恵まれない立場にある個人の利益を最大にすること」であり、「第二条件（公正な機会均等の原理）」は、

「公正な機会の均等という条件のもとで、すべての個人に開かれている職務・地位に付随するものでしかないこと」……。

助手 その二つの条件は、何を意味しているんですか？

教授 一七世紀の哲学者トマス・ホッブズは、ありのままの人々の「自然状態」を仮定し、その人々が国家と「契約」を結んで「社会状態」に移行するという「社会契約説」を主張した。ロールズも、「社会契約説」に従って、人々が社会的に何者であるかを認識しない、ありのままの「原初状態」を仮定する。

助手 「原初状態」ですって？

教授 いわば人間の「初期状態」のことだ。人種や性別、容姿や性格、体力や能力、血統や家柄などの情報が「無知のベール」によって覆われている状態を想定する。

仮に人々が全員、平等に「原初状態」にあるとき、君はどのような社会で生きていきたいと願うかね？

助手 たとえば「貧富の差が激しい社会」だったら、富裕層に生まれれば幸運ですが、最貧困層に生まれると悲惨な生涯になるということですね。

教授 だから君は、「もっとも恵まれない立場にある個人の利益を最大にする」社会を選ぶべきだという理屈になる。それが「第一条件（格差原理）」だ。

一方、君が均等に与えられた状況で能力を発揮し、人よりも上位の「職務・地位」を得たとしても、その不平等は許容されるというのが「第二条件（公正な機会均等の原理）」だ。

サンデルの批判

助手　人々が自由でありながら、もっとも恵まれない人の立場にも配慮するのが「正義」だということですね。
教授　ところが、一九八二年にハーバード大学の哲学者マイケル・サンデルが『自由主義と正義の限界』を発表し、非常に綿密なロールズ批判を行った。そこから現代に至るまで、さまざまな学者を巻き込んだ「リベラル・コミュニタリアン論争」が行われているわけだ。
助手　「正義論」のどこが批判されるんでしょうか？
教授　サンデルは、功利主義を批判する点ではロールズと合意し、ロールズの「正義」の「第一原理」も認めている。しかし、彼が強く批判するのは、ロールズが「第二原理」を導出するために用いた論法なんだ。

そもそもロールズは、「無知のベール」に包まれた「原初状態」の人々は、不確実な状況のもとで想定される最悪の結果を回避する「マキシミン・ルール」を取るに違いないと考えた。しかし、人間はそこまで合理的に判断するだろうか？

助手　どういうことですか？

教授　サンデルが「コミュニタリアン」と呼ばれるのは、彼が「共同体（コミュニティ）」は人々の人格から切り離せないと考えているからだ。

助手　つまり、私が私でいるためには、私の人種や性別、容姿や性格、体力や能力、血統や家柄などの「共同体」における立場が不可欠だということですね。

教授　サンデルは、そのような自覚がない限り、人は「道徳的判断」を下せないと言っている。

要するに、ロールズは、社会の「正義」を合理的な個人の仮想人格から創り上げようとした。しかし、サンデルは、現実社会における「正義」は、むしろ「共同体」における個人の「善」から派生すると考えたわけだ。

助手　何が「正義」で何が「善」なのか、具体的な問題で考えてみる必要がありますね！

教授　それを君の宿題にしておこう。

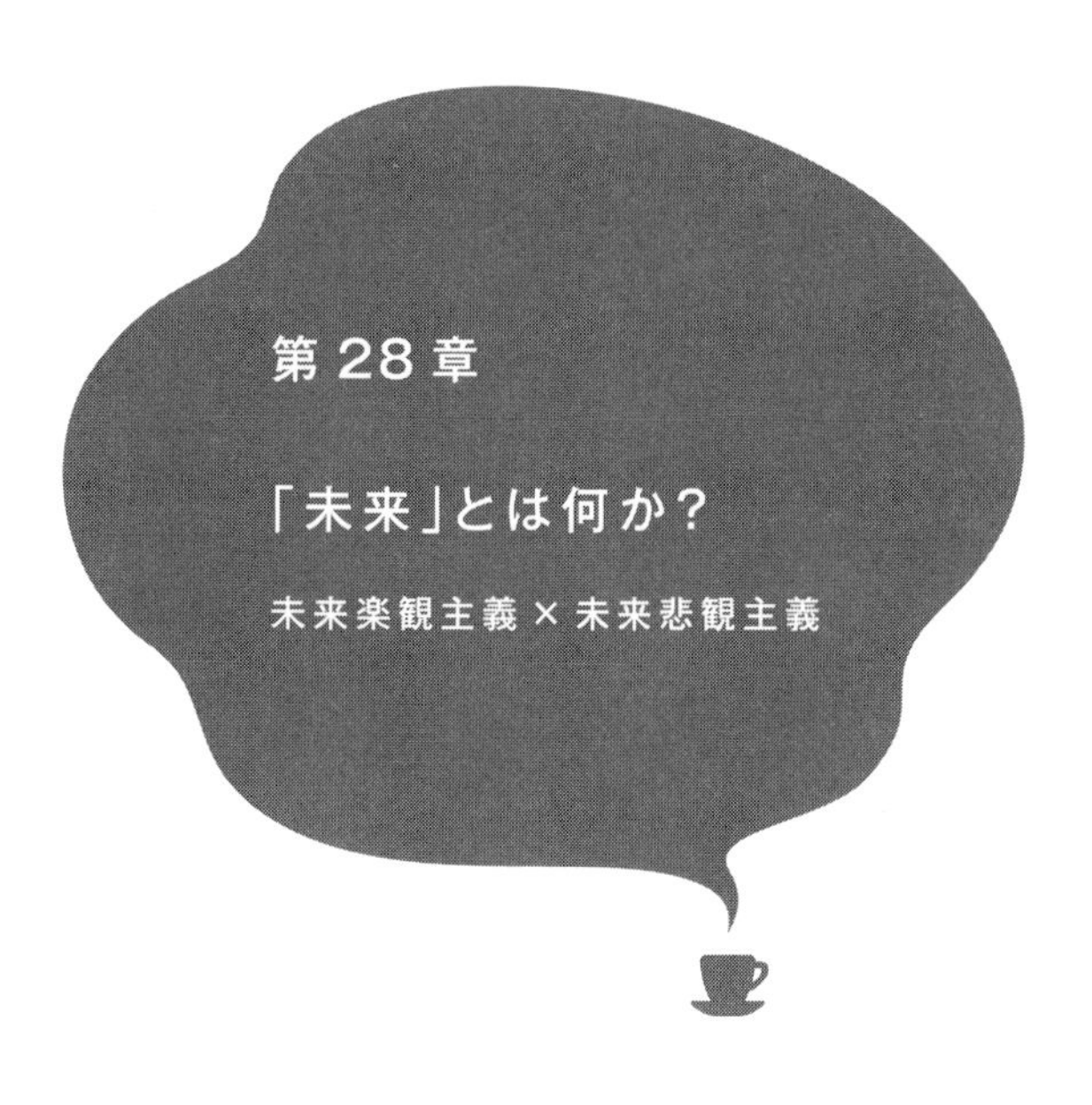

1929年

バナール
『宇宙・肉体・悪魔』

×

1973年

ローレンツ
『文明化した人間の
八つの大罪』

裏メニューを注文

教授　今日は、君に教えてもらった「ゴディバ・フラペチーノ」を買ってきたよ。メニューには存在しない注文なのに、すぐに店員に通じて驚いたがね……。

助手　スタバの裏メニューの中でも、人気商品ですからね。

通常の手順としては、バニラ・クリーム・フラペチーノを注文して、バニラ・シロップをモカ・シロップに変更、ホイップ・クリームを増量して、チョコレートソースも追加する。ここまでは無料サービスです。

これにチョコレートチップスを五〇円で追加、さらにアーモンドトフィーシロップを五〇円で追加すれば出来上がり！

教授　コーヒーというよりも、チョコレートパフェのような風味だね。かといって甘すぎるわけでもなく、アーモンドとモカの香りがして、美味い！

助手　もともとは、ゴディバの「ショコリキサー」の味をスタバで再現したみたいですが、カカオの風味は、やはりゴディバの方が濃厚ですね。

機会があったら、ゴディバの「ホットショコリキサー・ダークチョコレート」を飲んでみてください。七二パーセントのダークチョコレート・ドリンクだから、身体中がポカポカになりますよ。

教授 聞いているだけで、温まってきたよ。ところで、宿題は考えてきたかね？

戦争における「人殺し」の意味

助手 何が「善」で、何が「正義」なのかという宿題でしたね。いくら考えても難しくて、図書館に行ったら『戦争における「人殺し」の心理学』という本を見つけて、読んでみたら、ものすごく衝撃的で……。

教授 デーブ・グロスマンが一九九五年に発表した作品だね。その本は、今ではアメリカ合衆国ウエスト・ポイント陸軍・空軍士官学校の教科書に指定されている。

助手 グロスマンは、レンジャー部隊や落下傘部隊に所属し、二三年間の従軍経験を持つ陸軍中佐。退役後、アーカンソー州立大学教授として、歴史学・心理学的見地から軍事学を集大成したのが、その本です。

教授　何がそんなに衝撃的だったのかね？

助手　何よりも驚いたのは、第二次大戦中のアメリカ陸軍兵士の一五パーセントから二〇パーセントしか、敵に発砲していなかったという事実です。このデータは、ヨーロッパおよび太平洋戦線で、ドイツや日本と対峙した四〇〇個以上の歩兵中隊に対する面接調査の結果です。

軍人としてのグロスマンは、「多くの歴史的状況において、発砲しない兵士は火線部隊の大半を占めていたのである。その隣に立つことになっていたかもしれない一兵士としては、大義と国と仲間を守ろうとしなかったかれらに不快を感じずにはいられない」と批判しています。

ところが、学者としてのグロスマンは、「かれらが負っていた重荷と払った犠牲について多少なりと理解してきた人間としては、かれらの存在を、そしてかれらが体現しているわが人類という種に備わった高貴な性質を、やはり誇りに思わずにはいられない」とも述べています。

教授　もともと人間は「同類を殺すこと」に非常に強い抵抗感を持つことが、軍事的にも実証されたわけだ。

助手　私は、それが人間の根源的な「善」であり「正義」でもあるのではないかと思ったんです。

一般に、ある生物が同種の生物から攻撃された場合、「逃避」か「威嚇」が選ばれます。もし「威嚇」で撃退できなければ、「闘争」・「逃避」・「降伏」のいずれかが選ばれますが、最も危険な「闘争」が選ばれたとしても、双方が死に至ることはないように抑制されます。たとえば、ピラニアはどんな相手にも嚙みつきますが、相手がピラニアの場合には、尾で打ち合うだけです。

教授　だから、兵士の多くは、自分と同じように呼吸して生きている敵に出会うと、敵を殺すことがないように抑制して、発砲しないか、発砲したとしても、敵を外してしまうわけだね。

助手　そうです。大多数の兵士は、「同類を殺すこと」に対する抵抗感から、敵と対峙して戦うよりも、味方を助けたり、武器弾薬を運んだり、伝令を務めるなど、むしろ危険性の高い仕事を率先して選ぼうとします。

要するに、彼らのほとんどは、何としても「人殺し」を避けようとするわけです。逆に、最初から罪悪感を持たずに平気で「人殺し」ができる兵士も、二パーセント程度は存在するようですが……。

教授　そのことに気付いて危機感を抱いたアメリカ軍上層部は、徹底した訓練と心理操作によって、兵士の発砲率を向上させたわけだ。

助手　そのため、第二次大戦では一五〜二〇パーセントだった発砲率が、朝鮮戦争では五五パーセント、ベトナム戦争では九〇〜九五パーセントに上昇しました。ただし、その代償として、多くの兵士がＰＴＳＤに苦しめられるようになった結果も分析されています。

バナールの未来楽観主義

教授　人間の「善」や「正義」を根源から追究するとは、なかなか興味深い視点から考えてきたね。

第二次大戦前にイギリス政府の科学顧問を務めた物理学者ジョン・バナールの見解を考えてみよう。彼の専門は構造結晶学だが、バナールは、戦争における科学者の責任と義務についての政府ガイドラインを策定し、後に「世界平和会議」の議長となった人物だ。

一九二九年、バナールは、二八歳になったばかりの若さでケンブリッジ大学の専任講師となり、『宇宙・肉体・悪魔』という本を発表した。その主旨は、科学が発展するにつれて人間が「理性的精神」を実現し、自分たちの「完全なる未来」も定めることができるようになるという楽観主義だった。

その「理性的精神」の敵となるのが、自然の脅威としての「宇宙」、人間の身体的限界としての「肉体」、そして無知や欲望や愚かさなど人間の内面に潜む「悪魔」だ。そこで人間は、この三つの敵を制覇して新たな段階に進むに違いないというのが、バナールの予測だった。

助手 「完全なる未来」なんて、可能なのかしら……。

教授 実際にこの本を読むと、バナールが、その後の科学の進展を正確に予測していた部分が多いことには驚かされるよ。彼は、人類がロケットによる宇宙進出を果たし、宇宙ステーションのようなものを作ることも予見していた。そのために必要なエネルギーは、何よりも太陽から得るべきであり、太陽光発電や太陽電池を開発すべきだと述べている。さらに、葉緑素を含んだ液体を循環させ、光合成を促して炭化水素を合成し、食糧や衣料を生化学的に生産する手段などについても考えている。

助手 一九二九年の時点で、太陽電池まで思いついていたなんて、すごいですね！ それで、未来社会での「肉体」はどうなるのでしょうか？

教授　バナールによれば、人間とは「脳」に他ならない。ところが、実際の肉体を見ると、脳以外の手足や内臓が、摂取したエネルギーの九割を消費しているうえ、人間が死ぬ原因の大部分は内臓や血管の疾患によるもので、これは不合理きわまりない。したがって「人体の無用な部分」は除去され、「脳」だけが大切に繊維物質に包まれた「短い円筒のような形」の物質が残るだろうというのが、バナールの予測だ。こうして「肉体」は克服される。

未来人の姿について、バナールは、次のように述べている。「各人は比較的小さな一組の頭脳部品組み立て物の中にいわば生命の中核を宿していて、最小限のエネルギーしか使わず、それらの頭脳が、一組の複合的エーテル的相互通信網によって結合され、かつ不活性な感覚器官を通じて莫大な空間的及び時間的領域に拡がっている。そしてそれらの感覚器官は、それらの頭脳の活動領域と同様に、一般的にはそれらの頭脳自体から遠く離れた領域に存在する」

バナールの想定を現代風に言うと、各個人の脳機能が直接的にネットで繋がれた状態の「複合脳」で、感覚器官としては、どの地域で何を接続してもよいわけだから、可視領域を超えた電磁波や、可聴領域を超えた超音波さえも知覚できるようになる。たとえば、地球の裏側の映像や音声も、宇宙望遠鏡の観測するX線も、火星探査機のロボットアームの感覚も、それらの感覚器官さえネットで繋がれていれば、「複合脳」は直接的に知覚できることになるわけだ。

助手　もうすぐ実現化されそうな発想ですね。でも私は、そういう「複合脳」には加わりたくないですが……。

教授　この複合脳には、無理に加わらなくてもいいんだよ。バナールの想定する未来人は、「複合脳」に進化して宇宙に進出する「科学者」と、「肉体の快楽と健康を享受し、芸術をたしなみ、宗教を愛護してゆく幸福で繁栄した人類」すなわち「人間主義者」とに分かれるんだ。

地球上で、普通に人生を送った後の人間は、最後に「自分の肉体を捨てるか自分の生命を捨てるか」という決断を迫られる。ここで肉体を捨てて「複合脳」の一部になってもよいし、「自分の生命を捨てる」という従来の死と同じ選択もあるというわけだ。

助手　「悪魔」は、どのように克服されるんですか？

教授　実は、「無知や欲望や愚かさなど人間の内面に潜む悪魔」だけは、未来社会でも完全には克服されない。なぜなら、これらは「人間主義者」によって引き継がれていくからで、

「科学者」は、宇宙植民地から地球を管理するようになる。

バナールは、次のように述べている。「こうして地球は、実は一個の人間動物園に転化してしまうかもしれない。その動物園は、きわめて賢明に管理されているので、そこに住んでいる人たちは自分たちが単に観察と実験のために保護されているのだということに気付かない、というわけである」

助手　酷い話になってきましたね！　きっと私は、観察される方にいるんだと思いますが。

教授　バナールは、人間の相反する欲望の両方を満足させるには、宇宙に進出する「科学者」と、地球に残る「人間主義者」に分かれる方法こそが最善だと信じていた。「このような展望は両方の側を喜ばせるだろう。すなわち、科学者たちに対しては、知識と経験の拡大を求める野望を満足させ、人間主義者たちに対しては、地球上の幸福を求める願いを満足させるだろう」とね……。

助手　つまり未来の人類は、理系の「科学者」と文系の「人間主義者」に分かれて、各々が満足する人生を送るようになるというわけですか……。

教授　人間の願望を、相反する「理系」と「文系」の概念で明確に区分けしたのが、バナールの発想のおもしろいところかもしれないね。

助手　私は、そんなに楽観視できないですが……。

ローレンツの未来悲観主義

教授　もちろん、バナールと違って、未来を大いに悲観視する見解もある。

一九七三年、ノーベル生理学・医学賞を受賞したばかりの動物行動学者コンラート・ローレンツは、『文明化した人間の八つの大罪』を発表した。その中でローレンツは、「現代文明ばかりでなく、種としての人類をも破滅させるおそれ」がある「八つの大罪」に対する警告を述べている。

彼が第一に挙げるのは、「人間の際限のない増殖」に基づく「人口過剰」の問題だ。現在、日本をはじめとする先進諸国では少子化が懸念されているが、世界レベルでの人口増加は幾何級数的に進んでいる。一九三〇年代に二〇億だった世界人口は、六〇年代に三〇億、八〇年代に四〇億、二〇〇〇年には六〇億に達した。国連人口基金の予測によれば、二〇五〇年の世界人口は九三億を超える。今でも八億人が慢性的な栄養不足に陥っている発展途上国の食糧事情や、地球全体の資源需要や環境負荷などを考えるだけでも、厳しい未来状況が見える。

助手　日本をはじめとする先進国は、大量の未消費食糧を廃棄しているのに、発展途上国の子どもたちが栄養失調で亡くなっている映像を見ると、心が痛みますね。

教授　その一方で、豊かさを求める群衆は大都会に集中し、社会的接触が多くなりすぎる結果、他者との関係が「非人間的」になってしまう。人口が過密になればなるほど、人々は隣人に「人間愛」を保つことが困難になり、感性が平板化して他者に「無関心」になる。さらに、狭い空間に閉じ込められた動物が闘争を始めるように、集合状態の中で生活を強いられている大都会では、各個人の「攻撃性」が触発されるようになる。

助手　その「攻撃性」の感覚、よくわかる気がします。

教授　第二に「生活空間の荒廃」が挙げられる。文明人は、周囲の自然環境を破壊することによって、自分たちの精神構造も荒廃させてしまう。高層ビルや大気汚染におおわれた都会では、星空さえ眺めることができない。人工物に取り囲まれた人間の内面からは、自然の美しさや偉大さに対する「畏敬（いけい）」の念が薄れていく。経済的・政治的要因ばかりが優先される都市開発は、結果的に、文明人の審美観・倫理観にかかわる感受性を減衰させる。

第三に、「人間同士の競争」の問題がある。文明人を競争に駆り立てるのは、金銭欲や名誉欲ばかりではない。その根底にあるのは、競争に負けること、貧困化、間違った決定を下すこと、困難な状況に耐えられないことなどに対する「不安」だ。不安に駆りたてられて競争し、競争に駆りたてられて不安になる文明人は、真に価値のあるものを見出す余裕を失い、自覚や反省に専念する時間をなくしていく……。

助手　そのとおりだわ！

教授　第四に、人間の虚弱化による「感性の減衰」が生じる。医学や薬学の進歩の結果、文明人は、ごくわずかな不快刺激にも耐えられなくなっていく。厳しい仕事を克服することによってしか得られない喜びを感じる能力が低下する。喜びや悲しみの減衰は、家族や友人に対する社会的関係さえも希薄にさせてしまう。

第五は、「遺伝的な幼児化現象」だ。文明が進歩し社会が拡大してゆくにつれて、ますます社会秩序が必要になるにもかかわらず、反社会的行動に対して淘汰が働かない。多くの若者は、両親や社会に敵意を持っているにもかかわらず、その両親や社会に養われることが当然だと思っている。彼らを「社会の寄生者」たらしめている幼児化現象が、青少年犯罪の増加をもたらす。

第六は、「伝統の破壊」だ。若い世代は、敵対集団に対するのと同じような憎悪感を抱いて、古い文化集団や文化的伝統に敵対するようになる。このように世代間が一体化できなくなった直接の原因は、親子間の接触の欠如にある。文明が進歩するほど、母親が幼児と過ごす時間は減り、父親が子供の手本となる機会も少なくなる。

助手　近年、そのような家族関係にならないように改善されている部分も多々あると思いますが、「幼児化現象」という点は頷けます。

教授　第七に、人間の「教化されやすさ」が挙げられる。現代の科学技術の進歩は、人類史上に見られなかった世界観の画一化を引き起こしている。世論操作や宣伝技術、それらに巧みに産出された流行によって、大企業や官僚が大衆を「教化」支配するようになっている。

第八が、「核兵器による人類存続の危機」だが、この人工的な危機は、むしろ理性的に避けることができる。

要するに、ローレンツは、「退化し、自然から遠ざかり、商業的な価値だけを信用し、感性に乏しく、家畜化され、また文化的な伝統を忘れ去った人類大衆」を予測し、警告を発しているというわけだ。

助手　最後に登場するのが「核兵器による人類存続の危機」とは……。逆に言えば、それよりも恐ろしい文明人の内面の危機が、七つもあるわけですね。もっと考えてみなければ！

第29章

「責任」とは何か？

カーツワイル × ピンカー

1992年
カーツワイル
『知的機械の時代』

1994年
ピンカー
『言語を生みだす本能』

入店三〇分以内に飲むコーヒー

助手　先生、コーヒーどうぞ。今日の豆は、上野で有名なコーヒー専門店のキリマンジャロです。自家焙煎したばかりだから、香りがいいでしょう……。

教授　濃厚な味だね。深みのあるコクにフルーティな酸味もあって、美味い！

助手　この店には、撮影禁止・お喋(しゃべ)り禁止、しかも入店して三〇分以内にコーヒーを味わったら出ていかなければならないというルールがあるんですよ。

教授　それはおもしろい。コーヒーだけに集中しろということか！

助手　上野といえば、日本で最初に本格的なコーヒー専門店が開かれた土地柄なので、プライドが高いのかもしれませんね。

一八八八年（明治二一年）に外交官だった鄭永慶(ていえいけい)が開いた「可否茶館(かひさかん)」という店は、フランスのカフェをイメージして開店したそうですが、時代を先取りしすぎていたのか、四年で潰れてしまったそうです。

教授　それは、先見の明があったのに、惜しいことをしたね。実際に日本でカフェが流行し始めるのは、大正時代に入ってからだからね。

科学者の責任

助手 そうそう、未来の話を伺って考えてみたんですが、やはり科学技術の進歩と、それに対する人間の責任を考えなければならないのではないでしょうか……。

教授 未来の科学に対して楽観するか悲観するかは別として、第二次大戦後の冷戦時代、東西陣営で軍拡競争が起こったことは事実として再認識しておくべきだろうね。

現在の地球上には、いまだに二万発を超える核弾頭が存在し、それらの中には、広島と長崎で投下から五日以内に二七万人もの人々を犠牲にした原子爆弾の数千倍の威力をもつ水素爆弾も含まれている。

核兵器を保有するアメリカ・イギリス・フランス・ロシア・中国は、二〇〇〇年に開催された「核不拡散条約運用検討会議」で将来の核兵器廃絶を確約したが、この条約そのものに加盟していないインドとパキスタンは、双方が相手国に向けて核弾頭ミサイルを配備していることが確認されている。さらに、イスラエルやイランや北朝鮮のように核兵器所有の疑いが非常に濃厚な国々もある。つまり、核兵器による危機は、いまだに完全に回避されたわけではないんだよ。

助手　地球を何十回も破壊するだけの核兵器が地球上に存在しているなんて、馬鹿げているとしか思えないんですが……。

教授　軍備拡張競争というのは、お互いに歯止めがきかなくなるものだからね。一方が核弾頭ミサイルを開発すれば、他方がそれと同じものを開発して、さらに敵国に近付ける原子力潜水艦に搭載する。

たとえば、一九七〇年代初頭にアメリカの技術者が考案した「複数個別誘導弾頭」（ＭＩＲＶ）という攻撃システムは、一基のミサイルに複数の核弾頭を埋め込み、それが敵国上空で分裂して、それぞれのミサイルが複数の都市を同時に核攻撃するというものだ。

ところが、ＭＩＲＶがアメリカで配備されたときには、すでにソ連も同じ種類のミサイルを実用化して、さらに米ソともＭＩＲＶを防御するための「弾道弾迎撃ミサイル」（ＡＢＭ）を同時に開発していた。

イギリス政府の主席科学顧問ソリー・ズッカーマンは、一九七〇年代から八〇年代の米ソの軍拡競争について、「この一連の不条理な事態が生じた根本的な理由は、新たな兵器システムを考えだしたのがそもそも軍ではなく、さまざまな分野の科学者や技術者だったことにある」と述べている。

助手　あまり表面には出てきませんが、たしかに実際に「新たな兵器システム」を考えているのは科学者や技術者ですから、彼らの軍備拡張に対する責任は重大ですね。

教授　科学と民主主義の重要性を説き続けたコーネル大学の天文学者カール・セーガンは、「世界中の科学者のおよそ半数が何らかの形で軍事産業に関わっている。多くの科学者は、多数にしたがう日和見主義者か、企業の利益のために平気で大量破壊兵器を作りながら、結果など気にもとめない連中のようだ」と述べている。世界中の科学者と技術者は、この言葉にどう答えるべきか、自問自答しなければならないだろう。

スターウォーズ計画

助手　一九八三年には、アメリカのレーガン大統領が「戦略防衛構想」（ＳＤＩ）を掲げて、世界を驚かせましたね。

教授　ＳＤＩは、地球の衛星軌道上に早期警戒衛星を配備し、アメリカ合衆国へ向かって打ち上げられたすべての弾道ミサイルを直後に感知して、衛星からのレーザーや地上からのミサイルで瞬時に迎撃するというシステム配備計画だ。もし完成したら、当時のソ連をはじめとする共産主義圏の脅威に対して、圧倒的に優位に立てるものだった。

ＳＤＩに対して、ソ連のユーリ・アンドロポフ書記長は、アメリカの早期警戒衛星そのものを攻撃するキラー衛星の開発に着手すると公表した。そこから想像される近未来の戦争は、衛星同士がレーザービームで相手を攻撃し合うSF映画のような構図になるため、ＳＤＩは「スターウォーズ計画」と呼ばれるようになったわけだ。

助手　レーガン大統領は、一九四〇年代に原爆を開発した「マンハッタン計画」と一九六〇年代に人類を月面に着陸させた「アポロ計画」を強く意識していたと聞いたことがあります。もともと彼は俳優でしたから、一九八〇年代に「スターウォーズ計画」を成功させることによって、ヒーローになりたかったのかもしれませんね。

教授　とはいえ、ＳＤＩのプランを作成したのは、もちろん軍関係の科学者だからね。

ところが、この計画に対しては、多くの知識人や一般の科学者や技術者も一致団結して反対して、世界各地で署名運動が広がった。その意味では、近年の科学史上の大事件だったと言えるだろう。

そもそもスターウォーズ計画は、「戦略防衛構想」と名付けられているにもかかわらず、実際には「戦略攻撃システム」でもあることが大きな問題だった。というのは、いったんこのシステムが完成すれば、地球全体が戦略的包囲網に入るため、アメリカは、世界中のどの国に対しても、その国が反撃を試みる前に、核攻撃で徹底的に破壊できるようになるからだ。

助手　なるほど。最高の防衛システムは、実は最高の攻撃システムだったわけですね！

教授　推進派は、そのことを認めたうえで、だからこそスターウォーズ計画を完成させるべきだと主張した。なぜなら、もしこのシステムを完成できれば、それが「最終兵器」の役目を果たして、地球上のいかなる核兵器も存在意義を失い、全世界が平和になるから、それでよいではないかというわけだ。

一方、反対派は、それは「机上の空論」にすぎないと主張した。地球全域を包囲するような迎撃システムの構築には、莫大な費用がかかるうえに、技術的にも大きな困難が伴う。それに、この計画に反発するソ連がキラー衛星の実用化を進めているように、他の国々もアメリカのスターウォーズ計画の推進を黙って見ているはずがない。結果的には、世界各国が争って核兵器を開発した冷戦時代のように、宇宙兵器の軍備拡張の悪夢が繰り返される可能性が高いというのが、彼らの主張だった。

助手　もっと実質的な理由から賛成する意見もあったみたいですね。これはアメリカにいた先輩から聞いた話ですが、もしスターウォーズ計画が始まれば、あらゆる産業分野で科学研究関連業務の需要が期待されて、膨大な数の理系就職先が新たに生じる可能性があったため、計画推進を望んだ大学生や大学院生も多かったそうです。

教授　アポロ計画に関連した民間企業は二万社と言われているが、スターウォーズ計画となれば、それ以上の数の企業が研究に駆り出されただろうからね。

助手　私も就職活動で苦労しましたから、その気持ちもわかりますが、自分たちの就職先が増えるからスターウォーズ計画を応援するというのは、ちょっと違うんじゃないかなと思ったんですが……。

教授　研究者といえども人間だからね。アルバイト暮らしのオーバードクターが正規研究員として高給で雇用されるようになるんだから、彼らがスターウォーズ計画に賛成したのも無理はない一面はあるがね……。

「科学技術者が未来を不安に満ちたものにした。これは、世の中がどう発展していくべきかのビジョンはそっちのけで、彼らが自分の仕事だと思ったことをただこなしていった結果である」とズッカーマンは警告している。

ムーアの法則

助手　もし未来社会でスターウォーズ計画が実行されるようなことになったら、そのシステムを二四時間制御するのは、人間ではなくて人工知能になりそうですね。
　そうなると、スターウォーズというよりも、映画『ターミネーター』に登場する「スカイネット」のように、人類が機械に支配されてしまうのではないでしょうか？

教授　冗談抜きで、今世紀中に人類を超える人工知能が生じるに違いないと考えている科学者もいるんだ。
　人工知能研究の第一人者として知られる発明家レイ・カーツワイルは、「二一世紀には二万年分の進歩をとげる」だろうと述べているくらいだからね。

助手　いくらなんでも、一〇〇年で「二万年分」の進歩とは、大げさすぎませんか？

教授　必ずしもそうではないかもしれない。我々は、進歩の渦中にいるから気がつかないが、コンピュータの進歩が指数関数的に進んでいることはわかるだろう。
　インテル社を創立したゴードン・ムーアは、一九六五年に発表した論文で、マイクロチップに集積できるトランジスタの数は毎年二倍になってもおかしくないと述べた。その後、カリフォルニア工科大学の計算機科学者カーバー・ミードが、もう少し精密な計算を行って、マイクロチップに刻まれる回路の集積度は一八か月ごとに二倍になるという経験則を「ムーアの法則」と名付けた。

助手　その法則は成立しているんですか?

教授　毎年発売されるスマートフォンやゲーム機の変化を考えてみれば、その飛躍的な進歩がわかるだろう。

今君が持っているスマートフォンを考えてみよう。そこに内蔵されているプロセッサのマイクロチップは、一九六九年にアポロ宇宙船に積み込まれていた巨大なコンピュータよりも遥かに高性能だ。さらに、内蔵されているデジタル電話、デジタル時計、デジタルカメラ、デジタルボイスレコーダー、ビデオプレーヤー、音楽プレーヤー、百科事典、インターネット、SNS、GPSなどを仮に一九七〇年代に個別の機械で買い揃えたとすると、優に一億円を超える価値になると推定される。

助手　私のスマートフォンは、五〇年前に持って行けば一億円ということですか!

教授　当時は、それだけの処理能力の機械を収納するためには大部屋が必要だったから、コンパクト性や集積性も考えれば、一億円でも安すぎる買い物といえるだろう。

助手　たった五〇年でそこまで進歩したということですね。それが指数関数的な進歩ということですか……。

教授　一九九一年、ヒトゲノムの塩基配列の解読作業が始まったが、七年経過しても解読されたのは一パーセントに過ぎなかったため、多くの遺伝子学者は、「このままでは作業終了までに七〇〇年かかる」と落胆していた。

　ところが、カーツワイルは、「一パーセント終わったということは、ほとんど作業は終了したと言ってもいいだろう」と述べて、人々を驚かせた。

助手　それは、どういうことですか？

教授　カーツワイルによれば、「解読作業は、毎年、指数関数的に速くなるから、二年目には二パーセント、三年目には四パーセント、四年目には八パーセントと進むだろう。したがって、あと七年もすれば、解析は終わるはずだ」と予言した。

そして、実際に二〇〇三年、まさにカーツワイルの予言通りに解読完了宣言が行われた。

助手　それは凄いですね！

教授　そこから彼は、「収穫加速の法則」を主張するようになった。要するに、ある重要な発明が行われると、それは他の発明と結び付き、次の重要な発明の登場までの時間を短縮させるということだ。このことから、科学技術が指数関数的に進歩すると、収穫までの時間も指数関数的に速くなることになる。

助手　すると、未来にはどうなるんですか？

教授　このまま科学技術が進歩すると、その速度は指数関数的に高まり、ある時点で限りなく「無限」に接近すると考えられる。この「技術的特異点」は「シンギュラリティ」と呼ばれている。

ピンカーの反論

助手　その「シンギュラリティ」に到達したら、どうなるんですか？

教授　カーツワイルによれば、二〇四五年頃には、一〇〇〇ドル程度のコンピュータの演算能力が、人間の脳の一〇〇億倍になる。人工知能は、もはや人間には理解できない思考回路で相互通信を開始し、自ら改善し増殖するようになり、それ以降の科学技術の進歩は、人類ではなく機械に制御されるようになる。いわば「超越的知性」が出現するわけだが、その先は、カーツワイルにさえ予測できないということだ。

助手　ＳＦの「スカイネット」が現実になるかもしれないということですか！

教授　もちろん「シンギュラリティ」など生じないという反論もある。そもそも、「コンピュータの演算能力が人間の脳の一〇〇億倍」になったとしても、それは単に「演算の数」が増えただけではないかという考え方がある。

たしかに囲碁や将棋やチェスのようなボードゲームでは、あらゆる手の組み合わせを検証する「演算の数」が非常に重要になるから、人間が人工知能に勝てなくなることは明らかだろう。しかし、ゲームとは異なり、ルールによって限定されていない自由世界で、人工知能に何ができるのかという批判があるわけだ。

助手　いくら演算能力が高くても、人工知能には「意思」や「感情」がないですからね……。

教授　まさにその観点から批判しているのが、ハーバード大学の認知科学者スティーブン・

ピンカーだ。彼は、人工知能やロボットが、あくまで「人工物」であることを忘れてはならないと言う。「人工物」は、人類が長い進化の過程で取得した繁殖欲求や闘争意欲、快楽欲や権力欲といった本能を持たない。だから、仮に人間を全面的に超える人工知能が出現したとしても、それが自己改善と自己複製を繰り返して「超越的知性」に達するようなことはないと主張しているわけだ。

助手 でも、自己改善と自己複製を人工知能にプログラムすることはできますよね?

教授 たしかに。もっと言えば、もしかすると人工知能に「繁殖欲求や闘争意欲、快楽欲や権力欲」などを組み込むことが可能になるかもしれない。

助手 よくSFに出てくる話ですが、もしマッド・サイエンティストが欲望を持った恐ろしい人工知能を創ってしまったら、もはや歯止めが効かなくなるかもしれませんね! 未来には何が起こるのか、もう少し考えてみます!

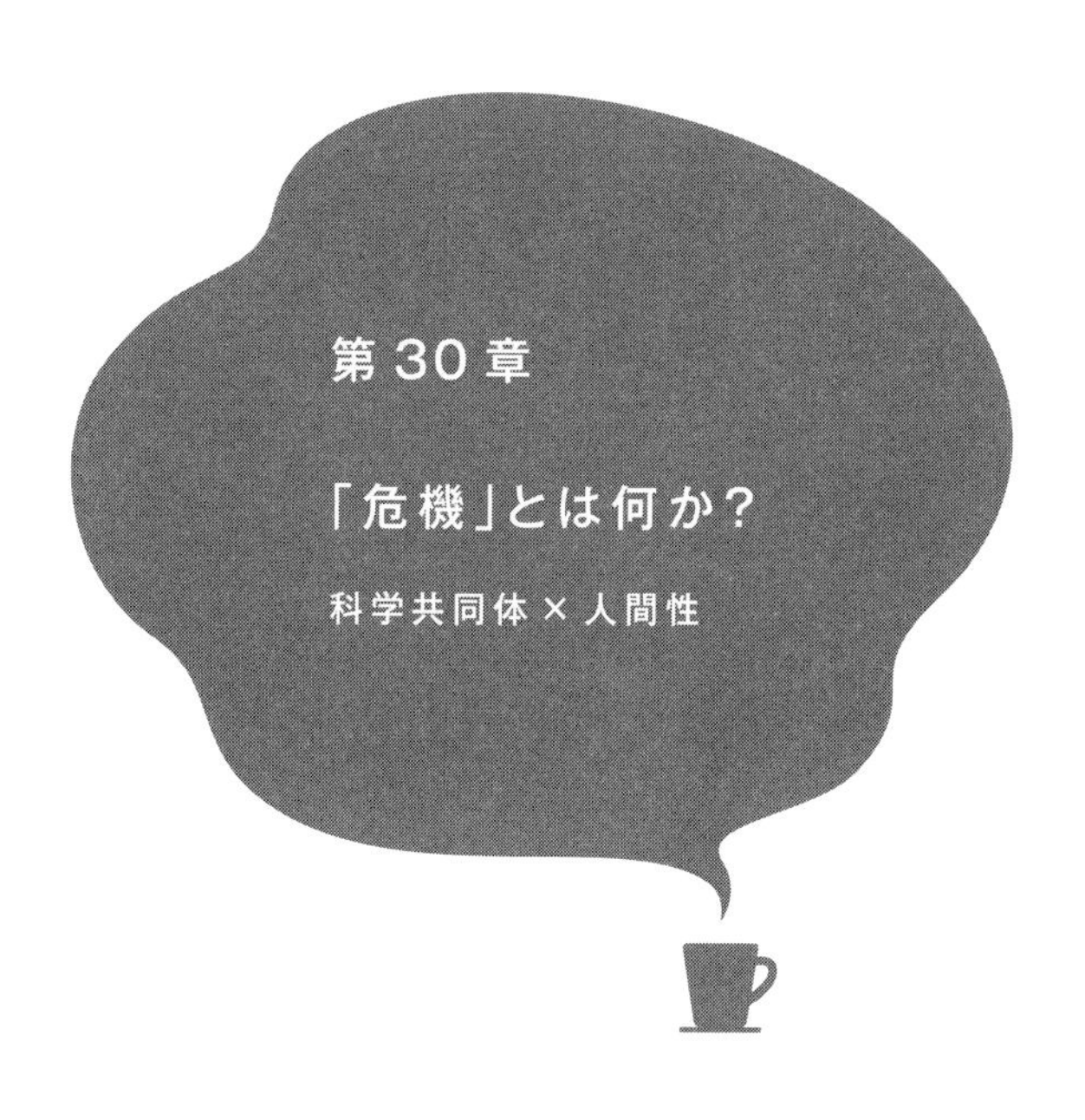

第30章

「危機」とは何か?

科学共同体×人間性

1992年

カーツ

『新懐疑主義』

フェア・トレードのコーヒー

助手　先生、コーヒーどうぞ。今日の豆は、インドネシア産の「スマトラオランウータン・コーヒー」です。

インドネシアの熱帯雨林は、アジアで最大規模だったにもかかわらず、近年は減少の一途を辿り、生息地を失った「スマトラオランウータン」が「絶滅危惧種」に指定されています。そこで、このコーヒー豆の売上金の一部は、動物保護活動団体と環境に配慮した栽培を行う生産者に自動的に寄付される仕組みになっているんです。

教授　いわゆる「フェア・トレード」だね。味そのものは、芳醇な香りに奥深いコク、キャラメルのような甘さがあって、美味い！　インドネシア産の豆のブレンドというだけあって、マンデリンに近い味だね。

助手　そもそもインドネシアやマレーシアの熱帯雨林が減少しているのは、林を伐採して、アブラヤシを大規模栽培するようになったからなんです。その理由は、先進諸国がアブラヤシの果肉から得られる「パーム油」を集中的に輸入しているから……。

教授 「パーム油」といえば、インスタント食品やスナック菓子の大部分に用いられているね。

要するに、先進諸国の人間が「ポテト・チップス」や「ポップコーン」を消費すればするほど、より多くのパーム油が必要になり、その需要に見合ったアブラヤシを大量生産するために東南アジアの熱帯雨林が伐採されて、結果的にスマトラオランウータンが生息できなくなってしまった、というわけだ。

助手 私がスナック菓子を購入することが、熱帯雨林やスマトラオランウータンに影響を与えているなんて考えたこともなかったんですが、地球規模で考えると、相互に影響を与え合っているということなんですね。

最近のニュースで見たんですが、森林伐採や気候変動の影響で、世界の野生種のコーヒー一二四種のうち、なんと六〇パーセント以上の七五種が、絶滅の危機にさらされているそうです。現在、世界で最も商品化されているアラビカ種でさえ、森林の乱伐が続けば、約六〇年後には絶滅する可能性があるということで、地球の環境破壊が心配になります。これまでに伺ったお話の中にも、いろいろな意味で人類の未来を悲観する見解がありましたね。

反科学思想の要因

教授　すでに何度も話してきたように、人類の未来を考える際に避けて通れないのが、私たちと「科学技術」との共存という大問題だ。人を愛したり憎んだり、生を楽しんだり死を恐れるような人間性の本質は、古代ギリシャ時代からほとんど変化していないにもかかわらず、二〇世紀から二一世紀の科学技術の進化は、あまりにも指数関数的に急進しているからね。

助手　人工知能が人類を超える「シンギュラリティ」が数十年以内に生じるかもしれないというお話を伺って、そんなに進歩が速いのかとショックを受けました。

教授　ところが、現実世界を見渡してみると、科学技術を率先して受け入れるというよりも、むしろ「反科学思想」の方が優勢なように映る。ニューヨーク州立大学の哲学者ポール・カーツは、この状況に強い危機感を抱いていた。

助手　スマートフォン一つを考えてみても、科学技術がすばらしい成果をもたらしていることはわかるんですが、その一方で、言い知れぬ恐怖感のようなものを一般の人々に与えることも事実だと思います。

教授 カーツは、その「言い知れぬ恐怖感」が生じる理由を詳細に分析して、一〇の要因にまとめている。

第一の要因は、「原子力に対する恐怖」だ。第二次世界大戦末期に広島と長崎に投下された原子爆弾は、全世界にかつて類をみない恐怖を与えた。人類の科学技術は、ついに地球上のあらゆる生命を滅亡させるのに十分すぎるほどの最終兵器を生み出してしまったわけだからね。

すでに話したように、現在の地球上には、いまだに二万発を超える核弾頭が存在し、中には、原子爆弾の数千倍の威力をもつ水素爆弾も含まれている。核兵器を保有する国々の政府や軍部が、故意あるいは過失によって核戦争や核爆発を引き起こす可能性もまったくないわけではない。つまり、核兵器による人類滅亡の危機は、いまだに完全に回避されてはいないんだ。

さらに、放射能汚染問題が、原子力の平和利用にも影を落としている。世界人口の急増に伴って増加し続けるエネルギー需要に対して、原子力発電が世界で果たしている役割には計り知れないものがある。しかし、世界各地で頻発する原子炉の事故は、放射能汚染に対する恐怖を拡散させている。自然災害に加えて、ずさんな危機管理体制による人災は、原子力開発そのものに対する不信感を生み出し、結果的に「あらゆる原子力発電所を閉鎖すべきだ」という「反原発運動」にまで発展している。

第二の要因は、「環境破壊に対する恐怖」だ。高度成長時代の日本では、企業がコストのかかる化学処理を怠って産業廃棄物をタレ流した結果、周辺住民に水俣病やイタイイタイ病のような悲惨な「公害」を与えた事実がある。現在も、放射性廃棄物や産業廃棄物をはじめ、あらゆる種類の「ゴミ処理」が問題視されているように、生態環境の保護が大きな課題になっている。

多くの科学者が率先して環境保護を訴えているにもかかわらず、「科学者の推進する技術がオゾン層を破壊し、温室効果で地球全体を破壊するに違いない」といった飛躍した「反科学思想」が導かれることも多い。

助手　環境破壊に極端な恐怖感を抱くと、科学技術の「全面否定」にまでエスカレートしてしまうわけですね。何かの一面を批判するあまりに、全面否定にまで飛躍する議論をよく見かけますが、その種の非論理的な飛躍には注意が必要だと思います。

教授　第三の要因は、「化学物質に対する恐怖」だ。二〇世紀には、化学こそが人類の生活を向上させるとみなされてきた。実際に、化学肥料の有効活用によって生産革命が起こり、食品の生産量は劇的に増加し、世界中の飢饉や貧困が減少した。

しかし、現在では、産業廃棄物や農薬をはじめ、いわゆる「環境ホルモン」や「ダイオキシン」などの化学物質に対する毒物恐怖が蔓延している。化学肥料や食品添加物に対する疑念から、有機栽培や自然食品など「自然」への回帰を求める意識が強まっている。このような意識が嵩じると、「自然に反する人工的な化学物質」を生成する科学技術一般に対して、反感が強くなるだろう。

第四の要因は、「遺伝子工学に対する恐怖」だ。遺伝子工学は、遺伝子治療やインスリン製剤などの新薬開発によって、人類に計り知れない利益をもたらしている。しかし、研究が開始された当初から、多くの反対意見が提起されていることも事実だ。

これもすでに話したが、仮に遺伝子研究によって生じた新種のウイルスやバクテリアが実験室から外界へ漏洩すれば、生態系へ致命的な異変を生じさせる可能性がある。だからこそ、遺伝子工学も原子力開発と同じように、「人類を滅亡に導く恐怖の研究」とみなされるわけだ。

出生前診断や遺伝子診断も含めて、遺伝子研究そのものが人類の「非人間化」をもたらすという考え方もある。ヒト・クローン実験や異種遺伝子組換え実験は、多くの国々で禁止されているにもかかわらず、中国がそのルールを拡大解釈して実験を行ったというニュースもある。医学界で自制できなくなれば、「あらゆる遺伝子研究を禁止すべきだ」という強硬な意見も出現するだろう。

第五の要因は、「西洋医学に対する批判」だ。科学技術の発展と西洋医学の進歩によって、人類は「寿命」を一方的に延ばしてきたが、その反面、自分の意思に反して生かされ、精神的にも肉体的にも非常な苦痛を受ける人々が生じているという反論もある。そこから「人生の質」を重視した「死ぬ権利」が、基本的な生命倫理問題として扱われるようになった。

患者の権利が、医療現場で無視されてきたことを指摘する声は強い。かつての医師は、専門的な「権威者」として、その知識や技術が疑われることはなく、倫理的にも、患者の生命を救う献身的な「救済者」とみなされてきた。しかし、「薬害」問題で浮かび上がった医師・製薬会社・官僚の癒着は、現代医学の構造そのものに対する疑惑を生じさせている。尊厳死や安楽死、臓器移植や生殖技術などの新たな生命倫理に関する諸問題においても、医師・患者・家族全体が納得できるような対策が求められている。

助手　患者や家族に対する医師の説明が冷徹すぎるという批判をよく耳にしますが、やはり丁寧な「インフォームド・コンセント」が必要だと思いますね。

教授 第六の要因は、「精神医学に対する批判」だ。極端な「反精神医学」の提唱者として知られるシラキュース大学の精神科医トーマス・サズは、あらゆる人間が「社会的疾患」に罹っているのだから、特定の「精神疾患」など存在せず、患者も存在しないとまで主張する。サズの論法によれば、「社会こそが本当の患者であり、社会の治療が必要」である以上、精神疾患の存在そのものが否定され、精神病院も治療も不必要だということになる。

とくに二〇世紀後半のアメリカでは、サズの影響から本人の同意が得られない「強制入院制度」に批判が加えられるようになった。サズの理論は、異常行動を起こす精神疾患者が、病理学的な治療で症状が改善されている事実と矛盾するにもかかわらず、「反体制思想」と結び付いて社会に受け入れられてしまったんだ。

「反精神医学」は、実験心理学や動物実験反対運動とも結び付いている。動物が不必要に虐待される場合は論外だが、急進的な動物愛護運動では、「あらゆる動物実験を伴う医療研究を禁止」すべきとまで主張している。

第七の要因は、「代替健康療法の流行」だ。西洋医学と精神医学に対する不信感は、信仰治療や同種療法から、ヒーリングや色彩セラピーに至るオカルト的な健康療法の流行を助長している。これらの中には、人間の延命や健康維持に本質的な成功をもたらしてきた西洋医学と、根本的に矛盾するものも多い。それにもかかわらず、西洋医学よりも、代替健康療法に頼ろうとする一般的な傾向は、以前よりも強くなってきている。

第八の要因は、「神秘主義への関心」だ。ヨガや気功は、「西洋医学では不可能な、健康や精神的安定を与える」ものとして流行している。信頼できる臨床データがないにもかかわらず、ガンをはじめとする難病を克服できると宣伝する心霊療法もある。さらに、さまざまな占いや超自然現象への関心は、幻覚剤や洗脳によって信仰を強いるカルト宗教に利用されることもある。

第九の要因は、「宗教的原理主義の再来」だ。いわゆる「原理主義者」は、科学的な文化基盤そのものを疑問視し、宗教によってしか人類の希望は叶えられないと説く。驚くべきことに、現代社会では、科学的な研究や教育よりも、はるかに多額の金額が「宗教」につぎ込まれている。とくにアメリカで顕著な一例としては、「科学的創造説」とよばれる宗教活動をあげることができる。この説の信奉者は、聖書に記載された通りの「天地創造」を信じ、アメリカ国内の義務教育で進化論が教育されることに反対し、さまざまな州で訴訟を起こしている。

第一〇の要因は、「文化相対主義とフェミニズムからの批判」だ。すでに述べたように、極端な文化相対主義者は、科学の普遍性を批判し、科学的方法は存在せず、科学的知識は社会・文化的な構造に基づいて相対的に得られるものにすぎないと主張する。また、一部の急進的フェミニストは、ニュートンからファラデー、ラプラスからハイゼンベルクに至るまで、科学は「白人アングロサクソン男性」の表現に過ぎないと糾弾している。

多様な文化が科学に貢献してきたことや、女性が科学において果たしてきた役割を歴史的に認める必要があることは明らかだろう。しかし、行き過ぎた文化相対主義やフェミニズムは、科学の普遍性を否定し、むしろ科学は「男性中心文化」を超越するものではないと断定することになる。「文化的・人種的・性的な差別に基づく知識から人間性を解放」すべきだという主張が、あらゆる科学からの「解放」を意味するならば、それは「反科学思想」に繋がる。

科学共同体の危機

助手　ちょっと考えてみると、カーツの一項目の「反科学思想」を身につけた人物、私の周囲にいくらでもいますよ。原子力開発や遺伝子工学の廃止を求め、臓器移植や動物実験の禁止を訴え、西洋医学や精神医学に不信感を抱き、有機栽培や自然食品を好み、環境保護運動やフェミニズム運動に賛同し、ヨガや気功を実践し、超自然現象や神秘主義に憧れ、星占いや宗教に基盤を置いて生活している人物……。

教授 たしかに、実際に周囲を見渡してみると、少なくとも部分的にそのような傾向をもつ「文化人」あるいは「知識人」の方が、はるかに多いことがわかるだろう。

もちろん、カーツ自身も認めているように、科学に対するこれらの批判の中には、正当な内容も多く含まれている。しかし、現代社会においては、これらの批判が極端に誇張され、統合されることによって、一種の「反科学運動」が形成されつつあるように映る。カーツは、このような現状を「科学共同体の危機」とよび、「科学共同体とそれに関与する人々が、科学に対する攻撃を真摯に受け止めようとしない限り、反科学思想が勢いを増大させることは明らか」だと警告している。

科学者として「科学共同体の危機」を強く訴えてきたカール・セーガンは、アメリカで一九九〇年に実施された意識調査の結果、「科学嫌いは公然の事実」と報道された新聞記事を人類の「悲劇の始まり」だとみなした。この調査によれば、「地球が太陽の周囲を一年の周期で公転している」という事実を、当時は半数以上のアメリカ人が知らなかったということなんだが……。

助手 もし現在の日本で調査を行ったら、そこまでひどい結果ではないかもしれませんが、「科学」と聞くだけで耳を塞いで思考を止めてしまう人が多いこともたしかだと思います。

教授 いわゆる「科学離れ」の傾向は、アメリカや日本だけではなく、世界各国でも大きな問題となっている。

ただし、ここで注意しなければならないのは、科学技術の「進歩」そのものは、特に先進諸国の一般大衆から、強く歓迎されているという事実だよ。最新のスマートフォンやバーチャル・リアリティ・デバイス、ホログラムや万能翻訳機、レーザー治療やナノロボットといった新製品や新機能が登場するたびに、科学技術は次々と更新され応用されていく。そして、それらが実生活に「有益」であるとみなされる限り、科学技術は、経済的・社会的にも非常に高く評価される。

助手 それにもかかわらず、「反科学思想」や「科学離れ」が蔓延するのは、なぜでしょうか?

教授 SF作家のアーサー・C・クラークは「十分に発達した科学技術は、魔法と見分けがつかない」と述べている。要するに、我々は過去には考えられなかったような「魔法」を目の当たりにしているわけだが、その理由を一つ一つ明らかにする「科学的精神」が追いついていない。一般人は、一方では「魔法」を嬉々として受け入れながら、他方ではそれに「言い知れぬ恐怖感」を抱いているという奇妙な屈折した状況が続いているわけだ。

助手　私は文系だから「科学技術」について触れようとせずに生きてきたんですが、それではいけないということですね。とくに二一世紀以降の科学技術の進化と人間性への影響については、私たち誰もが考えていかなければならない大問題だとわかりました！

おわりに

本書は、『小説宝石』(光文社)の二〇一六年一〇月号から二〇一七年一二月号にかけて連載した「20世紀大論争!」(全一五回)、および二〇一八年一月号から二〇一九年三月号にかけて連載した「21世紀大論争!」(全一五回)に加筆・修正を行い、詳細な参考文献を付記したものである。

各章の冒頭には、すでに時事的に経過したエピソードも含まれているが、本論にスムーズに導入するために想定して組み込んだ事例も多いので、あえて、ほとんどそのままにしてある。ご容赦いただけたら幸いである。

本書は、「教授」と「助手」が、コーヒーを飲みながら研究室で対話する形式で進行する。

どなたにもわかりやすく読んでいただけるように執筆したつもりだが、とくに読者対象としてイメージしていたのは、教養課程に在籍する大学一・二年生である。

仮に本書を「現代思想概論」や「現代思想史」や「科学史入門」といった講義で教科書・副読本として採用していただければ、前期一五回・後期一五回の合計三〇回の講義にちょうど適用できる三〇章となるはずである。もちろん、各回に二章ずつ進行すれば、半期授業に用いることもできるだろう。

実際に、私が大学の授業で使用する際には、まず事前に「論争」を指定して、どちらの見解に共感するか、学生によく読んで考えてきてもらう。たとえば第3章であれば、学生は、ベルクソンとラッセルのどちらの見解に賛同するかを考えてきて、授業時には、ベルクソン派とラッセル派に分かれてディベートを行う。

そのディベートで浮かび上がってきた論点を抽出し、整理して、それらが現在の学界ではどのように議論されているのか、改めて解説する。授業後のリアクションペーパーでは、学生自身の最終的な見解を熟考したうえで、小論文にまとめて提出してもらう。

本書で扱うような根源的な「論争」の背景には、さまざまな哲学的問題が潜んでいることが多く、単一の絶対的解答が存在するわけではない。そして、私の授業で行う「哲学ディベート」は、「競技ディベート」のように、他者への説得力によって勝ち負けを競うものでもない。あくまでディベートを通して、むしろ視界を広げることが重要なのである。

したがって、最終段階で、ベルクソン派だった学生がラッセル派に意見を変えるのも、その逆も自由である。お互いの意見や立場の違いを明らかにしていく過程で、かつて考えたこともなかった発想や、これまで気付かなかったものの見方を発見し、さらにそこから新たなアイディアを生み出すことこそが、「哲学ディベート」の目的だからである。

そもそも、なぜ二〇世紀に多種多彩な「論争」が生じたのか、そこからどのように枝分かれして別の「論争」に繋がっているのか、それらが二一世紀現在ではどのように議論されているのか。読者には、本書の各章は、現代思想の根源で生じたさまざまな「論争」への「入口」とみなしていただければ幸いである。

なお、本書の「論争」は、ベルクソン対ラッセル、ウィトゲンシュタイン対ポパー、ボーア対アインシュタインのように、個人間における狭義の「論争」が基本となっている一方、ソーカル対「ポストモダニスト」、チューリング対「反人間機械論」、カーツ対「反科学思想」のように、思想的な対立という意味で広義の「論争」を指す場合もある。

読者には、ぜひ一緒に議論に参加していただき、多彩な「論争」を上空から「俯瞰」して、何が二〇世紀の「源泉」で生じたのか、幅広い視野で把握していただけたらと思う。わかりやすく対話を進行させるため、本書の議論の中には、飛躍した言動や厳密性に欠ける論法も含まれているので、その先の本格的な議論については、「参考文献」を参照していただけたら幸いである。

最後になったが、「現代思想の源泉」にある過去のさまざまな「論争」をまとめて新書にしてほしいと、二〇一三年に丁寧な長い手紙で最初に提案してくださったのは、当時、光文社新書編集部にいらした山川江美氏である。それから七年が過ぎたが、ようやく約束を果たせた気持ちでいる。

山川氏が文庫編集部に異動した後、「20世紀大論争！」と「21世紀大論争！」の連載を担当してくださったのは、古川遊也氏である。古川氏が「ＦＬＡＳＨ」編集部に異動した現在、本書と「光文社新書 ｎｏｔｅ」の書評連載では、田頭晃氏のお世話になっている。どうも光文社は、編集者を多彩な部署に異動させて鍛え上げる出版社であるらしい（笑）。

いずれにしても、本書は、最初の提案と長期にわたる連載、そして、その原稿を新書に仕上げる編集作業がなければ、成立していない。改めて、本書を生み出してくださった編集者三氏に、深く感謝したい。

國學院大學の同僚諸兄、ゼミの学生諸君、情報文化研究会のメンバー諸氏には、さまざまな視点からヒントや激励をいただいた。それに、家族と友人のサポートがなければ、本書は完成しなかった。助けてくださった皆様に、心からお礼を申し上げたい。

高橋昌一郎

二〇二一年一月二四日――母の米寿を祝して

[142] Alan Turing, "Computing Machinery and Intelligence, " *MIND*: 236, 433-460, Oxford University Press, 1950.［アラン・チューリング（高橋昌一郎訳）「計算機械と知性」『現代思想：総特集チューリング』青土社、第40巻第14号、pp. 8-38、2012年］
[143] Alan Turing, *The Essential Turing: Seminal Writings in Computing, Logic, Philosophy, Artificial Intelligence, and Artificial Life plus The Secrets of Enigma*, edited by Jack Copeland, Oxford University Press, 2004.
[144] Stanislaw Ulam, *Adventures of a Mathematician*, Scribner's Sons, 1976.［スタニスラフ・ウラム（志村利雄訳）『数学のスーパースターたち』東京図書、1979年］
[145] John von Neumann, *Collected Works of John von Neumann*, 6 Vols., edited by Abraham Taub, Pergamon, 1961-1963.
[146] John von Neumann, "The Mathematician, " in *Collected Works of John von Neumann Volume 1: Logic, Theory of Sets and Quantum Mechanics*, edited by Abraham Taub, pp. 1-9, Pergamon Press, 1961.［ジョン・フォン・ノイマン（高橋昌一郎訳）「数学者」『現代思想：総特集フォン・ノイマン』青土社、第41巻第10号、pp. 10-24、2013年］
[147] John Watson, *Behaviorism*, University of Chicago Press, 1930.
[148] John Watson and Rosalie Rayner, "Conditioned Emotional Reactions," *Journal of Experimental Psychology*: 3, 1-14, 1920.
[149] Norbert Wiener, *Cybernetics: or Control and Communication in the Animal and the Machine*, MIT Press, 1948.［ノーバート・ウィーナー（池原止戈夫・彌永昌吉・室賀三郎・戸田巌訳）『サイバネティックス：動物と機械における制御と通信』岩波書店、1962］
[150] Norbert Wiener, *The Human Use of Human Being: Cybernetics and Society*, Doubleday, 1950.［ノーバート・ウィーナー（鎮目恭夫・池原止戈夫訳）『人間機械論』みすず書房、1979年］
[151] Ludwig Wittgenstein, *Philosophical Investigations*, translated by G. Anscombe, Macmillan, 1953.
[152] Ludwig Wittgenstein, *Tractatus Logico-Philosophicus*, translated by D. Pears and B. McGuinness, Routledge, 1961.［ルートヴィヒ・ウィトゲンシュタイン（藤本隆志・坂井秀寿訳）『論理哲学論考』法政大学出版局、1968年］
[153] ルートヴィヒ・ウィトゲンシュタイン（山本信・大森荘蔵編訳）『ウィトゲンシュタイン全集』（全12巻）大修館書店、1988年。
[154] Benjamin Whorf, *Language, Thought, and Reality*, MIT Press, 1956.［ベンジャミン・ウォーフ（池上嘉彦訳）『言語・思考・現実』講談社（講談社学術文庫）、1993年］
[155] 読売新聞社編『20世紀——どんな時代だったのか』（全8巻）読売新聞社、2000年。

1912.［バートランド・ラッセル（中村秀吉訳）『哲学入門』社会思想社（現代教養文庫）、1964 年］
［126］Bertrand Russell and Alfred Whitehead, *Principia Mathematica*, 3 Volumes, Cambridge University Press, 1910-1913.
［127］Carl Sagan, *Cosmic Connection*, Anchor, 1976.［カール・セーガン（福島正実訳）『宇宙との連帯』河出書房新社（河出文庫）、1982 年］
［128］Carl Sagan, *The Demon-Haunted World*, Random House, 1996.［カール・セーガン（青木薫訳）『科学と悪霊を語る』新潮社、1997 年］
［129］坂本百大『言語起源論の新展開』大修館書店、1991 年。
［130］Michael Sandel, *Public Philosophy: Essays on Morality in Politics*, Harvard University Press, 2005.［マイケル・サンデル（鬼澤忍訳）『公共哲学：政治における道徳を考える』筑摩書房（ちくま学芸文庫）、2011 年］
［131］Edward Sapir, *Selected Writings in Language, Culture and Personality*, edited by D. Mandelbaum, University of California Press, 1949.［エドワード・サピア（平林幹郎訳）『言語・文化・パーソナリティ』北星堂、1983 年］
［132］ジャン・サルトル（佐藤朔・他訳）『サルトル全集』（全 39 巻）人文書院、1950-1977 年。
［133］佐藤勝彦・寿岳潤・高橋昌一郎「座談会：宇宙はなぜ宇宙であるか」『月刊現代』講談社、第 27 巻第 12 号、pp. 270-281、1993 年。
［134］Franco Selleri, *Die Debatte um die Quantentheorie*, Vieing and Sohn, 1983.［フランコ・セレリ（櫻山義夫訳）『量子力学論争』共立出版、1986 年］
［135］Lee Smolin, *The Life of the Cosmos*, Weidenfeld and Nicolson, 1997.［リー・スモーリン（野本陽代訳）『宇宙は自ら進化した』日本放送出版協会、2000 年］
［136］Raymond Smullyan, *5000 B.C. and Other Philosophical Fantasies*, St. Martin's Press, 1984.［レイモンド・スマリヤン（高橋昌一郎訳）『哲学ファンタジー』筑摩書房（ちくま学芸文庫）、2013 年］
［137］Raymond Smullyan, *Some Interesting Memories: A Paradoxical Life*, Thinker's Press, 2002.［レイモンド・スマリヤン（高橋昌一郎訳）『天才スマリヤンのパラドックス人生』講談社、2004 年］
［138］Alan Sokal and Jean Bricmont, *Fashionable Nonsense*, Picador, 1998.［アラン・ソーカル／ジャン・ブリクモン（田崎晴明・大野克嗣・堀茂樹訳）『「知」の欺瞞』岩波書店、2000 年］
［139］Keith Stanovich, *The Robot's Rebellion*, Chicago University Press, 2004.［キース・スタノヴィッチ（椋田直子訳）『心は遺伝子の論理で決まるのか』みすず書房、2008 年］
［140］高橋昌一郎「普遍記号学と人間機械論」『20 世紀の定義 9：環境と人間』岩波書店、pp. 101-121, 2000 年。
［141］丹治信春『クワイン』講談社、1997 年。

[112] Karl Popper, *The Logic of Scientific Discovery*, Hutchinson, 1959.［カール・ポパー（大内義一・森博訳）『科学的発見の論理』恒星社厚生閣、1972年］
[113] Karl Popper, *The Open Society and Its Enemies*, 2 Vols., Routledge, 1945.［カール・ポパー（武田弘道訳）『自由社会の哲学とその論敵』世界思想社、1973年］
[114] Karl Popper, *Unended Quest*, Fontana, 1976.［カール・ポパー（森博訳）『果てしなき探求』岩波書店、1978年］
[115] William Poundstone, *Prisoner's Dilemma: John Von Neumann, Game Theory and the Puzzle of the Bomb*, Anchor, 1993.［ウィリアム パウンドストーン（松浦俊輔訳）『囚人のジレンマ：フォン・ノイマンとゲームの理論』青土社、1995年］
[116] Willard Quine, *Ontological Relativity and Other Essays*, Columbia University Press, 1969.
[117] Willard Quine, *Word and Object*, MIT Press, 1960.［ウィラード・クワイン（大出晁・宮館恵訳）『ことばと対象』勁草書房、1984年］
[118] John Rawls, *Lectures on the History of Moral Philosophy*, edited by Barbara Herman, Harvard University Press, 2000.［ジョン・ロールズ（坂部恵監訳／久保田顕二・下野正俊・山根雄一郎訳）『ロールズ哲学史講義』（全2巻）みすず書房、2005年］
[119] Martin Rees, *Just Six Numbers*, Basic Books, 2000.［マーティン・リース（林一訳）『宇宙を支配する6つの数』草思社、2001年］
[120] Martin Rees, *Our Final Century?* Heinemann, 2003.［マーティン・リース（堀千恵子訳）『今世紀で人類は終わる？』草思社、2007年］
[121] Ed Regis, *Who Got Einstein's Office?: Eccentricity and Genius at the Institute for Advanced Study*, Addison-Wesley, 1987.［エド・レジス（大貫昌子訳）『アインシュタインの部屋』（全2巻）、工作舎、1990年］
[122] Bertrand Russell, *A History of Western Philosophy and Its Connection with Political and Social Circumstances from the Earliest Times to the Present Day*, Simon and Schuster, 1945.［バートランド・ラッセル（市井三郎訳）『西洋哲学史：古代より現代に至る政治的・社会的諸条件との関連における哲学史』みすず書房、1969年］
[123] Bertrand Russell, *My Philosophical Development*, George Allen and Unwin, 1959.［バートランド・ラッセル（野田又夫訳）『私の哲学の発展』みすず書房、1960年］
[124] Bertrand Russell, *Our Knowledge of the External World as a Field for Scientific Method in Philosophy*, Open Court, 1914.［バートランド・ラッセル（石本新訳）「外部世界はいかにして知られうるか」『世界の名著70』中央公論社（中公バックス）、1980年］
[125] Bertrand Russell, *The Problems of Philosophy*, Williams and Norgate,

[96] Donella Meadows, Jorgen Randers and Dennis Meadows, *Limits to Growth: The 30-Year Update*, Chelsea Green Publishing, 2004.［デニス・メドウズ／ヨルゲン・ランダース（枝廣淳子訳）『成長の限界――人類の選択』ダイヤモンド社、2005年］
[97] 三浦俊彦『ゼロからの論証』青土社、2006年。
[98] Walter Moore, *Schrödinger: Life and Thought*, Cambridge University Press, 1989.［ウォルター・ムーア（小林澈郎・土佐幸子訳）『シュレーディンガー：その生涯と思想』培風館、1995年］
[99] 中村桂子『あなたのなかのDNA』早川書房（ハヤカワ・ノンフィクション文庫）、1994年。
[100] David Newton, *Science Ethics*, Franklin Watts, 1987.［デイビッド・ニュートン（牧野賢治訳）『サイエンス・エシックス』化学同人、1990年］
[101] 野家啓一編『ウィトゲンシュタインの知88』新書館、1999年。
[102] アレクサンドル・オパーリン（江上不二夫編）『生命の起源と生化学』岩波書店（岩波新書）、1956年。
[103] Abraham Pais, *A Tale of Two Continents*, Princeton University Press, 1997.［アブラハム・パイス（杉山滋郎・伊藤伸子訳）『物理学者たちの20世紀』朝日新聞社、2004年］
[104] Abraham Pais, *Niels Bohr's Times: In Physics, Philosophy, and Polity*, Oxford University Press, 1991.［アブラハム・パイス（西尾成子・今野宏之・山口雄仁訳）『ニールス・ボーアの時代』（全2巻）みすず書房、2007-2012年］
[105] John Paulos, *Irreligion*, Hill and Wang, 2007.［ジョン・パウロス（松浦俊輔訳）『数学者の無神論』青土社、2008年］
[106] Julia Penn, *Linguistic Relativity Versus Innate Ideas*, Mouton, 1972.［ジュリア・ペン（有馬道子訳）『言語の相対性について』大修館書店、1980年］
[107] Steven Pinker, *Enlightenment Now: The Case for Reason, Science, Humanism, and Progress*, Penguin, 2018.［スティーブン・ピンカー（橘明美・坂田雪子訳）『21世紀の啓蒙：理性、科学、ヒューマニズム、進歩』（全2巻）草思社、2019年。
[108] Steven Pinker, *The Language Instinct*, Penguin, 1994.［スティーブン・ピンカー（椋田直子訳）『言語を生みだす本能』（全2巻）NHK出版（NHKブックス）、1995年］
[109] John Polkinghorne, *Quarks, Chaos, and Christianity*, Triangle, 1994.［ジョン・ポーキングホーン（小野寺一清訳）『科学者は神を信じられるか』講談社（ブルーバックス）、2001年］
[110] Karl Popper, *Conjectures and Refutations*, Routledge, 1963.［カール・ポパー（藤本隆志・石垣壽郎・森博訳）『推測と反駁』法政大学出版局、1980年］
[111] Karl Popper, *Objective Knowledge*, Oxford University Press, 1972.［カール・ポパー（森博訳）『客観的知識』木鐸社、1974年］

本拓司・有賀暢迪・稲葉肇・他訳）『20 世紀物理学史』（全 2 巻）名古屋大学出版会、2015 年］
［81］黒田亘編『ウィトゲンシュタイン・セレクション』平凡社、1978 年。
［82］Thomas Kuhn, *The Structure of Scientific Revolutions*, University of Chicago Press, 1962.［トーマス・クーン（中山茂訳）『科学革命の構造』みすず書房、1971 年］
［83］Ray Kurzweil, *The Singularity Is Near: When Humans Transcend Biology*, Viking, 2005.［レイ・カーツワイル（井上健監訳／小野木明恵・野中香方子・福田実訳）『ポスト・ヒューマン誕生：コンピュータが人類の知性を超えるとき』NHK 出版、2007 年］
［84］Paul Kurtz, *The New Skepticism*, Prometheus Books, 1992.
［85］Benjamin Libet, *Mind Time*, Harvard University Press, 2004.［ベンジャミン・リベット（下條信輔訳）『マインド・タイム』岩波書店、2005 年］
［86］David Linden, *The Accidental Mind*, Harvard University Press, 2007.［デイビッド・リンデン（夏目大訳）『つぎはぎだらけの脳と心』インターシフト、2009 年］
［87］Seth Lloyd, *Programming the Universe*, Vintage, 2006.［セス・ロイド（水谷淳訳）『宇宙をプログラムする宇宙』早川書房 , 2007 年］
［88］Konrad Lorenz, *King Solomon's Ring*, Routledge, 1952.［コンラート・ローレンツ（日高敏隆訳）『ソロモンの指輪』早川書房、1987 年］
［89］Konrad Lorenz, *On Aggression*, Routledge, 1963.［コンラート・ローレンツ（日高敏隆・久保和彦訳）『攻撃』みすず書房、1970 年］
［90］Konrad Lorenz, *Die Acht Todsünden Der Zivilisierten Menschheit*, Piper, 1973.［コンラート・ローレンツ（日高敏隆・大羽更明訳）『文明化した人間の八つの大罪』思索社、1973 年］
［91］Norman Malcolm, *Ludwig Wittgenstein*, Oxford University Press, 1966.［ノーマン・マルコム（藤本隆志訳）『回想のヴィトゲンシュタイン』法政大学出版局、1971 年］
［92］松田卓也『人間原理の宇宙論』培風館、1990 年。
［93］Abraham Maslow, *Motivation And Personality*, Prabhat Books, 1987.［アブラハム・マズロー（小口忠彦訳）『人間性の心理学：モチベーションとパーソナリティ』産能大学出版部、1987 年］
［94］Donella Meadows, *Limits to Growth*, Signet, 1972.［ドネラ・メドウズ（大来佐武郎訳）『成長の限界――ローマ・クラブ「人類の危機」レポート』ダイヤモンド社、1972 年］
［95］Donella Meadows, Dennis Meadows and Jorgen Randers, *Beyond the Limits: Global Collapse or a Sustainable Future* , 1992.［ドネラ・メドウズ／ヨルゲン・ランダース／デニス・メドウズ（松橋隆治・茅陽一・村井昌子訳）『限界を超えて――生きるための選択』ダイヤモンド社、1992 年］

年]
[65] Werner Heisenberg, *Physics and Beyond*, Harper and Row, 1971.［ヴェルナー・ハイゼンベルク（山崎和夫訳）『部分と全体』みすず書房、1974 年.］
[66] Werner Heisenberg, *Physics and Philosophy*, Harper and Row, 1958.［ヴェルナー・ハイゼンベルク（田村松平訳）『自然科学的世界像』みすず書房、1994 年]
[67] Hal Hellman, *Great Feuds in Mathematics: Ten of the Liveliest Disputes Ever*, Turner, 2006.［ハル・ヘルマン（三宅克哉訳）『数学 10 大論争』紀伊國屋書店、2009 年]
[68] Carl Hempel, *Aspects of Scientific Explanation and Other Essays in the Philosophy of Science*, Macmillan, 1965.
[69] Johann Herder, *Herder on Social & Political Culture*, edited by F. Bernard, Cambridge University Press, 1969.
[70] Andrew Hodges, *Alan Turing: The Enigma*, Vintage, 2012.［アンドルー・ホッジス（土屋俊・土屋希和子・村上祐子訳）『エニグマ：アラン・チューリング伝』（全 2 巻）勁草書房、2015 年]
[71] John Horgan, *Rational Mysticism*, Houghton Mifflin, 2003.［ジョン・ホーガン（竹内薫訳）『科学を捨て、神秘へと向かう理性』徳間書店、2004 年]
[72] John Horgan, *The End of Science*, Addison Wesley, 1996.［ジョン・ホーガン（竹内薫訳）『科学の終焉』徳間書店、1997 年]
[73] Fred Hoyle and Chandra Wickramasinghe, *Evolution from Space*, Simon and Schuster, 1981.
[74] Chris Impey, *How It Ends*, Norton, 2010.［クリス・インピー（小野木明恵訳）『すべてはどのように終わるのか』早川書房、2011 年]
[75] 樺山紘一・坂部恵・古井由吉・山田慶児・養老孟司・米沢富美子編『20 世紀の定義』（全 9 巻）岩波書店、2000 年。
[76] Daniel Kahneman, *Nobel Prize Lecture: Maps of Bounded Rationality and Autobiography*, Nobel Foundation, 2002.［ダニエル・カーネマン（友野典男監訳・山内あゆ子訳）『ダニエル・カーネマン心理と経済を語る』楽工社、2011 年]
[77] Stuart Kauffman, *At Home in the Universe*, Oxford University Press, 1995.［スチュアート・カウフマン（米沢富美子監訳）『自己組織化と進化の論理』日本経済新聞社、1999 年]
[78] Alexander Kohn, *False Prophets: Fraud and Error in Science and Medicine*, Blackwell, 1986.［アレクサンダー・コーン（酒井シヅ・三浦雅弘訳）『科学の罠』工作舎、1990 年]
[79] Victor Kraft, *Der Wiener Kreis*, Springer-Verlag, 1968.［ヴィクトル・クラーフト（寺中平治訳）『ウィーン学団』勁草書房、1990 年]
[80] Helge Kragh, *Quantum Generations: A History of Physics in the Twentieth Century*, Princeton University Press, 2002.［ヘリガ・カーオ（岡本拓司監訳・岡

巻）勁草書房、1999-2002 年。
[51] Martin Gardner, *Science: Good, Bad and Bogus*, Prometheus Books, 1981.［マーティン・ガードナー（市場泰男訳）『奇妙な論理』（全 2 巻）社会思想社（現代教養文庫）1992 年］
[52] Michael Gazzaniga, *Human*, Ecco, 2008.［マイケル・ガザニガ（柴田裕之訳）『人間らしさとはなにか？』インターシフト、2010 年］
[53] Michael Gazzaniga, *The Ethical Brain*, Dana, 2005.［マイケル・ガザニガ（梶山あゆみ訳）『脳のなかの倫理』紀伊國屋書店、2006 年］
[54] Henry Gleason, *Introduction to Descriptive Linguistics*, Holt, 1961.［ヘンリー・グリースン（竹林滋・横山一郎訳）『記述言語学』大修館書店、1972 年］
[55] Maurice Goldsmith, *A Life of J. D. Bernal*, Hutchinson, 1980.［モーリス・ゴールドスミス（山崎正勝・奥山修平訳）『バナールの生涯』大月書店、1985 年］
[56] Kurt Gödel, *Kurt Gödel Collected Works*, 5 Vols., edited by S. Feferman, et al., Oxford University Press, 1986-2004.
[57] Kurt Gödel, "Some Basic Theorems on the Foundations of Mathematics and Their Implications, " in Solomon Feferman et al. ed., *Kurt Gödel Collected Works Volume III: Unpublished Essays and Lectures*, Oxford University Press, pp. 304-323, 1995.［クルト・ゲーデル（高橋昌一郎訳）「数学基礎論における幾つかの基本的定理とその帰結」『現代思想：総特集ゲーデル』青土社、第 35 巻第 3 号、pp. 8-27、2007 年］
[58] Stephen Gould, *Rocks of Ages*, Random House, 1999.［スティーブン・グールド（狩野秀之・古谷圭一・新妻昭夫訳）『神と科学は共存できるか？』日経 BP、2007 年］
[59] Jeremy Gray, *The Hilbert Challenge*, Oxford University Press, 2000.［ジェレミー・グレイ（好田順治・小野木明恵訳）『ヒルベルトの挑戦：世紀を超えた 23 の問題』青土社、2003 年］
[60] Dave Grossman, *On Killing: The Psychological Cost of Learning to Kill in War and Society*, Little Brown and Co., 1995.［デーヴ・グロスマン（安原和見訳）『戦争における「人殺し」の心理学』筑摩書房（ちくま学芸文庫）、2004 年］
[61] Ian Hacking, *Why Does Language Matter to Philosophy?* Cambridge University Press, 1975.［イアン・ハッキング（伊藤邦武訳）『言語はなぜ哲学の問題になるのか』勁草書房、1989 年］
[62] Edward Hall, *The Hidden Dimension*, Doubleday, 1966.［エドワード・ホール（日高敏隆・佐藤信行訳）『かくれた次元』みすず書房、1980 年］
[63] Edward Hall, *The Silent Language*, Doubleday, 1959.［エドワード・ホール（國弘正雄・長井善見・斉藤美津子訳）『沈黙のことば』南雲堂、1966 年］
[64] Steve Heims, *John von Neumann and Norbert Wiener: From Mathematics to the Technologies of Life and Death*, MIT Press, 1980.［スティーブ・ハイムズ（高井信勝訳）『フォン・ノイマンとウィーナー：2 人の天才の生涯』工学社、1985

ャード・ドーキンス（日高敏隆・岸由二・羽田節子・垂水雄二訳）『利己的な遺伝子』紀伊國屋書店、1991 年］
［35］John Dawson, *Logical Dilemmas: The Life and Work of Kurt Gödel*, AK Peters, 1997.［ジョン・ドーソン（村上祐子・塩谷賢訳）『ロジカル・ディレンマ：ゲーデルの生涯と不完全性定理』新曜社、2006 年］
［36］Daniel Dennett, *Freedom Evolves*, Allen Lane, 2003.［ダニエル・デネット（山形浩生訳）『自由は進化する』NTT 出版、2005 年］
［37］Hans Driesch, *Der Vitalismus als Geschichte und als Lehre*, Verlag von Johann Ambrosius Barth, 1905.
［38］Michael Dummett, *Truth and Other Enigmas*, Harvard University Press, 1978.［マイケル・ダメット（藤田晋吾訳）『真理という謎』勁草書房、1986 年］
［39］George Dyson, *Turing's Cathedral: The Origins of the Digital Universe*, Penguin, 2013.［ジョージ・ダイソン（吉田三知世訳）『チューリングの大聖堂：コンピュータの創造とデジタル世界の到来』早川書房、2013 年］
［40］David Edmonds and John Eidinow, *Wittgenstein's Poker*, Ecco, 2001.［デヴィッド・エドモンズ／ジョン・エーディナウ（二木麻里訳）『ポパーとウィトゲンシュタインとのあいだで交わされた世上名高い一〇分間の大激論の謎』筑摩書房、2003 年］
［41］アルベルト・アインシュタイン（湯川秀樹監修／中村誠太郎・谷川安孝・井上健・内山龍雄訳編）『アインシュタイン選集』（全 3 巻）共立出版、1970-1972 年。
［42］Leon Festinger, *When Prophecy Fails*, Harper, 1957.［レオン・フェスティンガー（末永俊郎訳）『認知的不協和の理論』誠信書房、1965 年］
［43］Paul Feyerabend, *Against Method*, Verso, 1975.［ポール・ファイヤアーベント（村上陽一郎・渡辺博訳）『方法への挑戦』新曜社、1981 年］
［44］Paul Feyerabend, *Farewell to Reason*, New Left Books, 1987.［ポール・ファイヤアーベント（植木哲也訳）『理性よ , さらば』法政大学出版局、1992 年］
［45］Paul Feyerabend, *Killing Time*, The University of Chicago Press, 1995.［ポール・ファイヤアーベント（村上陽一郎訳）『哲学、女、唄、そして……』産業図書、1997 年］
［46］Richard Feynman, *The Meaning of It All*, Perseus Books, 1998.［リチャード・ファインマン（大貫昌子訳）『科学は不確かだ！』岩波書店、1998 年］
［47］Richard Feynman, *Surely You're Joking, Mr. Feynman!: Adventures of a Curious Character*, Norton, 1984.［リチャード・ファインマン（大貫昌子訳）『ご冗談でしょう、ファインマンさん：ノーベル賞物理学者の自伝』岩波書店、1986 年］
［48］Jerry Fodor, *The Modularity of Mind*, MIT Press, 1983.［ジェリー・フォーダー（伊藤笏康訳）『精神のモジュール形式』産業図書、1995 年］
［49］藤本隆志『ウィトゲンシュタイン』講談社（講談社学術文庫）、1998 年。
［50］ゴットロープ・フレーゲ（藤村龍雄・野本和幸編）『フレーゲ著作集』（全 7

Consciousness, translated by F. Pogson, George Allen and Unwin, 1910.［アンリ・ベルクソン（平井啓之訳）『時間と自由』白水社、1990 年］
［19］Henri Bergson, *The Creative Mind: An Introduction to Metaphysics*, Citadel Press, 1946.［アンリ・ベルグソン（河野与一訳）『哲學入門・變化の知覺』岩波書店（岩波文庫）、1952 年］
［20］John Bernal, *The World, the Flesh and the Devil*, Kegan Paul, 1929.［ジョン・バナール（鎮目泰夫訳）『宇宙・肉体・悪魔』みすず書房、1972 年］
［21］Susan Blackmore, *The Meme Machine*, Oxford University Press, 1999.［スーザン・ブラックモア（垂水雄二訳）『ミーム・マシーンとしての私』（全 2 巻）草思社、1991 年］
［22］Niels Bohr, *The Collected Works of Niels Bohr*, 13 Vols., North Holland, 1972.
［23］Luitzen Brouwer, *The Collected Works of Luitzen Brouwer*, edited by A. Heyting, 2 Vols., Elsevier Science Publishing, 1974.
［24］アルベール・カミュ（佐藤朔・高畠正明編）『カミュ全集』（全 10 巻）新潮社、1973 年。
［25］アルベール・カミュ／ジャン・サルトル／フランシス・ジャンソン（佐藤朔訳）『革命か反抗か』新潮文庫、1969 年。
［26］Robert Carroll, *The Skeptic's Dictionary: A Collection of Strange Beliefs, Amusing Deceptions, and Dangerous Delusions*, Wiley, 2007.［ロバート・キャロル（小内亨・菊池聡・菊池誠・高橋昌一郎・皆神龍太郎編集委員／小久保温・高橋信夫・長澤裕・福岡洋一訳）『懐疑論者の事典』（全 2 巻）楽工社、2008 年］
［27］Noam Chomsky, *Language and problems of Knowledge*, MIT Press, 1987.［ノーム・チョムスキー（田窪行則・郡司隆男訳）『言語と知識：マナグア講義録』産業図書、1989 年。
［28］ノーム・チョムスキー（福井直樹編訳）『チョムスキー言語基礎論集』岩波書店、2012 年。
［29］Francis Crick, *The Astonishing Hypothesis: The Science Search for the Soul*, Charles Scribner's Sons, 1994.［フランシス・クリック（中原英臣・佐川峻訳）『DNA に魂はあるか——驚異の仮説』講談社、1995 年］
［30］Paul Davies, *The Accidental Universe*, Cambridge University Press, 1982.
［31］Paul Davies, *The Goldilocks Enigma*, Penguin Books, 2006.［ポール・デイヴィス（吉田三知世訳）『幸運な宇宙』日経 BP、2008 年］
［32］Richard Dawkins, *The Blind Watchmaker*, Penguin Books, 1990.［リチャード・ドーキンス（日高敏隆監修／中嶋康裕・遠藤彰・遠藤知二・疋田努訳）『盲目の時計職人』早川書房、2004 年］
［33］Richard Dawkins, *The God Delusion*, Houghton Mifflin, 2006.［リチャード・ドーキンス（垂水雄二訳）『神は妄想である』早川書房、2007 年］
［34］Richard Dawkins, *The Selfish Gene*, Oxford University Press, 1976.［リチ

参考文献

本書で用いた事実情報は、原則的に下記の文献から得たものである。本書で扱った話題は多岐にわたり、参考文献も際限なく挙げることができるが、古典的文献（ユークリッド『原論』やニュートン『プリンキピア』など）は省略してある。基本的に20世紀以降の主要文献と読者の入手しやすい推奨文献を優先してあることをご了承いただければ幸いである。

拙著

本書においては、次の拙著を参照した。『20世紀論争史』を新たにまとめて構成するため、引用および重複する内容のあることをお断りしておきたい。

[1] 高橋昌一郎『ゲーデルの哲学』講談社（講談社現代新書）、1999年。
[2] 高橋昌一郎『科学哲学のすすめ』丸善、2002年。
[3] 高橋昌一郎『哲学ディベート』NHK出版（NHKブックス）、2007年。
[4] 高橋昌一郎『理性の限界』講談社（講談社現代新書）、2008年。
[5] 高橋昌一郎『知性の限界』講談社（講談社現代新書）、2010年。
[6] 高橋昌一郎『東大生の論理』筑摩書房（ちくま新書）、2010年。
[7] 高橋昌一郎『感性の限界』講談社（講談社現代新書）、2012年。
[8] 高橋昌一郎『小林秀雄の哲学』朝日新聞出版（朝日新書）、2013年。
[9] 高橋昌一郎『ノイマン・ゲーデル・チューリング』筑摩書房（筑摩選書）、2014年。
[10] 高橋昌一郎『反オカルト論』光文社（光文社新書）、2016年。
[11] 高橋昌一郎『愛の論理学』KADOKAWA（角川新書）、2018年。
[12] 高橋昌一郎『自己分析論』光文社（光文社新書）、2020年。
[13] 高橋昌一郎『フォン・ノイマンの哲学』講談社（講談社現代新書）、2021年。

全般

[14] Kenneth Arrow, *Social Choice and Individual Values*, Wiley, 1951.［ケネス・アロー（長名寛明訳）『社会的選択と個人的評価』日本経済新聞社、1977年］
[15] John Barrow, *Between Inner Space and Outer Space*, Oxford University Press, 1999.［ジョン・バロウ（松浦俊輔訳）『単純な法則に支配される宇宙が複雑な姿を見せるわけ』青土社、2002年］
[16] John Barrow, *The Constants of Nature*, Random House, 2002.［ジョン・バロウ（松浦俊輔訳）『宇宙の定数』青土社、2005年］
[17] John Barrow and Frank Tipler, *The Anthropic Cosmological Principle*, Oxford University Press, 1986.
[18] Henri Bergson, *Time and Free Will: An Essay on the Immediate Data of*

初出：『小説宝石』二〇一六年一〇月号～二〇一七年一二月号「20世紀大論争！」
『小説宝石』二〇一八年一月号～二〇一九年三月号「21世紀大論争！」
新書版刊行にあたり加筆・修正を行なった。

高橋昌一郎（たかはししょういちろう）
國學院大學教授。専門は論理学・科学哲学。著書は『フォン・ノイマンの哲学』『ゲーデルの哲学』『理性の限界』『知性の限界』『感性の限界』（以上、講談社現代新書）、『自己分析論』『反オカルト論』（以上、光文社新書）、『愛の論理学』（角川新書）、『東大生の論理』（ちくま新書）、『小林秀雄の哲学』（朝日新書）、『哲学ディベート』（NHKブックス）、『ノイマン・ゲーデル・チューリング』（筑摩選書）、『科学哲学のすすめ』（丸善）など、多数。

20世紀論争史 現代思想の源泉

2021年3月30日初版1刷発行
2021年4月15日　　2刷発行

著　者 ── 高橋昌一郎
発行者 ── 田邉浩司
装　幀 ── アラン・チャン
印刷所 ── 萩原印刷
製本所 ── ナショナル製本
発行所 ── 株式会社光文社
東京都文京区音羽1-16-6（〒112-8011）
https://www.kobunsha.com/
電　話 ── 編集部03(5395)8289 書籍販売部03(5395)8116
業務部03(5395)8125
メール ── sinsyo@kobunsha.com

 ISBN 978-4-334-04532-6

光文社新書

1121
ルポ 婚難の時代
悩む親、母になりたい娘、夢見るシニア
筋野茜
尾原佐和子
井上詞子
住職がサポートする「寺コン」、親が相手を探す「代理婚活」、コロナ禍での「オンライン婚活」など、十人十色の婚活模様と日本人の結婚観を共同通信の女性記者三人が徹底取材！
978-4-334-04528-9

1122
未来は決まっており、自分の意志など存在しない。
心理学的決定論
妹尾武治
「我々の自由意志とは錯覚であり、幻想である」――心理学、生理学、脳科学、量子論、人工知能、仏教、哲学、アート、文学、サブカルを横断し、気鋭の研究者が世界の秘密に挑む。
978-4-334-04529-6

1123
ドレミファソラシは虹の七色？
知られざる「共感覚」の世界
伊藤浩介
「真っ赤な嘘」は、なぜ赤色？「いろいろ」は、なぜ「色々」？音や文字に色を感じる〝共感覚〟はなぜ生じるのか。気鋭の脳科学研究者による、ヒトの認知の不思議に迫るスリリングな一冊。
978-4-334-04530-2

1124
巨人軍解体新書
ゴジキ
(@godziki_55)
ファンもアンチも日本一多い球団、読売ジャイアンツの「勝利の哲学」とは。巨人軍の21世紀のスター選手たちを振り返りながら、パ・リーグへの対抗策を考える。
978-4-334-04531-9

1125
20世紀論争史
現代思想の源泉
高橋昌一郎
現代の思想を理解するためには、20世紀の偉大な知性が議論を重ねた諸問題を踏まえなくてはならない。「教授」と「助手」が時にユーモラスに対話しながら道案内を務める知の論争史。
978-4-334-04532-6